중학 기초

중학 필수

중학 고난도

오래 기억할 수 있어요!

3 **앞서 배운 단어가 포함된 예문**으로 자연스러운 반복학습

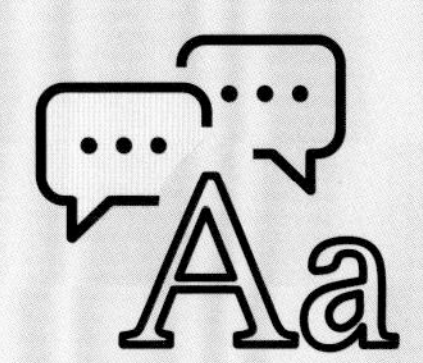

4 효과적인 복습이 가능한 **미니 암기장 &누적 테스트북**

해커스보카 중학 시리즈가 특별한 이유

쉽고 빠르게 외울 수 있어요!

1 연상학습을 돕는 **주제별 구성**

2 이미지를 통해 저절로 외워지는 **Picture Review**

교과서 및 교육부 권장 어휘 완벽 반영

해커스 보카

중학 고난도

해커스 어학연구소

목차

SECTION 1 People

SECTION 2 Daily Life

SECTION 3 Leisure & Culture

SECTION 4 Things & Conditions

SECTION 5 Nature & Science

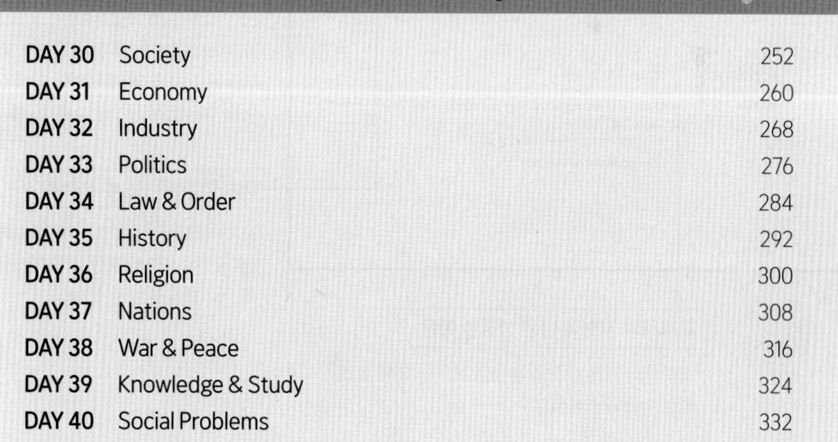

SECTION 6 World & Society

이 책의 구성과 특징

40일 만에 1,200단어 완성

중 2 ~ 예비고 필수 단어 · 숙어 1,200개를 40일 만에 완성할 수 있어요.

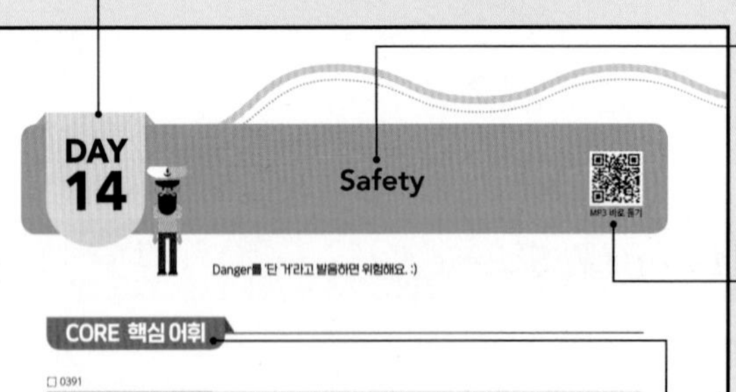

CORE 핵심 어휘

□ 0391
safety [séifti]
명 안전, 안전성 유 security
Safety comes first, so we're wearing goggles. 교과서
안전이 가장 중요해서, 우리는 보호 안경을 쓰고 있다.

Plus + safety first
공사장 근처에서 '안전 제일'이라고 쓰여진 팻말을 본 적이 있나요? '안전 제일'이라는 슬로건은 영어로 'safety first'라고 표현해요.

□ 0392
danger [déindʒər]
명 위험 유 risk 반 safety 안전
When people are in **danger**, rescue dogs can help them. 기출
사람들이 **위험**에 처했을 때, 구조견들이 그들을 도울 수 있다.
+ dangerous 형 위험한 endanger 동 위험에 빠뜨리다

□ 0393
accident [ǽksidənt]
명 1. 사고 2. 우연
I had a traffic **accident** near the school a few days ago. 기출
나는 며칠 전에 학교 근처에서 교통**사고**를 당했다.
+ accidental 형 사고의, 우연한

연상 암기가 가능한 주제별 학습

연관된 단어끼리 모아 학습할 수 있는 주제별 구성으로 연상 작용을 통해 더욱 쉽게 암기할 수 있어요.

QR코드로 바로 듣는 MP3

단어와 뜻, 예문이 포함된 3가지 버전의 MP3를 QR코드를 통해 쉽게 들을 수 있어요.

체계적인 수준별 학습

한 Day 내에서 쉬운 단어부터 어려운 단어 순서대로 학습할 수 있도록 난이도별로 배치하여 수준별 학습이 가능해요.

어휘와 표현을 더해주는 Plus 코너

표제어와 관련된 어휘와 표현을 흥미로운 내용과 함께 제시해 확장된 어휘 학습을 재미있게 할 수 있어요.

어휘력을 높이는 추가 어휘

표제어와 관련된 유의어/반의어/파생어/핵심 표현을 통한 확장 학습으로 어휘력을 높일 수 있어요.

교과서와 시험에 나온 생생한 예문

교과서와 기출 문장을 활용한 예문을 통해 효과적인 학습이 가능해요.

***교재에 사용된 약호**

명 명사 동 동사 형 형용사 부 부사 전 전치사 접 접속사 대 대명사
유 유의어 반 반의어 복 복수형 + 파생어 및 핵심 표현

Daily Test

[01~10] 우리말과 같은 뜻이 되도록 빈칸에 알맞은 단어를 쓰세요.

01 소중한 우정 a(n) ____________ friendship
02 나의 귀여운 여자 조카 my cute ____________
03 우리의 첫 결혼기념일 our first wedding ____________
04 Suzy와 데이트를 하다 ____________ Suzy
05 좋은 관계 a good ____________
06 나이에 비해 어른스러운 ____________ for one's age
07 같은 야구 동아리에 속하다 ____________ to the same baseball club
08 먼 친척 a distant ____________
09 네 운명을 받아들이다 accept your ____________
10 너의 가족들에게 네 자신을 헌신하다 ____________ yourself to your family

[11~15] 괄호 안에 주어진 지시에 맞게 빈칸을 채우세요.

11 elder 나이가 더 많은 → (유의어) ____________
12 trust 신뢰, 신뢰하다 → (반의어) ____________
13 nurture 양육하다 → (유의어) ____________
14 support 지지하다 → (반의어) ____________
15 depend 의존하다 → (형용사형) ____________

[16~20] 단어와 영영 풀이를 알맞은 것끼리 연결하세요.

16 nephew • • ⓐ to have an impact on what people do or what happens
17 community • • ⓑ the ending of a marriage by law
18 appreciate • • ⓒ the son of your sister or brother
19 divorce • • ⓓ to be grateful for something
20 influence • • ⓔ a group of people who are similar in some way

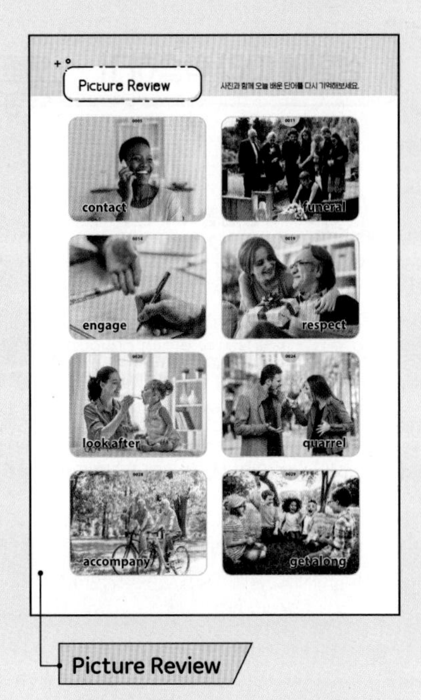

Daily Test

내신 시험 유형을 반영한 Daily Test를 통해 단어 실력 향상은 물론 실전 감각을 키울 수 있어요.

Picture Review

이미지를 통해 앞서 배운 단어를 복습하면서 단어의 뜻을 확실하게 각인시킬 수 있어요.

추가 학습 자료로 어휘 실력 업그레이드!

반복 학습으로
단어를
더 오래 기억하게 해주는
누적 테스트북

간편하게
언제 어디서나
단어를 외울 수 있는
미니 암기장

성향별 맞춤 학습플랜

"난 꼼꼼하게 전부 다 외울 거야!"

1회독
매일 목표를 정해서 해당 범위의 단어와 뜻을 외워보세요. 뜻을 외운 뒤에는 예문 속에서 단어의 쓰임을 확인하고 추가 어휘와 표현도 함께 학습하세요. 암기가 끝나면 Daily Test로 외운 내용을 꼼꼼히 확인하고 틀린 단어는 단어 위의 체크박스에 표시해두세요.

2회독
1회독을 하면서 헷갈리거나 틀렸던 단어들을 중심으로 복습하세요. 홈페이지에 있는 다양한 시험지도 프린트해서 활용해보세요.

"난 짧은 시간만 집중해서 외울 거야!"

1회독
별책으로 제공되는 미니 암기장을 들고 다니며 이동하는 시간, 남는 시간을 활용해 학습해보세요. 암기가 끝나면 Daily Test 문제를 풀어보고, 틀리거나 어려웠던 단어는 잘 표시해두세요.

2회독
틀린 단어나 헷갈렸던 단어를 중심으로 예문과 Picture Review를 확인하면서 복습해보세요.

"난 다양한 감각을 활용해서 외울 거야!"

1회독
QR코드를 찍어 학습할 부분의 '표제어' 파일을 틀고 발음을 들으며 공부하세요. 잘 외웠는지 확인할 때는 '표제어 + 뜻' 파일을 틀고 내가 떠올린 뜻이 맞는지 바로 확인하세요. Picture Review를 통해 이미지로 다시 한번 체크!

2회독
'표제어 + 뜻 + 예문' MP3 파일을 틀어서 예문 속에서 외운 단어의 뜻을 확인한 다음, 예문 영작 테스트를 프린트해서 빈칸을 채워보세요.

"난 과학적으로 검증된 방법으로 외울 거야!"

단어를 잊어버리는 주기에 맞춰 학습해보세요.

1회독
단어의 뜻을 중심으로 암기하고 10분 뒤에 Daily Test로 외운 단어를 확인하세요.

2회독
일주일 후, 미니 암기장으로 뜻을 가리고 얼마나 기억하는지 확인해보세요. 틀린 단어를 꼼꼼히 체크하고 복습하세요.

복습
한 달 후, 누적 테스트북을 펴서 외운 단어를 확인하세요. 틀린 단어는 단어 위의 체크박스에 표시해두고 반복해서 복습하세요.

★ 학습일 또는 학습 진행 상황을 자유롭게 기록해보세요.

	1회독	2회독
DAY 01		
DAY 02		
DAY 03		
DAY 04		
DAY 05		
DAY 06		
DAY 07		
DAY 08		
DAY 09		
DAY 10		
DAY 11		
DAY 12		
DAY 13		
DAY 14		
DAY 15		
DAY 16		
DAY 17		
DAY 18		
DAY 19		
DAY 20		

	1회독	2회독
DAY 21		
DAY 22		
DAY 23		
DAY 24		
DAY 25		
DAY 26		
DAY 27		
DAY 28		
DAY 29		
DAY 30		
DAY 31		
DAY 32		
DAY 33		
DAY 34		
DAY 35		
DAY 36		
DAY 37		
DAY 38		
DAY 39		
DAY 40		

HACKERS

SECTION 1

People

Relationships

Mature한 사람은 상대방의 기분을 잘 배려해요.

CORE 핵심 어휘

□ 0001

elder 형 나이가 더 많은 ㊒ senior 명 (-s) 어른들

[éldər]

He has two **elder** brothers.
그는 **나이가 더 많은** 두 명의 형제들이 있다.

□ 0002

niece 명 (여자) 조카

[niːs]

My **niece**, Amy, is the daughter of my brother.
나의 **조카** Amy는 내 오빠의 딸이다.

□ 0003

nephew 명 (남자) 조카

[néfjuː]

Every summer, Tom's **nephew** visits his grandmother.
매년 여름, Tom의 **조카**는 그의 할머니를 방문한다.

□ 0004

relative 명 친척, 인척 형 상대적인 ㊥ absolute 절대적인

[rélətiv]

My family visits a **relative** in Busan once a year.
나의 가족은 부산에 사는 **친척**을 일 년에 한 번 방문한다.

□ 0005

contact 명 1. 연락 2. 접촉 동 연락하다

[kɑ́ːntækt]

I've lost **contact** with Max since he moved to Mexico.
나는 Max가 멕시코로 이사한 이후로 그와 **연락**이 끊겼다.

☐ 0006

relationship

명 관계

[riléiʃənʃip]

David is not interested in a romantic **relationship**.
David는 애정 **관계**에 관심이 없다.

+ relate 동 관련시키다 relation 명 관계, 관련

Plus +

명사 접미사 ship

접미사 ship은 명사나 형용사 뒤에 붙어서 추상 명사를 만들어요.

relation 관계 + ship ▶ relationship 관계
friend 친구 + ship ▶ friendship 우정
leader 지도자 + ship ▶ leadership 리더십
hard 어려운 + ship ▶ hardship 어려움

☐ 0007

community

명 1. 공동체, 지역 사회 2. 집단, 주민

[kəmjú:nəti]

Dining is a sign of human **community** and distinguishes humans from animals. 기출
식사는 인간 **공동체**의 표시이며 인간을 동물과 구별해준다.

☐ 0008

fate

명 운명, 숙명 유 destiny

[feit]

Fate led them to meet again.
운명은 그들을 다시 만나게 했다.

☐ 0009

faith

명 믿음, 신뢰 유 trust

[feiθ]

Jordan did not have much **faith** in Robby. 기출
Jordan은 Robby에게 많은 **믿음**을 가지고 있지 않았다.

☐ 0010

trust

명 신뢰 동 신뢰하다 반 distrust 불신; 불신하다

[trʌst]

Her **trust** in her child was broken.
자신의 아이에 대한 그녀의 **신뢰**가 무너졌다.

+ trusty 형 신뢰할 수 있는

□ 0011

funeral

명 장례식

[fjú:nərəl]

Brian attended his grandmother's **funeral.**

Brian은 그의 할머니의 **장례식**에 참석했다.

□ 0012

belong

동 속하다, 소유물이다

[bilɔ́:ŋ]

Anne and I **belong** to the same dance club at school.

Anne과 나는 학교에서 같은 춤 동아리에 **속한다**.

+ belong to ~에 속하다

□ 0013

valuable

형 1. 소중한 ㊌ precious 2. 값비싼 ㊌ expensive

[vǽljuəbl]

Many people consider pictures of their families **valuable.**

많은 사람들이 자신의 가족들의 사진을 **소중하게** 여긴다.

+ value 명 가치, 중요성 동 가치 있게 여기다, 평가하다

□ 0014

engage

동 1. 약속하다, 계약하다 2. 종사하다 3. 약혼하다

[ingéidʒ]

She **engaged** to visit our office tomorrow for business.

그녀는 내일 업무를 위해 우리 사무실을 방문하기로 **약속했다**.

+ engagement 명 약속, 약혼

□ 0015

anniversary

명 기념일

[æ̀nəvə́:rsəri]

I'm planning to write a letter for mom and dad's wedding **anniversary.** 기출

나는 엄마 아빠의 결혼**기념일**을 위해 편지를 쓸 계획이다.

Plus +

모든 기념일을 anniversary라고 하지 않아요. anniversary의 anni는 annual에서 나온 접사로, '연례의'라는 뜻을 가져요. 따라서, anniversary는 보통 해마다 돌아오는 생일, 결혼기념일과 같은 기념일을 나타낸답니다.

□ 0016

influence 동 영향을 주다 명 영향, 영향력 유 effect

[ínfluəns]

Jamie and Ellie **influenced** each other.
Jamie와 Ellie는 서로에게 **영향을 주었다**.

□ 0017

depend 동 1. 의존하다, 의지하다 유 rely 2. 달려 있다

[dipénd]

He doesn't **depend** on his parents financially.
그는 자신의 부모님에게 재정적으로 **의존하지** 않는다.

+ dependent 형 의존하는 depend on ~에 의존하다

□ 0018

support 동 지지하다 유 aid 반 oppose 반대하다

[səpɔ́:rt]

I'm sure your parents will **support** you without conditions.
나는 네 부모님이 너를 조건 없이 **지지할** 것이라고 확신한다.

□ 0019

respect 명 존경, 경의 동 존경하다 유 admire

[rispékt]

The students showed their teacher **respect.**
학생들은 그들의 선생님께 **존경**을 표했다.

□ 0020

look after ~를 돌보다

The neighbors **looked after** our baby while we were away. 기출
이웃들이 우리가 없는 동안 우리 아기를 **돌봤다**.

ADVANCED 심화 어휘

□ 0021

resemble 동 닮다, 비슷하다

[rizémbl]

You **resemble** your mother in every way.
너는 네 어머니와 모든 면에서 **닮았다**.

□ 0022

mature 형 어른스러운, 성숙한 반 immature 미숙한

[mətjúər]

Daniel is more **mature** than you think.
Daniel은 네가 생각하는 것보다 더 **어른스럽다**.

+ maturity 명 성숙함

□ 0023

divorce 명 이혼 유 separation 동 이혼하다

[divɔ́:rs]

Margie's husband asked her for a **divorce**, but she did not agree.
Margie의 남편은 그녀에게 **이혼**을 요구했지만, 그녀는 동의하지 않았다.

□ 0024

quarrel 명 말다툼, 싸움 유 argument 동 다투다, 언쟁을 벌이다

[kwɔ́:rəl]

Rachel had a **quarrel** with her husband about money.
Rachel은 돈에 관해 자신의 남편과 **말다툼**을 했다.

□ 0025

devote 동 바치다, 헌신하다 유 commit

[divóut]

Dr. Kim **devoted** her life to helping the poor.
Dr. Kim은 그녀의 일생을 가난한 사람들을 돕는 데 **바쳤다**.

+ devote A to B A를 B에 바치다, 헌신하다

□ 0026

nurture

동 양육하다 ⊕ raise 명 양육

[nə́:rtʃər]

Jones tries to **nurture** his children in an eco-friendly environment.

Jones는 그의 자녀들을 자연 친화적인 환경에서 **양육하기** 위해 노력한다.

Plus +

Nurture over nature

'Nurture over nature'라는 표현은 '천성(nature)보다 위에 있는 양육(nurture)'이라는 뜻이에요. 즉, 자연적으로 가지고 태어난 천성보다 후천적인 교육이 더 중요하다는 뜻의 영어 속담이에요.

□ 0027

appreciate

동 1. 감사하다, 고마워하다 2. 진가를 알다

[əprí:ʃièit]

I **appreciate** all the effort you've put into our relationship.

나는 네가 우리의 관계에 쏟은 모든 노력에 **감사해**.

□ 0028

accompany

동 1. 동행하다, 동반하다 2. 수반하다

[əkʌ́mpəni]

Jane **accompanied** her father on a trip as a bodyguard.

Jane은 보호자로서 자신의 아버지의 여행에 **동행했다**.

□ 0029

get along

잘 지내다

The teacher wants me to **get along** with my friends. 기출

선생님은 내가 나의 친구들과 **잘 지내기**를 원한다.

□ 0030

go out with

~와 데이트를 하다

I'd like to **go out with** you.

나는 너**와 데이트를 하고** 싶어.

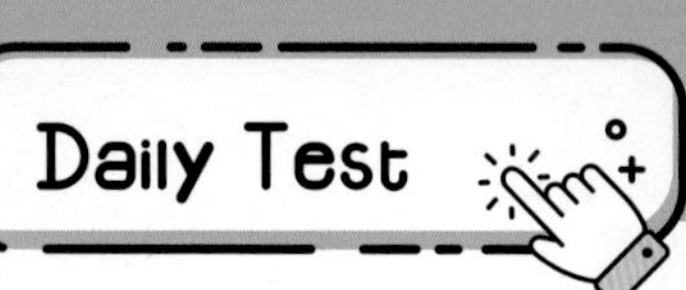

[01~10] 우리말과 같은 뜻이 되도록 빈칸에 알맞은 단어를 쓰세요.

01 소중한 우정　a(n) ______________ friendship

02 나의 귀여운 여자 조카　my cute ______________

03 우리의 첫 결혼기념일　our first wedding ______________

04 Suzy와 데이트를 하다　______________ Suzy

05 좋은 관계　a good ______________

06 나이에 비해 어른스러운　______________ for one's age

07 같은 야구 동아리에 속하다　______________ to the same baseball club

08 먼 친척　a distant ______________

09 네 운명을 받아들이다　accept your ______________

10 너의 가족들에게 네 자신을 헌신하다　______________ yourself to your family

[11~15] 괄호 안에 주어진 지시에 맞게 빈칸을 채우세요.

11 elder 나이가 더 많은 → (유의어) ______________

12 trust 신뢰, 신뢰하다 → (반의어) ______________

13 nurture 양육하다 → (유의어) ______________

14 support 지지하다 → (반의어) ______________

15 depend 의존하다 → (형용사형) ______________

[16~20] 단어와 영영 풀이를 알맞은 것끼리 연결하세요.

16 nephew •	• ⓐ to have an impact on what people do or what happens
17 community •	• ⓑ the ending of a marriage by law
18 appreciate •	• ⓒ the son of your sister or brother
19 divorce •	• ⓓ to be grateful for something
20 influence •	• ⓔ a group of people who are similar in some way

Picture Review

사진과 함께 오늘 배운 단어를 다시 기억해보세요.

DAY 02 Characteristics

오늘도 열심히 단어를 공부하는 여러분은 정말 diligent해요.

CORE 핵심 어휘

☐ 0031

careless 형 **부주의한, 조심성 없는** 반 careful 조심성 있는

[kέərlis]

Brian is so **careless** that he often loses his stuff.
Brian은 너무 **부주의해서** 자신의 물건을 자주 잃어버린다.

☐ 0032

cheerful 형 **쾌활한, 명랑한**

[tʃíərfəl]

She is especially **cheerful** among her close friends.
그녀는 가까운 친구들 사이에서 특히 **쾌활하다**.

+ cheerfully 부 쾌활하게 cheer 동 환호하다, 응원하다 명 환호

☐ 0033

cruel 형 **잔인한, 잔혹한**

[krú:əl]

His words were so **cruel** that I cried a lot.
그의 말이 너무 **잔인해서** 나는 많이 울었다.

+ cruelty 명 잔인함

☐ 0034

patient 형 **참을성이 있는** 반 impatient 성급한 명 **환자**

[péiʃənt]

Mark is surprisingly calm and **patient** for his age.
Mark는 그의 나이에 비해 놀라울 정도로 차분하고 **참을성이 있다**.

+ be patient with ~을 참다, 견디다

□ 0035

strict 형 엄격한, 엄한

[strikt]

Some parents are afraid that they might be too **strict** with their children. 기출
몇몇 부모들은 그들이 자녀들에게 너무 **엄격할까봐** 걱정한다.

□ 0036

diligent 형 성실한, 근면한 반 lazy 게으른

[díləd͡ʒənt]

Andrew is a **diligent** boy who studies hard every day.
Andrew는 매일 열심히 공부하는 **성실한** 소년이다.

□ 0037

odd 형 이상한, 특이한 유 strange

[ɑ:d]

Betty has an **odd** sense of humor.
Betty는 **이상한** 유머 감각을 가졌다.

□ 0038

rude 형 무례한, 예의 없는 유 impolite 반 polite 예의 바른

[ru:d]

The candidate was harshly blamed for his **rude** behavior.
그 후보자는 자신의 **무례한** 행동으로 엄청나게 비난받았다.

□ 0039

creative 형 창의적인, 창조적인

[kriéitiv]

People who enjoy jazz and classical music are more likely to be **creative**. 기출
재즈와 클래식 음악을 즐기는 사람들은 **창의적일** 가능성이 더 높다.

□ 0040

seem 동 ~인 것 같다, ~처럼 보이다 유 appear

[si:m]

Your brother **seems** very kind to others.
너의 남동생은 다른 사람들에게 매우 친절한 **것 같다**.

□ 0041

active

형 **활동적인, 적극적인** 유 energetic

[ǽktiv]

She is one of the most **active** students in the class.
그녀는 반에서 가장 **활동적인** 학생들 중 한 명이다.

+ actively 부 활동적으로, 적극적으로 activity 명 활동

Plus +

형용사 접미사 -ive

접미사 ive는 동사 뒤에 붙어서 형용사를 만들어요.
act 행동하다 + ive ▸ active 활동적인
impress 인상을 주다 + ive ▸ impressive 인상 깊은
progress 진보하다 + ive ▸ progressive 진보적인
protect 보호하다 + ive ▸ protective 보호하는

□ 0042

personality

명 **성격, 인격, 개성** 유 character

[pə̀ːrsənǽləti]

My nephew is a class president with high grades and a pleasant **personality**. 기출
나의 조카는 높은 성적과 상냥한 **성격**을 가진 학급 반장이다.

□ 0043

typical

형 **전형적인, 대표적인** 반 unusual 특이한

[típikəl]

Dave acts like a **typical** teenager — he likes to chat with his friends.
Dave는 **전형적인** 십 대처럼 행동하는데, 그는 친구들과 수다떠는 것을 좋아한다.

+ typically 부 전형적으로

□ 0044

attractive

형 **매력적인, 마음을 끄는** 유 charming

[ətrǽktiv]

Good manners surely have the power to make people look more **attractive**. 기출
바른 예절은 확실히 사람을 더 **매력적으로** 보이게 하는 힘이 있다.

+ attract 동 마음을 끌다 attraction 명 끌림, 매력

☐ 0045

careful
[kέərfəl]
형 조심하는, 조심성 있는 유 cautious

We tried to be **careful** not to catch colds. 교과서
우리는 감기에 걸리지 않기 위해 **조심하려고** 애썼다.

☐ 0046

impression
[impréʃən]
명 인상, 감명

My first **impression** of you was very great. 기출
너에 대한 나의 첫**인상**은 매우 좋았다.

+ impress 동 인상을 주다 impressive 형 인상적인

☐ 0047

passive
[pǽsiv]
형 소극적인, 수동적인 반 active 적극적인

Neil is normally active, but he is unusually **passive** when he plays soccer.
Neil은 보통 활동적이지만, 그가 축구를 할 때는 평소와 달리 **소극적이다**.

☐ 0048

brilliant
[bríljənt]
형 1. 뛰어난, 우수한 2. 훌륭한, 멋진

She was a **brilliant** artist.
그녀는 **뛰어난** 예술가였다.

☐ 0049

humble
[hʌ́mbl]
형 1. 겸손한 반 proud 오만한 2. 하찮은

He is actually a **humble** man with a kind heart.
그는 사실 다정한 마음을 가진 **겸손한** 사람이다.

☐ 0050

in fact
사실은

In fact, Jane is not shy but outgoing.
사실은, Jane은 수줍음을 타지 않고 외향적이다.

ADVANCED 심화 어휘

☐ 0051

annoy 동 짜증나게 하다, 괴롭히다 유 bother

[ənɔ́i]

Sue's constant complaints about her boyfriend **annoyed** me.
자신의 남자친구에 대한 Sue의 끝없는 불평들은 나를 **짜증나게 했다**.

+ annoying 형 성가신, 귀찮은 annoyed 형 짜증이 난

☐ 0052

capable 형 유능한, 할 수 있는 유 able 반 incapable 무능한

[kéipəbl]

He is a **capable** teacher.
그는 **유능한** 교사이다.

+ be capable of ~을 할 수 있다

☐ 0053

greedy 형 욕심 많은, 탐욕스러운

[grí:di]

The **greedy** girl selected the largest gift box.
욕심 많은 소녀는 가장 큰 선물 상자를 선택했다.

☐ 0054

aggressive 형 1. 공격적인 2. 적극적인, 의욕적인

[əgrésiv]

He gets **aggressive** when he is criticized by others.
그는 자신이 다른 사람들에게 비난받으면 **공격적으로** 변한다.

☐ 0055

ambitious 형 야심 있는, 야심 찬 반 unambitious 야심 없는

[æmbíʃəs]

Fred is a very **ambitious** player with only one objective in mind.
Fred는 오직 한 가지 목표만 생각하는 아주 **야심 있는** 선수이다.

+ ambition 명 야심

□ 0056

arrogant

형 오만한, 건방진

[ǽrəgənt]

The new student replied with an **arrogant** attitude.
신입생은 **오만한** 태도로 대답했다.

□ 0057

ignorant

형 무지한, 무식한

[ígnərənt]

I've never seen an **ignorant** person like Jackson.
나는 Jackson처럼 **무지한** 사람을 본 적이 없다.

□ 0058

indifferent

형 1. 무관심한 2. 중요치 않은, 관계없는

[indífərənt]

Ian tried to be **indifferent** about his sorrow.
Ian은 자신의 슬픔에 **무관심하려고** 애썼다.

□ 0059

B as well as A

A 뿐만 아니라 B도

The girl is positive **as well as** cheerful.
그 소녀는 쾌활할 **뿐만 아니라** 긍정적이다.

Plus +

not only A but also B

B as well as A와 똑같은 뜻을 나타내는 표현으로 not only A but also B가 있어요. A와 B의 위치가 바뀌어야 한다는 점에 주의하세요!

I ate an apple **as well as** a peach. 나는 복숭아**뿐만 아니라** 사과도 먹었다.
I ate **not only** a peach **but also** an apple.
나는 복숭아**뿐만 아니라** 사과도 먹었다.

□ 0060

care about

~에 마음을 쓰다, 관심을 가지다

She always **cares about** her friends' problems.
그녀는 항상 친구들의 문제**에 마음을 쓴다**.

Daily Test

[01~05] 단어와 뜻을 알맞은 것끼리 연결하세요.

01 attractive • • ⓐ 이상한

02 seem • • ⓑ 매력적인

03 odd • • ⓒ ~인 것 같다

04 careful • • ⓓ 조심하는

05 rude • • ⓔ 무례한

[06~10] 영어는 우리말로, 우리말은 영어로 쓰세요.

06 diligent ________________

07 cruel ________________

08 엄격한 ________________

09 전형적인 ________________

10 야심 있는 ________________

[11~15] 우리말과 같은 뜻이 되도록 빈칸에 알맞은 단어를 쓰세요.

11 좋은 첫인상 a good first ________________

12 부주의한 운전자들 ________________ drivers

13 다정한 성격 a friendly ________________

14 창의적인 예술가들의 무리 a group of ________________ artists

15 겸손한 사람이 되려고 노력하다 try to be a(n) ________________ person

[16~20] 빈칸에 알맞은 단어를 <보기>에서 한 번씩 골라 쓰세요.

<보기>	capable	patient	as well as	in fact	passive

16 ________________, she is honest and trustworthy.

17 My husband is smart ________________ kind.

18 Be ________________ and wait a little bit more.

19 Ms. Smith is a(n) ________________ doctor.

20 The shy boy is so quiet and ________________ in his class.

Picture Review

사진과 함께 오늘 배운 단어를 다시 기억해보세요.

DAY 03

Appearance

내면의 beauty가 외면의 beauty보다 훨씬 더 중요해요.

CORE 핵심 어휘

□ 0061

style 명 1. 방법, 방식 2. (옷 등의) 스타일

[stail]

The hairdresser tried the new hair-cutting **style**.
미용사가 새로운 이발 **방법**을 시도했다.

□ 0062

beauty 명 아름다움, 미

[bjúːti]

Real **beauty** comes from someone's personality.
참된 **아름다움**은 사람의 인격에서 나온다.

□ 0063

shine 동 빛나다, 반짝이다 (shone-shone) ㊌ glitter

[ʃain]

The shampoo made her hair **shine**.
샴푸는 그녀의 모발을 **빛나게** 만들었다.

+ shiny 형 빛나는

□ 0064

skin 명 1. 피부, 살갗 2. (동물의) 가죽

[skin]

My **skin** burns easily, especially during summer.
나의 **피부**는 특히 여름에 햇볕에 쉽게 탄다.

□ 0065

wrist | 명 손목, 팔목

[rist]

Jane is wearing a cast on her **wrist.**
Jane은 그녀의 **손목**에 깁스를 하고 있다.

□ 0066

waist | 명 허리

[weist]

The car accident left him with little scars on his **waist**.
자동차 사고는 그의 **허리**에 작은 흉터들을 남겼다.

Plus +

waist vs. wrist

waist와 wrist는 철자가 비슷하기 때문에 혼동하지 않도록 주의해야 해요.
The belt on your **waist** looks nice. 네 **허리**에 있는 벨트가 좋아 보인다.
I put the watch on my **wrist.** 나는 내 **손목**에 시계를 찼다.

□ 0067

vivid | 형 1. 선명한, 강렬한 2. 생생한, 눈에 보이는 듯한

[vívid]

Her eyes were so **vivid** that I couldn't forget them.
그녀의 눈이 너무나도 **선명해서** 나는 그녀의 눈을 잊을 수 없었다.

□ 0068

figure | 명 1. 형상, 모습 2. 수치, 숫자

[fígjər]

Henry saw a strange **figure** in the darkness and got scared.
Henry는 어둠 속에서 이상한 **형상**을 보고 겁을 먹었다.

□ 0069

balance | 명 균형, 조화 반 imbalance 불균형

[bǽləns]

If you have good body **balance**, then you'll appear healthier.
만약 네가 좋은 신체 **균형**을 가진다면, 너는 더 건강해 보일 것이다.

□ 0070

height

명 키, 높이

[hait]

Nathan is about the same **height** as his mother.

Nathan은 그의 어머니와 **키**가 거의 같다.

□ 0071

weight

명 체중, 무게

[weit]

Healthy eating and exercising are good ways to lose **weight.** 기출

건강한 식사와 운동은 **체중**을 줄이는 좋은 방법들이다.

□ 0072

forehead

명 이마

[fɔ́:rhed]

Her **forehead** looks like her mother's **forehead.**

그녀의 **이마**는 그녀 어머니의 **이마**를 닮았다.

□ 0073

jewelry

명 장신구, 보석류

[dʒú:əlri]

Jenny often wears **jewelry**.

Jenny는 종종 **장신구**를 착용한다.

□ 0074

wavy

형 웨이브가 있는, 물결 모양의

[wéivi]

She finds her **wavy** hair attractive.

그녀는 **웨이브가 있는** 자신의 머리를 매력적이라고 생각한다.

□ 0075

tidy

형 단정한, 깔끔한 유 neat 동 정돈하다

[táidi]

His parents told him to be a **tidy** person.

그의 부모님은 그에게 **단정한** 사람이 되라고 말했다.

□ 0076

similar

형 **비슷한, 유사한** 반 different 다른

[símələr]

People who seem really **similar** in certain ways can also be very different in other ways. 교과서

어떤 면에서 정말 **비슷해** 보이는 사람들도 그 밖의 면에서는 매우 다를 수 있다.

+ similar to ~과 비슷한

□ 0077

facial

형 **얼굴의, 안면의**

[féiʃəl]

He showed no **facial** expression at all.

그는 어떠한 **얼굴** 표정도 보여주지 않았다.

+ face 명 얼굴 동 마주하다

Plus +

형용사 접미사 ial

접미사 ial은 명사 뒤에 붙어서 형용사를 만들어요.

fac(e) 얼굴 + ial ▸ facial 얼굴의
tr(y) 시도 + ial ▸ trial 시험적인
rac(e) 인종 + ial ▸ racial 인종의

□ 0078

natural

형 **자연의, 자연스러운** 반 artificial 인공적인

[nǽtʃərəl]

My mom always tells me that **natural** beauty is important.

나의 엄마는 항상 내게 **자연**미가 중요하다고 말한다.

+ natural disaster 명 자연재해

□ 0079

charming

형 **매력적인, 멋진** 유 attractive

[tʃɑ́:rmiŋ]

Mike thinks that many people like his sweet voice and **charming** appearance. 기출

Mike는 많은 사람들이 그의 감미로운 목소리와 **매력적인** 외모를 좋아한다고 생각한다.

+ charm 명 매력

□ 0080

a variety of 다양한, 여러 가지의 ㊒ various

Alice has **a variety of** cosmetics.
Alice는 **다양한** 화장품을 가지고 있다.

ADVANCED 심화 어휘

□ 0081

wrinkle 명 주름 동 주름을 잡다, 주름지다

[riŋkl]

Sunblock can help protect skin and reduce facial **wrinkles.** 기출
자외선 차단제는 피부를 보호하고 얼굴의 **주름**을 줄이는 것을 도울 수 있다.

□ 0082

recommend 동 1. 충고하다, 권하다 2. 추천하다

[rèkəménd]

Sally **recommended** that I should focus on inner beauty.
Sally는 내가 내적인 아름다움에 집중해야 한다고 **충고했다**.

+ recommendation 명 권고, 추천

□ 0083

such 형 그러한, 그와 같은

[sʌtʃ]

No one in my family has **such** a big nose.
내 가족 중 아무도 **그러한** 큰 코를 가지고 있지 않다.

+ such as ~과 같은

□ 0084

proportion 명 1. 비율, 크기 2. 균형 ㊒ balance

[prəpɔ́ːrʃən]

The **proportion** of overweight people in Korea is growing every year.
한국에서 비만인 사람들의 **비율**은 매년 증가하고 있다.

□ 0085

appearance

[əpíərəns]

명 1. 외모, 겉모습 ㊌ look 2. 출연, 출현

Some people believe that a good **appearance** makes a person look younger.
몇몇 사람들은 단정한 **외모**가 사람을 더 젊어 보이게 만든다고 생각한다.

□ 0086

alike

[əláik]

형 (아주) 비슷한, 같은 ㊌ similar 부 같게, 마찬가지로

Most people say that my sister and I do not look **alike.**
대부분의 사람들은 내 여동생과 내가 **비슷하게** 보이지 않는다고 말한다.

□ 0087

visual

[víʒuəl]

형 시각의, (눈으로) 보는

The designer has a good **visual** memory, so she can remember all the characteristics of people she meets.
그 디자이너는 좋은 **시각** 기억력을 가지고 있어서, 그녀가 만나는 사람들의 모든 특징들을 기억할 수 있다.

+ vision 명 시각, 시력

□ 0088

profile

[próufail]

명 1. 옆얼굴, 옆모습 2. 개요, 윤곽

I like his vivid **profile.**
나는 그의 선명한 **옆얼굴**을 좋아한다.

□ 0089

show off

과시하다, 자랑하다 ㊌ boast

The male model **showed off** his muscles.
남성 모델이 그의 근육을 **과시했다.**

□ 0090

stand out

눈에 띄다, 두드러지다

Stand out and be a fashion-trend leader! 기출
눈에 띄어라 그리고 패션 유행을 이끄는 사람이 되어라!

Daily Test

[01~05] 단어와 뜻을 알맞은 것끼리 연결하세요.

01 jewelry	•	• ⓐ 주름, 주름을 잡다
02 skin	•	• ⓑ 충고하다, 추천하다
03 facial	•	• ⓒ 피부, (동물의) 가죽
04 wrinkle	•	• ⓓ 장신구
05 recommend	•	• ⓔ 얼굴의

[06~15] 우리말과 같은 뜻이 되도록 빈칸에 알맞은 단어를 쓰세요.

06 시각 예술 ______________ art

07 별처럼 빛나다 ______________ like a star

08 자연스러운 모습 a(n) ______________ look

09 그 남자의 겉모습 the man's ______________

10 체중을 줄이다 lose ______________

11 매력적인 신사 a(n) ______________ gentleman

12 단정한 드레스를 입다 wear a(n) ______________ dress

13 최신 유행하는 패션 스타일 a trendy fashion ______________

14 인체의 다양한 비율들 various ______________ of human bodies

15 사람들 사이에서 눈에 띄다 ______________ among the people

[16~20] 영영 풀이에 알맞은 단어를 <보기>에서 골라 쓰세요.

<보기> show off similar profile beauty wrist

16 ______________ : the state of being attractive

17 ______________ : having almost the same characteristics

18 ______________ : to make people pay attention to the thing that you are proud of

19 ______________ : the shape of your face when someone is looking at you from the side

20 ______________ : the part of your body between your hand and your arm

Picture Review

사진과 함께 오늘 배운 단어를 다시 기억해보세요.

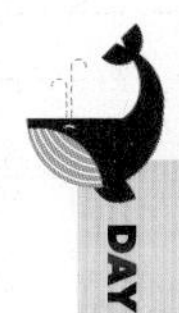

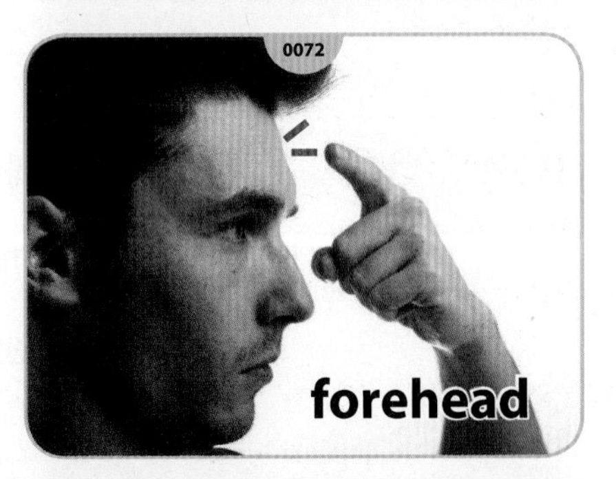

DAY 04 Actions

따뜻한 hug는 서로에게 위로가 될 수 있어요. :)

CORE 핵심 어휘

□ 0091

dig [dig]

동 (구멍 등을) 파다 (dug-dug)

Kids these days aren't **digging** holes, catching dragonflies, or playing by the stream. 기출

요즘 아이들은 구멍을 **파거나**, 잠자리를 잡거나, 냇가에서 놀지 않는다.

□ 0092

hike [haik]

동 도보 여행하다, 하이킹하다 명 도보 여행, 하이킹

We **hiked** through the Rocky Mountains in America.

우리는 미국에서 로키산맥을 **도보 여행했다**.

□ 0093

hug [hʌg]

동 껴안다, 포옹하다

He had a big smile on his face when he **hugged** his daughter. 기출

그는 자신의 딸을 **껴안았을** 때 얼굴에 함박웃음을 띠었다.

□ 0094

clap [klæp]

동 박수를 치다 명 박수

When the students **clapped**, they tried not to make much noise. 기출

학생들은 **박수를 칠** 때, 많은 소음을 내지 않으려고 애썼다.

□ 0095

skip

동 1. 뛰어다니다 2. 거르다, 빼먹다

[skip]

The girl happily **skipped** around the house.
소녀는 집 주위를 행복하게 **뛰어다녔다**.

□ 0096

shut

동 **닫다, 잠그다** (shut-shut) 유 close 반 open 열다

[ʃʌt]

The angry man **shut** the door behind him.
화가 난 남자는 자신의 뒤로 문을 **닫았다**.

□ 0097

drag

동 **끌다** 유 pull

[dræg]

The fireman put out the flames and **dragged** the girl out of the car. 기출
소방관이 불을 꺼서 소녀를 차 밖으로 **끌어냈다**.

Plus +

drag and drop

'끌어다 놓다'라는 뜻을 가지는 drag and drop은 컴퓨터 화면에서 파일 등을 끌어서 (drag) 특정 위치에 놓을 때(drop) 사용하는 표현이에요.

drag and drop the files 파일들을 **끌어다 놓다**

□ 0098

spread

동 **1. 펼치다 2. 퍼지다, 퍼뜨리다** (spread-spread)

[spred]

Jessica **spread** the mat on the grass.
Jessica는 잔디 위에 돗자리를 **펼쳤다**.

□ 0099

remove

동 **1. 제거하다** 유 get rid of **2. 옮기다**

[rimúːv]

He tried to **remove** a stain on his coffee mug, but it did not come out. 기출
그는 자신의 커피 머그잔에 있는 얼룩을 **제거하기** 위해 노력했지만, 그것은 빠지지 않았다.

□ 0100

lay
동 1. 놓다, 두다, 눕히다 2. (알을) 낳다 (laid-laid)

[lei]

He **laid** the baby down gently in the cradle.
그는 아기를 유아용 침대에 살며시 내려**놓았다**.

□ 0101

twist
동 1. 꼬다, 비틀다 2. 구부리다 명 꼬임, 비틀기

[twist]

The engineer **twisted** a wire to make a cable.
기술자가 전선을 만들기 위해 철사를 **꼬았다**.

□ 0102

float
동 (물위·공중에) 뜨다, 떠오르다 반 sink 가라앉다

[flout]

Without rubber rings, Rada and Johnny couldn't **float** anymore. 교과서
수영 튜브 없이는, Rada와 Johnny는 더 이상 **물위에 뜰** 수 없었다.

□ 0103

breathe
동 호흡하다, 숨을 쉬다

[bri:ð]

I couldn't **breathe** because I was so nervous.
나는 너무 긴장해서 **호흡할** 수 없었다.

+ breath 명 호흡

□ 0104

bury
동 묻다, 매장하다

[béri]

The farmer **buried** a potato in the backyard.
농부가 뒷마당에 감자를 **묻었다**.

□ 0105

chase
동 1. 뒤쫓다 2. (돈·성공 등을) 추구하다 유 pursue

[tʃeis]

Police **chased** the bank robbers and caught them.
경찰이 은행 강도들을 **뒤쫓았고** 그들을 잡았다.

+ chase away 쫓아내다

□ 0106

slip

[slip]

동 미끄러지다 명 (작은) 실수 유 mistake

On the way down, he **slipped** on the ice and broke his leg. 기출

내려오는 길에, 그는 얼음 위에서 **미끄러져서** 다리가 부러졌다.

+ slippery 형 미끄러운

□ 0107

cleanse

[klenz]

동 깨끗하게 씻다, 청결하게 하다 유 wash

My grandmother **cleansed** my wound before putting a bandage on it.

나의 할머니는 상처에 붕대를 감기 전에 내 상처를 **깨끗하게 씻었다**.

□ 0108

bow

[bau]

동 (고개를) 숙이다, (허리를 굽혀) 절하다 명 인사, 절

The candidate **bowed** low to the crowd.

그 후보자는 군중들에게 깊이 **고개를 숙였다**.

□ 0109

direct

[dirékt]

동 지도하다, 감독하다 형 직접적인 반 indirect 간접적인

Amy **directs** the school band twice a week.

Amy는 일주일에 두 번 학교 밴드를 **지도한다**.

+ directly 부 직접적으로, 곧장

□ 0110

slow down

(속도·진행을) 늦추다

You'd better **slow down** the car a little bit.

차의 **속도를** 조금 **늦추는** 것이 좋겠어.

ADVANCED 심화 어휘

□ 0111

squeeze 동 짜다, 압착하다 유 press

[skwi:z]

She **squeezed** juice from the lemons to make lemonade.
그녀는 레모네이드를 만들기 위해 레몬에서 즙을 **짰다**.

□ 0112

pursue 동 1. 추구하다 유 seek 2. 쫓다, 추적하다

[pərsú:]

The woman was happy to be given the chance to **pursue** her passion for cooking. 교과서
여자는 요리에 대한 그녀의 열정을 **추구할** 기회를 얻게 되어 행복했다.

+ pursuit 명 추구, 쫓음

□ 0113

scream 동 비명을 지르다, 소리치다 명 비명, 절규

[skri:m]

Someone suddenly **screamed** loudly in the hall.
누군가가 갑자기 강당에서 크게 **비명을 질렀다**.

□ 0114

hardly 부 거의 ~ 않다 유 rarely

[há:rdli]

These days, I **hardly** go to the gym.
요즘, 나는 **거의** 체육관에 가지 **않는다**.

Plus +

빈도 부사의 종류

hardly는 어떤 일이 얼마나 자주 일어나는지 나타내는 빈도 부사 중 하나예요.
hardly 이외에도 다양한 빈도 부사들이 있답니다.

- always 항상
- often 자주
- sometimes 가끔
- never 절대 ~ 않다

□ 0115

lean

동 1. (몸을) 기울이다, 숙이다 2. 기대다

[liːn]

The bus driver told the passengers not to **lean** out of the windows.

버스 운전사가 승객들에게 창문 밖으로 **몸을 기울이지** 말라고 말했다.

□ 0116

pause

동 잠시 멈추다 ㊌ stop **명** 멈춤, 중지

[pɔːz]

Sam **paused** focusing on his work to talk to his friends.

Sam은 그의 친구들에게 말하기 위해 자신의 일에 집중하는 것을 **잠시 멈췄다**.

□ 0117

cast

동 내던지다, 던지다 (cast-cast) ㊌ throw

[kæst]

The cook **cast** the food waste into the bin.

요리사가 음식물 쓰레기를 쓰레기통 속으로 **내던졌다**.

□ 0118

deliver

동 1. 배달하다, 전하다 2. 넘겨주다 3. 출산하다

[dilívər]

The man **delivered** the heavy boxes to the customer's house.

그 남자는 무거운 박스들을 고객의 집으로 **배달했다**.

□ 0119

day and night

밤낮으로, 끊임없이

My mom practices the piano **day and night.** 기출

나의 엄마는 **밤낮으로** 피아노를 연습한다.

□ 0120

be about to

막 ~하려고 하다

I **am about to** go to the market.

나는 **막** 시장에 가**려고 한다**.

Daily Test

[01~06] 단어와 뜻을 알맞은 것끼리 연결하세요.

01 hug • • ⓐ 놓다, (알을) 낳다

02 scream • • ⓑ 껴안다

03 chase • • ⓒ (몸을) 기울이다, 기대다

04 lay • • ⓓ 비명을 지르다, 비명

05 lean • • ⓔ 뒤쫓다, (돈·성공 등을) 추구하다

06 skip • • ⓕ 뛰어다니다, 거르다

[07~14] 우리말과 같은 뜻이 되도록 빈칸에 알맞은 단어를 쓰세요.

07 강물에 뜨다 ________________ in the river

08 크게 박수를 치다 ________________ loudly

09 움직임을 늦추다 ________________ the movement

10 학생들을 지도하다 ________________ the students

11 에베레스트산을 하이킹하다 ________________ Mount Everest

12 몇 개의 토마토를 압착하다 ________________ some tomatoes

13 밤낮으로 영어를 공부하다 study English ________________

14 타임캡슐을 땅에 묻다 ________________ a time capsule in the ground

[15~20] 괄호 안에 주어진 지시에 맞게 빈칸을 채우세요.

15 pursue 추구하다 → (명사형) ________________

16 spread 펼치다 → (과거형) ________________

17 slip 미끄러지다 → (형용사형) ________________

18 pause 잠시 멈추다 → (유의어) ________________

19 breathe 호흡하다 → (명사형) ________________

20 hardly 거의 ~ 않다 → (유의어) ________________

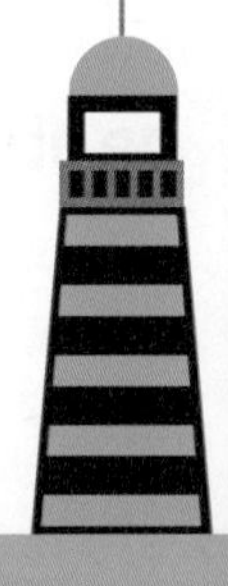

Picture Review

사진과 함께 오늘 배운 단어를 다시 기억해보세요.

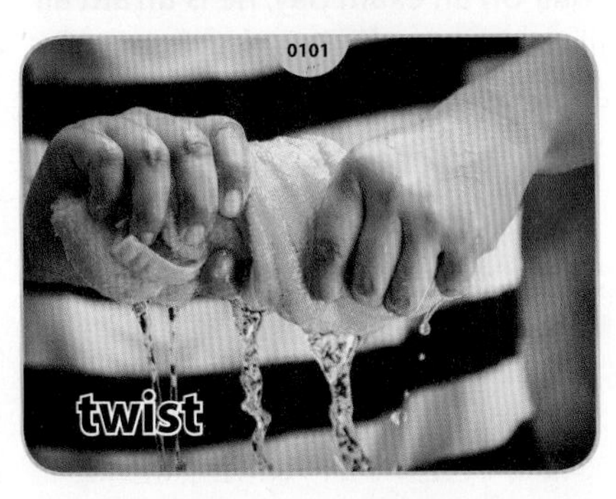

DAY 05 Thoughts & Feelings

스스로의 emotion을 세심하게 살피고 어루만질 수 있어야 해요.

CORE 핵심 어휘

□ 0121

emotion 명 1. 감정, 정서 유 feelings 2. 감동, 감격

[imóuʃən]

The **emotions** began to disappear as soon as I moved away from the situation. 기출

내가 그 상황에서 벗어나자마자 그 **감정**들은 사라지기 시작했다.

+ emotional 형 감정적인, 감동적인

□ 0122

afraid 형 1. 두려워하는 유 scared 2. 걱정하는

[əfréid]

If Max washes his hair on an exam day, he is **afraid** all his knowledge will wash away. 기출

Max는 시험일에 머리를 감으면, 그의 모든 지식이 씻겨 나갈까봐 **두려워한다**.

□ 0123

pleased 형 기뻐하는, 만족해하는 유 delighted

[pli:zd]

Jane looked very **pleased** with the gift her father had bought for her.

Jane은 그녀의 아버지가 그녀를 위해 산 선물에 매우 **기뻐하는** 것처럼 보였다.

+ be pleased with ~에 기뻐하다

□ 0124

pleasant 형 즐거운, 기분이 좋은

[plézənt]

The old cabin had all sorts of **pleasant** memories from my childhood.

그 오래된 통나무집에는 내 어린 시절의 온갖 **즐거운** 추억들이 있었다.

□ 0125

enjoyable

[indʒɔ́iəbl]

형 즐거운 유 pleasant

The clerks always try their best to make customers' shopping visits **enjoyable** experiences. 기출

점원들은 고객들의 쇼핑 방문을 **즐거운** 경험으로 만들기 위해 늘 최선을 다한다.

□ 0126

pride

[praid]

명 1. 자부심, 자랑스러움 2. 자만심

I think it is good to take **pride** in the work I do. 기출

나는 내가 하는 일에 **자부심**을 가지는 것이 좋다고 생각한다.

+ take pride in ~에 자부심을 가지다

□ 0127

jealous

[dʒéləs]

형 부러워하는, 질투하는 유 envious

She is **jealous** of her friend's success. 기출

그녀는 자신의 친구의 성공을 **부러워한다**.

□ 0128

envy

[énvi]

동 부러워하다, 시기하다 명 부러움, 질투 유 jealousy

Tom **envied** my excellent driving skills. 기출

Tom은 나의 뛰어난 운전 기술을 **부러워했다**.

Plus +

'나는 네가 부러워'를 영어로 하면?

'나는 네가 부러워'라고 가볍게 이야기할 때, 영어로 'I envy you.'라고 하지 않아요. envy는 '시기하다'라는 부정적인 의미에 가깝기 때문이에요. 대신 '질투하는'의 뜻을 가진 jealous를 사용해서, 'I'm jealous of you.' 또는 간단히 'I'm jealous.'라고 표현해요.

□ 0129

anxious

[ǽŋkʃəs]

형 염려하는, 불안해하는 유 uneasy

I was **anxious** about my credit card payment, but there was no problem with it. 기출

나는 내 신용카드 결제에 대해 **염려했지만**, 그것에는 아무런 문제가 없었다.

+ anxiety 명 염려

☐ 0130

ashamed

형 부끄러운, 수치스러운 유 embarrassed

[əʃéimd]

Unfortunately, unusual names were common in my family, and I was **ashamed** of it. 기출

불행하게도, 우리 집안에는 특이한 이름들이 흔했고, 나는 그것을 **부끄러워했다**.

➕ be ashamed of ~을 부끄러워하다

☐ 0131

grateful

형 감사하는, 고마워하는 유 thankful

[gréitfəl]

John felt very **grateful** for the opportunity and considered accepting it. 기출

John은 그 기회에 대해 매우 **감사하게** 느꼈고 이를 수락하는 것을 고려했다.

☐ 0132

sensitive

형 1. 예민한, 민감한 2. 감수성이 있는

[sénsətiv]

Suzy is very **sensitive** to the cold. 기출

Suzy는 추위에 매우 **예민하다**.

☐ 0133

attract

동 (주의·흥미를) 끌다, 끌어들이다

[ətrǽkt]

It is good to use visual material to **attract** students' attention. 기출

학생들의 주의를 **끌기** 위해 시각 자료를 사용하는 것이 좋다.

➕ attractive 형 매력적인 attraction 명 매력

☐ 0134

comfort

동 위로하다, 격려하다 명 위로, 위안

[kʌ́mfərt]

Sometimes, telling lies with good intentions **comforts** people much more than telling the truth. 기출

때때로, 선한 의도를 가지고 거짓말을 하는 것은 진실을 말하는 것보다 사람들을 훨씬 더 **위로한다**.

➕ comfortable 형 편안한

☐ 0135

relieve

동 (긴장·고통 등을) 풀어주다, 완화하다

[rilíːv]

Travel **relieves** stress and makes us feel happy.
여행은 스트레스를 **풀어주고** 우리가 행복하게 느끼도록 만든다.

+ relief 명 안도, 완화

☐ 0136

tension

명 긴장, 불안

[ténʃən]

Tension affects the number of times we blink. 기출
긴장은 우리가 눈을 깜빡이는 횟수에 영향을 준다.

☐ 0137

encourage

동 용기를 북돋우다 반 discourage 낙담시키다

[inkə́ːridʒ]

Friends and family of a person in pain need to **encourage** him to keep going on with his life. 기출
고통 속에 있는 사람의 친구들과 가족은 그가 삶을 계속 살아갈 수 있도록 **용기를 북돋워야** 한다.

Plus +

접두사 en

접두사 en은 명사나 형용사 앞에 붙어서 '~하게 만들다'라는 뜻을 가진 동사를 만들어요.

en + courage 용기 ▸ encourage 용기를 북돋우다
en + able 할 수 있는 ▸ enable 할 수 있게 만들다
en + sure 확신하는 ▸ ensure 확신하게 만들다 = 보장하다

☐ 0138

bother

동 귀찮게 하다, 성가시게 하다 유 annoy

[báːðər]

I'm sorry to **bother** you at this early hour. 기출
이렇게 이른 시간에 너를 **귀찮게 해서** 미안해.

☐ 0139

regret

동 후회하다, 유감으로 생각하다 명 후회, 유감

[rigrét]

He **regretted** leaving his hometown.
그는 자신의 고향을 떠난 것을 **후회했다**.

□ 0140

before long 오래지 않아, 얼마 후에

Before long, I felt that something went wrong.
오래지 않아, 나는 무언가 잘못된 것을 느꼈다.

ADVANCED 심화 어휘

□ 0141

amuse 동 즐겁게 하다, 웃기다

[əmjúːz]

The babies **amused** their parents.
아기들이 그들의 부모를 **즐겁게 했다**.

+ amusement 명 즐거움, 재미

□ 0142

entertain 동 1. 즐겁게 하다 유 amuse 2. 대접하다

[èntərtéin]

Speakers and lights are needed to help **entertain** the audience. 기출
스피커와 조명은 청중을 **즐겁게 하기** 위해 필요하다.

□ 0143

frighten 동 겁먹게 하다, 놀라게 하다 유 scare

[fráitn]

Although he didn't mean to **frighten** me, I cried loudly.
비록 그가 나를 **겁먹게 하려고** 의도한 것은 아니지만, 나는 큰 소리로 울었다.

+ frightened 형 겁먹은 frightening 형 무서운

□ 0144

aware 형 1. 알고 있는 2. 의식이 높은

[əwέər]

The guide told the tourists to be **aware** of several rules, and have a safe tour on the island. 기출
가이드는 여행객들에게 몇 가지 규칙들을 **알고 있을** 것과, 섬에서 안전한 여행을 할 것을 당부했다.

□ 0145

eager 형 1. 열망하는, 갈망하는 2. 열심인

[í:gər]

He was **eager** to go and see her, but he was too poor to buy a flight ticket to Tokyo. 기출

그는 그녀를 보러 가기를 **열망했지만**, 그는 너무 가난해서 도쿄로 가는 비행기 표를 살 수 없었다.

□ 0146

desperate 형 1. 필사적인, 절박한 2. 자포자기한

[déspərət]

Hailey is **desperate** to get a good grade on the exam.

Hailey는 시험에서 좋은 성적을 받는 것에 **필사적이다**.

□ 0147

depressed 형 1. 낙담한, 우울한 유 discouraged 2. 침체된

[diprést]

He was **depressed** because he made a huge mistake.

그는 큰 실수를 했기 때문에 **낙담했다**.

□ 0148

offend 동 기분을 상하게 하다, 화나게 하다 유 upset

[əfénd]

Friends should be careful not to **offend** each other.

친구는 서로의 **기분을 상하게 하지** 않기 위해 주의해야 한다.

□ 0149

keep in mind 명심하다, 잊지 않고 기억하다 유 bear in mind

Keep in mind that you can learn something from everyone. 기출

네가 모든 사람에게서 무언가를 배울 수 있다는 것을 **명심해라**.

□ 0150

put up with ~을 참다, 참고 견디다 유 endure

I can't **put up with** his rude comments anymore.

나는 더 이상 그의 무례한 말을 **참을** 수 없다.

Daily Test

[01~05] 영어는 우리말로, 우리말은 영어로 쓰세요.

01 pleasant ______________

02 sensitive ______________

03 regret ______________

04 자부심, 자만심 ______________

05 ~을 참다 ______________

[06~10] 우리말과 같은 뜻이 되도록 빈칸에 알맞은 단어를 쓰세요.

06 긴장을 유발하다 cause ______________

07 친구의 도움에 고마워하는 ______________ for the friend's help

08 얼마 후에 미안함을 느끼다 feel sorry ______________

09 Jason의 조언을 명심하다 ______________ Jason's advice

10 공지 사항을 알고 있는 ______________ of the notice

[11~15] 괄호 안에 주어진 지시에 맞게 빈칸을 채우세요.

11 anxious 염려하는 → (명사형) ______________

12 offend 기분을 상하게 하다 → (유의어) ______________

13 frighten 겁먹게 하다 → (유의어) ______________

14 jealous 질투하는 → (유의어) ______________

15 attract (주의·흥미를) 끌다 → (명사형) ______________

[16~20] 단어와 영영 풀이를 알맞은 것끼리 연결하세요.

16 eager • • ⓐ to make people pleased

17 bother • • ⓑ being good and happy

18 entertain • • ⓒ a feeling such as happiness, love, fear, or anger

19 enjoyable • • ⓓ to annoy someone or something

20 emotion • • ⓔ wanting to do something or receive something

Picture Review

사진과 함께 오늘 배운 단어를 다시 기억해보세요.

DAY 06

Communication

평소에 promise를 잘 지키는 사람은 주위 사람들에게 신뢰를 얻을 수 있어요.

CORE 핵심 어휘

□ 0151

conversation 명 대화, 담화 유 talk, chat

[kὰ:nvərséiʃən]

The lady started a **conversation** with other people.
여자는 다른 사람들과 **대화**를 시작했다.

Plus +

명사 접미사 ation

접미사 ation은 동사 뒤에 붙어서 명사를 만들어요.

convers(e) 대화를 나누다 + ation ▸ conversation 대화
present 보여 주다 + ation ▸ presentation 발표
transport 수송하다 + ation ▸ transportation 수송
inform 알리다 + ation ▸ information 정보

□ 0152

communication 명 1. 의사소통, 연락 유 contact, touch 2. 통신

[kəmjù:nəkéiʃən]

Crying is a baby's main form of **communication**. 기출
울음은 아기의 **의사소통**의 주된 형태이다.

□ 0153

chat 동 담소를 나누다, 수다를 떨다 명 담소, 수다

[tʃæt]

The brothers sat down to **chat** after dinner. 교과서
형제들은 저녁 식사 후 **담소를 나누기** 위해 앉았다.

□ 0154

whisper 동 속삭이다, 귓속말을 하다 명 속삭임

[wíspər]

The queen **whispered** in a servant's ear. 교과서
여왕이 하인의 귀에 **속삭였다**.

□ 0155

comment

명 의견, 논평 동 의견을 말하다

[ká:ment]

She needs **comments** from those who have more experience on this matter. 기출

그녀는 이 문제에 관해 더 많은 경험을 가지고 있는 사람들의 **의견**이 필요하다.

□ 0156

reply

동 1. 대답하다, 응답하다 유 respond 2. 대응하다

[riplái]

He asked the client to **reply** by e-mail.

그는 고객에게 이메일을 통해 **대답할** 것을 요청했다.

□ 0157

promise

명 약속 동 약속하다

[prá:mis]

Next time, you should keep your **promise.** 기출

다음 번에는, 너는 네 **약속**을 지켜야 한다.

□ 0158

admit

동 1. 인정하다 반 deny 부인하다 2. 허용하다

[ədmít]

I've learned to **admit** my mistakes.

나는 내 실수들을 **인정하는** 것을 배웠다.

□ 0159

mention

동 말하다, 언급하다 유 refer to

[ménʃən]

My sister **mentioned** how proud she was of me.

내 여동생은 그녀가 나를 얼마나 자랑스러워하는지를 **말했다**.

□ 0160

ignore

동 무시하다

[ignɔ́:r]

The patients felt that their voices were **ignored.** 기출

환자들은 그들의 의견이 **무시되었다고** 느꼈다.

+ ignorance 명 무지, 무식

□ 0161

important

형 중요한 반 unimportant 중요하지 않은

[impɔ́:rtənt]

Your opinion is **important** in making decisions.
네 의견은 결정을 내리는 데 있어서 **중요하다**.

+ importance 명 중요성

□ 0162

prefer

동 선호하다, 더 좋아하다

[prifə́:r]

I **prefer** text messages to phone calls.
나는 전화 통화보다 문자 메시지를 **선호한다**.

+ preference 명 선호 prefer A to B B보다 A를 선호하다

□ 0163

doubt

명 의심, 의문 동 의심하다 유 suspect

[daut]

Without a **doubt**, dinosaurs are a popular topic for kids. 기출
의심의 여지 없이, 공룡은 아이들에게 인기 있는 화제이다.

□ 0164

remind

동 상기시키다, 다시 한번 알려주다

[rimáind]

Sandy **reminded** Jack of the news that he had heard on the radio yesterday. 기출
Sandy는 Jack이 어제 라디오에서 들었던 뉴스를 **상기시켜** 주었다.

+ remind A of B A에게 B를 상기시키다

□ 0165

impress

동 깊은 인상을 주다, 감명을 주다

[imprés]

The last speaker's speech **impressed** me the most.
마지막 발표자의 연설이 나에게 가장 **깊은 인상을 주었다**.

+ impression 명 인상, 감명

□ 0166

focus

동 집중하다, 집중시키다 명 초점, 중점

[fóukəs]

Focus on what he's trying to say.
그가 말하려고 하는 것에 **집중해라**.

+ focus on ~에 집중하다, 초점을 맞추다

□ 0167

stare

동 응시하다, 유심히 쳐다보다 유 look

[steər]

Paul was **staring** at me during the meeting.
Paul이 회의 중에 나를 **응시하고** 있었다.

□ 0168

frankly

부 솔직하게, 노골적으로 유 honestly

[frǽŋkli]

Sarah always speaks **frankly**.
Sarah는 항상 **솔직하게** 이야기한다.

+ frank 형 솔직한, 노골적인

□ 0169

willing

형 기꺼이 ~하는, ~하기를 꺼리지 않는

[wíliŋ]

The counselor was **willing** to listen to my troubles.
상담가가 나의 고민들을 **기꺼이** 들어주었다.

+ willingly 부 기꺼이 be willing to 기꺼이 ~하다

□ 0170

call on

1. 요청하다 2. 찾아가다

I **called on** my boss to implement new rules.
나는 상사에게 새 규칙들을 시행할 것을 **요청했다**.

ADVANCED 심화 어휘

□ 0171

determine 동 결정하다, 확정하다 유 decide

[ditə́:rmin]

My family **determined** to move to Seoul after discussion.

나의 가족은 논의 후에 서울로 이사하기로 **결정했다**.

+ determination 명 결정

□ 0172

debate 명 토론 동 토론하다 유 discuss

[dibéit]

Participating in **debates** will improve your logical thinking. 기출

토론에 참여하는 것은 너의 논리적인 사고를 향상시킬 것이다.

Plus +

debate와 관련된 표현들

- agenda 안건, 의제
- agree 찬성하다
- debater 토론자
- oppose 반대하다
- forum 토론회

□ 0173

inquire 동 묻다, 알아보다 유 ask

[inkwáiər]

A man **inquired** of me the way to the hospital.

한 남자가 내게 병원으로 가는 길을 **물었다**.

+ inquiry 명 질문, 문의 inquire of ~에게 묻다

□ 0174

emphasize 동 강조하다 유 stress

[émfəsaiz]

He used his hands to **emphasize** what he was saying. 기출

그는 자신이 말하는 것을 **강조하기** 위해 양손을 사용했다.

+ emphasis 명 강조

□ 0175

distinguish 동 1. 구별하다 2. 특징짓다

[distíŋgwiʃ]

A person can **distinguish** others by their voices.
사람은 다른 사람들을 그들의 목소리로 **구별할** 수 있다.

□ 0176

dismiss 동 1. (의견을) 묵살하다 2. 해고하다

[dismís]

The chairman **dismissed** the decision of the board of directors.
의장이 이사회의 결정을 **묵살했다**.

□ 0177

persuade 동 설득하다, 납득시키다 유 convince

[pərswéid]

Frank pretends to **persuade** his boss. 기출
Frank가 그의 상사를 **설득하는** 척한다.

+ persuasive 형 설득력 있는

□ 0178

excuse 명 핑계, 변명 동 1. 변명하다 2. 용서하다

[ikskjúːs]

Latecomers always have **excuses** for being late.
지각하는 사람들은 항상 늦는 것에 대한 **핑계들**을 가지고 있다.

□ 0179

keep in touch 연락하고 지내다

Do you still **keep in touch** with your old friends?
너는 아직도 너의 옛 친구들과 **연락하고 지내니**?

□ 0180

in response to ~에 대한 반응으로, 답하여

The man nodded **in response to** the question. 기출
남자는 질문**에 대한 반응으로** 고개를 끄덕였다.

Daily Test

[01~05] 단어와 뜻을 알맞은 것끼리 연결하세요.

01 remind • • ⓐ 무시하다

02 ignore • • ⓑ 의견, 의견을 말하다

03 impress • • ⓒ 상기시키다

04 comment • • ⓓ 핑계, 변명하다, 용서하다

05 excuse • • ⓔ 깊은 인상을 주다

[06~10] 우리말과 같은 뜻이 되도록 빈칸에 알맞은 단어를 쓰세요.

06 사실을 인정하다 ______________ the fact

07 John을 찾아가다 ______________ John

08 친구들과 수다를 떨다 ______________ with friends

09 원활한 의사소통 good ______________

10 우체국에 가는 방법을 묻다 ______________ how to get to the post office

[11~15] 다음 괄호 안에 주어진 지시에 맞게 빈칸을 채우세요.

11 stare 응시하다 → (유의어) ______________

12 emphasize 강조하다 → (유의어) ______________

13 frankly 솔직하게 → (형용사형) ______________

14 determine 결정하다 → (유의어) ______________

15 persuade 설득하다 → (유의어) ______________

[16~20] 빈칸에 알맞은 단어를 <보기>에서 한 번씩 골라 쓰세요.

<보기>	debate	distinguish	focus	keep in touch	promise

16 What is the topic of today's ______________?

17 Ellie kept her ______________ not to tell lies.

18 It is necessary to ______________ reality from illusion.

19 I learned to ______________ on the present.

20 Dan and Fred ______________ by e-mail.

Picture Review

사진과 함께 오늘 배운 단어를 다시 기억해보세요.

HACKERS

SECTION 2

Daily Life

DAY 07

House & Housework

어려운 일이 있을 땐 꼭 주위에 도움을 ask for하세요.

CORE 핵심 어휘

☐ 0181

household

명 1. 가구, 가정 유 house 2. 집안일

[háushòuld]

There are about 500 **households** in my town.
나의 마을에는 약 500개 **가구**들이 있다.

☐ 0182

furniture

명 가구

[fə́:rnitʃər]

My parents bought some new **furniture**.
내 부모님은 몇몇의 새 **가구**를 샀다.

Plus +

셀 수 없는 명사 furniture

우리 말로는 '나는 가구 하나를 샀어'와 같이 가구의 개수를 말할 수 있지만, 영어의 furniture는 옷장, 책꽂이, 소파 등의 다양한 가구류 전체를 통칭하는 집합적인 명사이기 때문에 개수를 셀 수 없는 단어예요. 따라서 a furniture, furnitures와 같이 쓰일 수 없답니다!

☐ 0183

ceiling

명 천장

[sí:liŋ]

Sam saw the water leak on the **ceiling**.
Sam은 **천장**에서 물이 새는 것을 보았다.

☐ 0184

faucet

명 수도꼭지 유 tap

[fɔ́:sit]

The sink **faucets** were broken, so I called the plumber.
싱크대 **수도꼭지**가 고장나서, 나는 배관공을 불렀다.

□ 0185

basement

명 지하실, 지하층

[béismənt]

He has a hammer in the **basement** of his house. 기출

그는 자신의 주택 **지하실**에 망치를 가지고 있다.

□ 0186

sweep

동 (먼지를) 쓸다, 털다 (swept-swept)

[swi:p]

I'll **sweep** and wipe the house until it's shiny. 기출

나는 집이 윤이 날 때까지 **쓸고** 닦을 것이다.

□ 0187

broom

명 빗자루

[bru:m]

My brother swept the floor with a **broom**.

내 남동생이 **빗자루**로 바닥을 쓸었다.

□ 0188

mop

명 대걸레 동 대걸레로 닦다

[mɑ:p]

You can use the **mops** to clean the floors.

너는 바닥을 청소하기 위해 **대걸레**를 사용해도 된다.

□ 0189

shelf

명 선반, 책꽂이

[ʃelf]

Kay put some vases on the **shelf** near the window. 기출

Kay는 창문 근처의 **선반** 위에 화병 몇 개를 두었다.

+ bookshelf 명 책꽂이

□ 0190

edge

명 가장자리, 모서리 유 side

[edʒ]

There were some stains at the **edges** of the living room windows.

거실 창문의 **가장자리**에 약간의 얼룩이 있었다.

□ 0191

tool 명 연장, 도구 ㊌ device

[tu:l]

My father uses **tools** to fix things at home.
나의 아빠는 집에 있는 물건들을 고치기 위해 **연장들**을 사용한다.

□ 0192

wipe 동 닦다, 훔치다 ㊌ rub

[waip]

Kelly **wipes** the stains off the mugs every day.
Kelly는 매일 머그컵에 있는 얼룩을 **닦는다**.

□ 0193

trim 동 다듬다, 손질하다

[trim]

I **trim** the trees in my garden every Sunday.
나는 매주 일요일에 나의 정원에 있는 나무들을 **다듬는다**.

□ 0194

comb 명 빗 동 빗질하다

[koum]

Julie started to groom her hair using her **comb**.
Julie는 **빗**을 사용해서 자신의 머리를 손질하기 시작했다.

□ 0195

outlet 명 1. 콘센트 2. 배출구

[áutlet]

Every light is plugged in to an **outlet**.
모든 조명이 **콘센트**에 꽂혀 있다.

□ 0196

pack 동 (짐을) 싸다 ㊐ unpack (짐을) 풀다 명 짐

[pæk]

We have to **pack** before we move into our new house.
우리는 새로운 집으로 이사하기 전에 **짐을 싸야** 한다.

+ package 명 포장물, 소포

0197

gather 　 동 모으다, 모이다 ㊒ collect

[gǽðər]

I **gathered** all my books and put them in the corner.
나는 내 모든 책들을 **모아서** 그것들을 구석에 두었다.

+ gathering 명 모임

0198

dump 　 동 내버리다 　 명 쓰레기장, 쓰레기 더미

[dʌmp]

Someone **dumped** trash in front of my house.
누군가가 나의 집 앞에 쓰레기를 **내버렸다**.

0199

condition 　 명 1. 상태 ㊒ state 　 2. 조건

[kəndíʃən]

The newly married couple checked the **condition** of their new house.
신혼부부는 그들의 새로운 집의 **상태**를 확인했다.

+ conditional 형 조건부의, 조건이 붙은

0200

set up 　 1. 설치하다 　 2. 준비하다

I **set up** the lighting in my room yesterday.
나는 어제 내 방에 조명을 **설치했다**.

ADVANCED 심화 어휘

0201

electric 　 형 전기의

[iléktrik]

I bought an **electric** drill.
나는 **전기** 드릴을 하나 샀다.

+ electricity 명 전기

□ 0202

chore

명 (-s) (가정의) 잔심부름, 허드렛일

[tʃɔːr]

After children do **chores**, try to give them rewards, such as stickers and small toys. 기출

아이들이 **잔심부름**을 하고 난 후에, 스티커나 작은 장난감과 같은 보상을 주려고 해라.

□ 0203

appliance

명 가전제품, (가정용) 기구

[əpláiəns]

My mother is interested in buying **appliances**.

나의 엄마는 **가전제품들**을 구입하는 것에 관심이 있다.

Plus +

명사 접미사 ance(ence)

접미사 ance(ence)는 동사 뒤에 붙어서 명사를 만들어요.

apply 쓰다 + ance ▸ appliance (가정용) 기구
perform 공연하다 + ance ▸ performance 공연
prefer 선호하다 + ence ▸ preference 선호
differ 다르다 + ence ▸ difference 차이점

□ 0204

interior

형 내부의 명 내부 반 exterior 외부의; 외부

[intíəriər]

We did all the **interior** decoration for our home ourselves.

우리가 우리 집의 모든 **내부의** 장식을 직접 했다.

□ 0205

resident

명 주민, 거주자

[rézədnt]

Many **residents** complained that some of the buttons in the elevators didn't work properly. 기출

많은 **주민들**이 엘리베이터 버튼의 일부가 제대로 작동하지 않는다고 불평했다.

+ residence 명 주택, 거주지

□ 0206

leak

동 새다

[li:k]

The rain started to **leak** into the basement.
비가 지하실로 **새어** 들어가기 시작했다.

+ leakage 명 새어 나감, 누출

□ 0207

polish

동 (윤이 나도록) 닦다

[pá:liʃ]

He uses napkins to **polish** the silverware before each meal. 기출
그는 매 식사 전에 은식기류를 **닦기** 위해 냅킨을 사용한다.

□ 0208

discard

동 버리다 유 throw away

[diská:rd]

Meg **discarded** some old furniture to prepare for the upcoming move.
Meg는 곧 있을 이사를 준비하기 위해 몇몇 낡은 가구를 **버렸다**.

□ 0209

ask for

요청하다, 부탁하다

My sister **asked for** an alarm call at 5:40 tomorrow morning.
나의 언니가 내일 아침 5시 40분에 알람을 **요청했다**.

□ 0210

in order to

~하기 위해

I bought blue paint **in order to** paint the roof.
나는 지붕을 칠**하기 위해** 파란색 페인트를 샀다.

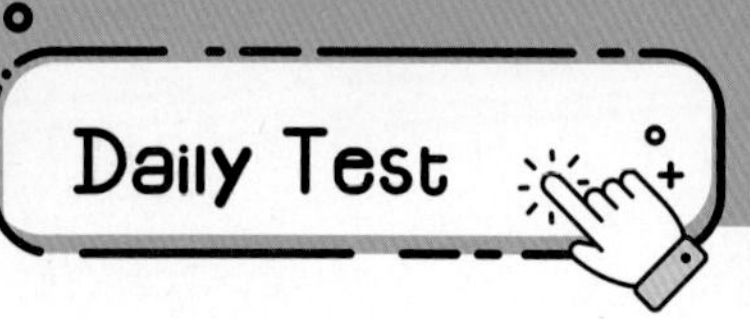

[01~05] 영어는 우리말로, 우리말은 영어로 쓰세요.

01 furniture ________________

02 wipe ________________

03 가전제품 ________________

04 설치하다, 준비하다 ________________

05 대걸레, 대걸레로 닦다 ________________

[06~15] 우리말과 같은 뜻이 되도록 빈칸에 알맞은 단어를 쓰세요.

06 전기톱 a(n) ________________ saw

07 큰 지하실 the huge ________________

08 청소 도구 a cleaning ________________

09 장난감을 버리다 ________________ a toy

10 낡은 빗자루 an old ________________

11 이사하기 위해 짐을 싸다 ________________ for moving

12 식물들을 손질하다 ________________ the plants

13 선반 위의 화병 a vase on the ________________

14 내 방의 상태 the ________________ of my room

15 누군가의 도움을 요청하다 ________________ somebody's help

[16~20] 영영 풀이에 알맞은 단어를 <보기>에서 골라 쓰세요.

<보기>	household	comb	ceiling	leak	resident

16 ________________ : a person who lives in a certain place

17 ________________ : the top part inside a room

18 ________________ : the tool that you use to tidy your hair

19 ________________ : for liquid or gas to escape from somewhere

20 ________________ : a social group that lives together

Picture Review

사진과 함께 오늘 배운 단어를 다시 기억해보세요.

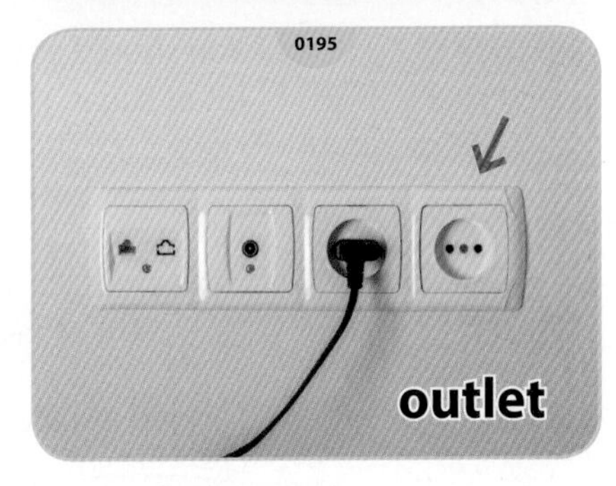

Food

여러분의 appetite를 가장 돋우는 음식은 무엇인가요?

CORE 핵심 어휘

□ 0211

beverage 명 (물 이외의) 음료, 마실 것 ㊒ drink

[bévəridʒ]

You should avoid **beverages** like sodas that contain a lot of sugar. 기출

너는 많은 양의 설탕을 함유하고 있는 탄산음료와 같은 **음료들**을 피해야 한다.

□ 0212

flavor 명 맛, 풍미 ㊒ taste

[fléivər]

I added a spice to give **flavor** to the soup.

나는 스프에 **맛**을 더하기 위해 양념을 첨가했다.

Plus +

풍미를 나타내는 표현들

풍미를 나타내는 다양한 표현들에 대해서 알아볼까요?

- bland 싱거운
- nutty 고소한
- chewy 쫄깃쫄깃한
- greasy 느끼한
- flavorful 풍미 가득한

□ 0213

ingredient 명 재료, 원료 ㊒ element

[ingrí:diənt]

A panini is made of bread, pieces of cheese, and other **ingredients**.

파니니는 빵, 몇 장의 치즈, 그리고 다른 **재료들**로 만들어진다.

□ 0214

hunger 명 배고픔, 굶주림

[hʌ́ŋgər]

A cup of tea will help you forget the **hunger**. 기출

차 한 잔은 네가 **배고픔**을 잊는 데 도움이 될 것이다.

□ 0215

grab
[græb]

동 1. (급하게) 먹다 2. 붙잡다, 움켜쥐다

We **grabbed** sandwiches before we went to the gym.
우리는 체육관에 가기 전에 샌드위치를 **급하게 먹었다**.

+ grab a bite 간단히 먹다

□ 0216

tray
[trei]

명 쟁반

The waiter is serving food on a **tray**.
종업원이 **쟁반** 위의 음식을 제공하고 있다.

□ 0217

stove
[stouv]

명 가스레인지, (요리용) 화로

Put a frying pan on the **stove** first.
먼저 **가스레인지** 위에 프라이팬을 올려놓아라.

□ 0218

kettle
[kétl]

명 주전자

My sister boiled the water in the **kettle**. 교과서
내 여동생이 **주전자**에 물을 끓였다.

□ 0219

roast
[roust]

동 1. (고기를) 굽다 2. (콩·원두를) 볶다

Jeff **roasted** a chicken on the barbecue grill.
Jeff는 바비큐 그릴에 치킨을 **구웠다**.

□ 0220

chop
[tʃɑ:p]

동 다지다, 썰다

Brad **chopped** vegetables to make soup.
Brad는 수프를 만들기 위해 야채를 **다졌다**.

□ 0221

spill 동 쏟다, 쏟아지다

[spil]

I **spilled** soda on my white pants.
나는 내 흰 바지에 탄산음료를 **쏟았다**.

□ 0222

wrap 동 싸다, 포장하다 반 unwrap (포장 등을) 풀다

[ræp]

The cook **wrapped** the meat in foil before she cooked it.
요리사가 고기를 조리하기 전에 그것을 포일에 **쌌다**.

+ wrapping 명 포장, 포장 재료

□ 0223

grocery 명 1. (-s) 식료품 2. 식료품점

[gróusəri]

Molly has bought **groceries** at that **grocery** store for years.
Molly는 그 **식료품** 가게에서 수 년간 **식료품**을 구매했다.

□ 0224

dairy 형 유제품의, 낙농업의

[déəri]

The famous **dairy** company developed new products.
유명한 **유제품** 회사가 새로운 제품들을 개발했다.

□ 0225

appetite 명 1. 식욕 2. 욕구

[ǽpətait]

When food dyed blue is served to people, they tend to lose their **appetites**. 기출
파란색으로 염색된 음식들이 사람들에게 제공되면, 사람들은 **식욕**을 잃어버리는 경향이 있다.

+ appetizer 명 애피타이저, 전채 요리

□ 0226

paste 명 반죽 ㊌ dough

[peist]

The baker mixed the flour and water to make a **paste**.
제빵사가 **반죽**을 만들기 위해 밀가루와 물을 섞었다.

□ 0227

stir 동 젓다, 섞다 ㊌ mix

[stə:r]

Stir it until you can't see the salt anymore. 교과서
소금을 더 이상 볼 수 없을 때까지 **저어라**.

□ 0228

feed 동 (음식을) 먹이다, 먹이를 주다 (fed-fed) ㊌ nourish

[fi:d]

Lily **feeds** her baby at 9:00 a.m. every morning. 기출
Lily는 매일 아침 9시에 자신의 아기에게 **음식을 먹인다**.

□ 0229

rotten 형 부패한, 상한 ㊇ fresh 신선한

[rá:tn]

My family ate **rotten** food and got hospitalized for food poisoning.
나의 가족은 **부패한** 음식을 먹고 식중독으로 입원했다.

□ 0230

cut off 1. 잘라내다 2. 차단하다

We ate lean meat after **cutting off** the fat.
우리는 지방을 **잘라낸** 후에 살코기를 먹었다.

ADVANCED 심화 어휘

□ 0231

leftover 명 (-s) 남은 음식 형 나머지의

[léftouvər]

We kept the **leftovers** in the fridge.
우리는 **남은 음식**들을 냉장고에 보관했다.

□ 0232

remain

동 남다 유 last 명 나머지, 남은 것

[riméin]

The cook seasoned beef using the **remaining** salt and black pepper.
요리사가 **남은** 소금과 후추를 이용해서 소고기를 양념했다.

+ remaining 형 남은, 남아 있는

□ 0233

edible

형 먹을 수 있는 반 inedible 먹을 수 없는

[édəbl]

All the plants in my grandmother's garden are **edible.**
우리 할머니의 정원에 있는 모든 식물들은 **먹을 수 있다.**

Plus +

형용사 접미사 able(ible)

접미사 able(ible)은 동사 뒤에 붙어서 '~할 수 있는'의 의미를 가진 형용사를 만들어요.

accept 받아들이다 + able ▸ acceptable 받아들일 수 있는
respect 존경하다 + able ▸ respectable 존경할 수 있는
access 접근하다 + ible ▸ accessible 접근할 수 있는

□ 0234

cuisine

명 요리, 요리법 유 cooking

[kwizí:n]

The most widespread ethnic **cuisines** are Chinese, Italian, and Mexican. 기출
가장 널리 퍼진 민족 전통 **요리**는 중국, 이탈리아, 그리고 멕시코 요리이다.

□ 0235

nutrition

명 영양 섭취, 영양

[nju:tríʃən]

The aid workers saw children living without proper **nutrition** and education. 기출
구호 활동가들은 아이들이 적절한 **영양 섭취**와 교육 없이 살고 있던 것을 보았다.

+ nutrient 명 영양소

□ 0236

swallow

동 삼키다

[swɑ́:lou]

This pill is too big for children to **swallow.** 기출

이 알약은 아이들이 **삼키기에** 너무 크다.

□ 0237

starve

동 굶어 죽다, 굶주리다

[stɑ:rv]

I need something to eat. I'm **starving**!

나는 먹을 무언가가 필요해. **굶어 죽겠어**!

+ starvation 명 기아, 굶주림

□ 0238

melt

동 녹다, 녹이다 반 freeze 얼다, 얼리다

[melt]

Solid chocolate **melts** and turns into a liquid when the temperature goes up. 교과서

고체 초콜릿은 온도가 올라가면 **녹아서** 액체로 변한다.

□ 0239

by oneself

1. 홀로, 혼자 2. 혼자 힘으로

Sandra ate all three meals **by herself** today. 기출

Sandra는 오늘 세 끼를 모두 **홀로** 먹었다.

□ 0240

get used to

~에 익숙해지다

I **got used to** using my new electric oven.

나는 새로운 전기 오븐을 사용하는 것**에 익숙해졌다**.

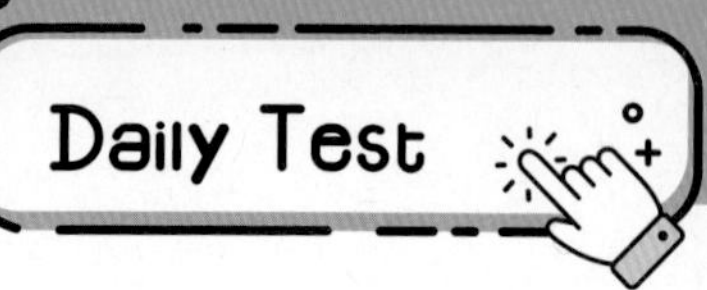

[01~06] 단어와 뜻을 알맞은 것끼리 연결하세요.

01 nutrition	•	• ⓐ 삼키다
02 swallow	•	• ⓑ 잘라내다, 차단하다
03 starve	•	• ⓒ 식료품, 식료품점
04 cut off	•	• ⓓ 식욕, 욕구
05 appetite	•	• ⓔ 굶어 죽다
06 grocery	•	• ⓕ 영양 섭취

[07~12] 우리말과 같은 뜻이 되도록 빈칸에 알맞은 단어를 쓰세요.

07 탁자 위의 쟁반 a(n) ______________ on a table

08 많은 남은 음식들 many ______________

09 먹을 수 있는 과일 a(n) ______________ fruit

10 커피를 쏟다 ______________ coffee

11 소스를 젓다 ______________ the sauce

12 외국 음식에 익숙해지다 ______________ foreign food

[13~18] 빈칸에 알맞은 단어를 <보기>에서 한 번씩 골라 쓰세요.

<보기>	wrap	rotten	feeds	by himself	paste	hunger

13 Adam cooked pasta ______________.

14 I ate ______________ chicken last night, so I got a stomachache.

15 The boy couldn't stand his ______________, so he grabbed bread.

16 Mary ______________ her baby milk at a regular time.

17 I mixed the flour and eggs to make a muffin ______________.

18 Why don't we ______________ some sandwiches and go to a park?

[19~20] 단어의 성격이 나머지와 다른 하나를 고르세요.

19 ① spill ② cuisine ③ wrap ④ melt ⑤ chop

20 ① hunger ② kettle ③ roast ④ stove ⑤ ingredient

Picture Review

사진과 함께 오늘 배운 단어를 다시 기억해보세요.

DAY 09 Clothes

자신의 미래는 스스로 design하는 것이에요.

CORE 핵심 어휘

□ 0241

fashion [fǽʃən]
명 유행, 패션 유 trend

Teenagers don't find it difficult to follow the latest **fashion.**
청소년들은 최신 **유행**을 따라가는 것을 어려워하지 않는다.

□ 0242

design [dizáin]
동 디자인하다, 설계하다 명 디자인, 설계

The designer **designed** a new line of sportswear.
디자이너가 새로운 운동복 라인을 **디자인했다**.

+ designer 명 디자이너

□ 0243

stripe [straip]
명 줄무늬

How about these socks with **stripes** on them? 기출
줄무늬가 있는 이 양말은 어때?

Plus +

pattern의 종류

- a striped **pattern** 줄무늬
- a plaid **pattern** 격자 무늬
- a floral **pattern** 꽃무늬
- a polka-dot **pattern** 도트 무늬
- a checkered **pattern** 체크무늬

□ 0244

thread

명 실

[θred]

With a needle and **thread**, you can make a design which features things, such as flowers or trees. 기출
바늘과 **실**을 가지고, 너는 꽃이나 나무와 같은 것들을 특징으로 하는 디자인을 만들 수 있다.

□ 0245

needle

명 바늘

[ní:dl]

The tailor carefully used his **needle**.
재단사는 그의 **바늘**을 조심스럽게 사용했다.

Plus +

a needle in a haystack

'건초 더미(haystack) 속의 바늘(needle)'이라는 뜻으로, 무언가를 찾기가 매우 어렵거나 거의 불가능한 것을 나타낼 때 사용하는 표현이에요. 우리나라에는 '서울에서 김서방찾기'라는 말이 있죠!

□ 0246

sew

동 바느질하다, ~을 꿰매다 (sewed-sewn)

[sou]

Peggy **sewed** the buttons to the jeans.
Peggy는 청바지에 단추들을 **바느질했다**.

+ sewing machine 명 재봉틀

□ 0247

costume

명 의상, 복장 유 clothes

[kɑ́:stju:m]

There will be a traditional **costume** festival tomorrow.
내일 전통 **의상** 축제가 있을 예정이다.

□ 0248

label

명 상표, 라벨 유 tag 동 라벨을 붙이다

[léibəl]

On the **labels**, it's marked that the shirts were made in Indonesia.
상표 위에, 셔츠가 인도네시아에서 만들어졌다고 표시되어 있다.

☐ 0249

cotton

명 면직물 형 면의

[kɑ́:tn]

Ian got dressed in clothes made of **cotton.** 기출

Ian은 **면직물**로 만들어진 옷을 입었다.

Plus +

fabric의 종류

- cotton 면직물
- silk 실크, 비단
- leather 가죽
- wool 양모
- ramie 모시
- linen 리넨, 아마 섬유
- hemp 삼, 대마

☐ 0250

outfit

명 의복, 복장 ㊌ suit

[aútfit]

The couple found some nice wedding **outfits.**

그 커플은 몇 개의 멋진 결혼 **의복들**을 찾았다.

☐ 0251

suit

명 정장, 슈트 동 어울리다, 맞다

[su:t]

You look very nice in that **suit.**

너는 그 **정장**을 입으니 아주 멋져 보인다.

+ suitable 형 알맞은, 적합한

☐ 0252

trousers

명 바지 ㊌ pants

[tráuzərz]

Shawn found holes in the knees of his **trousers.**

Shawn은 그의 **바지**의 양 무릎 부분에서 구멍을 발견했다.

☐ 0253

collar

명 옷깃, 칼라

[kɑ́:lər]

There are wrinkles on your shirt **collar.**

네 셔츠 **옷깃**에 주름이 있다.

□ 0254

trend

명 1. 유행 2. 동향, 추세

[trend]

Ken and Max are so interested in fashion **trends.**
Ken과 Max는 패션 **유행**에 매우 관심이 있다.

+ trendy 형 최신 유행의

□ 0255

buckle

명 버클, 잠금장치

[bʌ́kl]

I'm looking for a belt **buckle** that goes well with my trousers.
나는 내 바지와 잘 어울리는 벨트 **버클**을 찾고 있다.

□ 0256

plain

형 무늬가 없는, 장식이 없는 유 simple 반 fancy 화려한

[plein]

The clerk asked me, "What about this **plain** bag?" 기출
점원이 내게 "이 **무늬가 없는** 가방은 어떠세요?"라고 물었다.

□ 0257

fashionable

형 유행하는 유 trendy

[fǽʃənəbl]

I bought some **fashionable** clothes yesterday.
나는 어제 몇몇 **유행하는** 옷을 샀다.

□ 0258

loose

형 1. 헐렁한 반 tight 꽉 끼는 2. 헐거운, 풀린

[luːs]

Those pants looked so **loose.**
그 바지는 너무 **헐렁해** 보였다.

□ 0259

laundry

명 1. 세탁소 2. 세탁물

[lɔ́ːndri]

Did you pick up my shirts from the **laundry**? 기출
너는 **세탁소**에서 내 셔츠를 찾아왔니?

+ do laundry 세탁하다

☐ 0260

come up with 1. 생각해내다, 제안하다 2. 생산하다

The stylist **came up with** new designs.
그 스타일리스트는 새로운 디자인들을 **생각해냈다**.

ADVANCED 심화 어휘

☐ 0261

detergent 명 세제

[ditə́ːrdʒənt]

I washed the clothes with **detergent**.
나는 **세제**로 옷을 빨았다.

☐ 0262

stain 명 얼룩, 때 유 mark 동 얼룩지다, 더럽히다

[stein]

The **stain** on my skirt wasn't removed. 기출
내 치마 위의 **얼룩**은 지워지지 않았다.

☐ 0263

medium 형 중간의, 보통의

[míːdiəm]

I'd like to order 20 shirts in a **medium** size. 기출
저는 셔츠 20장을 **중간** 사이즈로 주문하고 싶어요.

☐ 0264

formal 형 1. 격식을 차린 2. 공식적인 반 informal 비공식적인

[fɔ́ːrməl]

We have to wear **formal** clothes when we attend official events.
우리는 공식 행사에 참석할 때 **격식을 차린** 옷을 입어야 한다.

☐ 0265

casual

형 격식을 차리지 않은, 평상시의 명 평상복

[kǽʒuəl]

She usually wears **casual** clothes on weekends.
그녀는 주말에 주로 **격식을 차리지 않은** 옷을 입는다.

+ casually 부 우연히, 문득

☐ 0266

fade

동 (색이) 바래다, 바래게 만들다

[feid]

Tom's jeans are **faded** and old, but he still wears them.
Tom의 청바지는 **색이 바래고** 낡았지만, 그는 여전히 그것을 입는다.

+ fade out (화면이) 점점 희미해지다

☐ 0267

complete

동 완성하다 유 finish 형 완전한

[kəmplí:t]

The fashion designer finally **completed** the dress.
패션 디자이너가 마침내 드레스를 **완성했다**.

+ completion 명 완성

☐ 0268

alter

동 1. 수선하다 2. 바꾸다 유 modify, change

[ɔ́:ltər]

The coat was too big, so I **altered** it.
코트가 너무 커서, 나는 그것을 **수선했다**.

☐ 0269

along with

~과 함께, ~에 덧붙여

The boy wore white pants **along with** a white shirt.
소년은 흰 셔츠**와 함께** 흰 바지를 입었다.

☐ 0270

for oneself

1. 혼자 힘으로 2. 자신을 위해서

A little girl went outside to buy new pants **for herself**.
소녀가 **혼자 힘으로** 새 바지를 사러 외출했다.

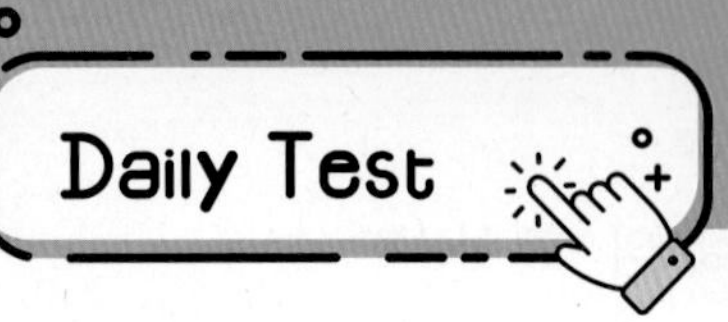

[01~10] 우리말과 같은 뜻이 되도록 빈칸에 알맞은 단어를 쓰세요.

01 날카로운 바늘 a sharp ______________

02 평상시의 잠옷 ______________ pajamas

03 면 가방 a(n) ______________ bag

04 유행하는 가방을 사다 buy a(n) ______________ bag

05 새로운 정장 a new ______________

06 액체 세제 liquid ______________

07 몇몇 다채로운 실 some colorful ______________

08 파란색 줄무늬 a blue ______________

09 나 혼자 힘으로 머리띠를 만들다 make a hair band ______________

10 중간 사이즈의 치마 the skirt in a(n) ______________ size

[11~15] 괄호 안에 주어진 지시에 맞게 빈칸을 채우세요.

11 fashion 유행 → (유의어) ______________

12 plain 무늬가 없는 → (반의어) ______________

13 trousers 바지 → (유의어) ______________

14 loose 헐렁한 → (반의어) ______________

15 stain 얼룩 → (유의어) ______________

[16~20] 단어와 영영 풀이를 알맞은 것끼리 연결하세요.

16 laundry •	• ⓐ the clothes, towels, and any other things that need to be washed
17 label •	• ⓑ to finish something
18 complete •	• ⓒ something that is famous or widely accepted among people for a short time
19 trend •	• ⓓ clothes that people wear for performance or special events
20 costume •	• ⓔ a thing that is attached to an item to give you information about it

Picture Review

사진과 함께 오늘 배운 단어를 다시 기억해보세요.

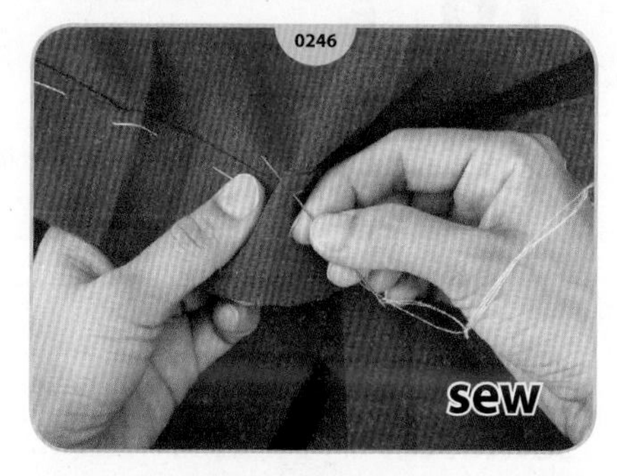

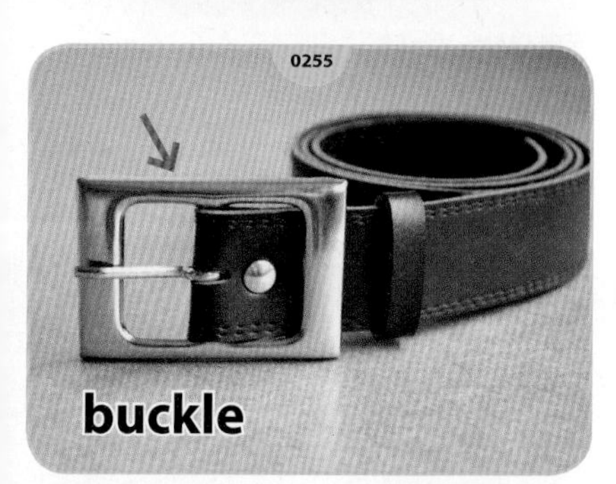

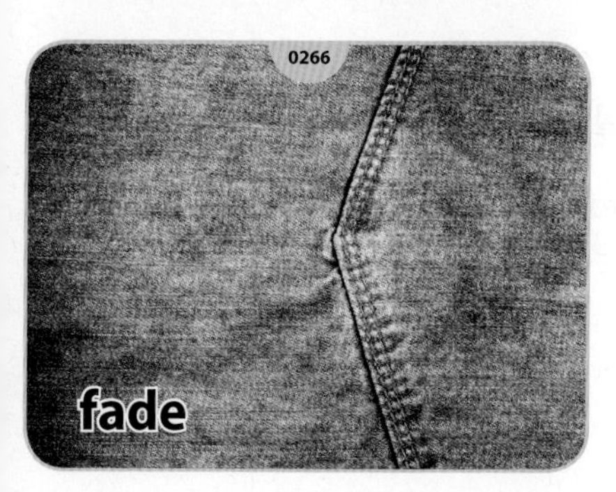

DAY 10

School & Education

MP3 바로 듣기

이번 semester에는 어떤 재밌는 일들이 기다리고 있을까요?

CORE 핵심 어휘

□ 0271

semester 명 학기 유 term

[siméstər]

From next **semester**, we are supposed to wear new uniforms. 기출

다음 **학기**부터, 우리는 새로운 교복을 입을 예정이다.

□ 0272

peer 명 1. 또래, 친구 2. 동료 유 fellow

[piər]

Students are influenced by the words and behaviors of their **peers**.

학생들은 **또래들**의 말과 행동에 영향을 받는다.

+ peer group 명 또래 집단

□ 0273

session 명 1. 학기 2. 수업 3. (특정 활동을 위한) 시간

[séʃən]

I will take science classes during the summer **session**.

나는 여름 **학기**동안 과학 수업을 들을 것이다.

□ 0274

dormitory 명 기숙사, 공동 침실

[dɔ́ːrmətɔ̀ːri]

We had a lot of problems with theft in the **dormitory**. 기출

우리는 **기숙사**에서 도난으로 많은 문제들을 겪었다.

□ 0275

entrance 명 1. 입학 2. 입장, 들어감 3. 입구

[éntrəns]

A student reporter is writing an article about the **entrance** ceremony. 기출
한 학생 기자가 **입학** 행사에 관한 기사를 쓰고 있다.

+ enter 동 들어가다, 입학하다

□ 0276

kindergarten 명 유치원 유 preschool

[kíndərgɑːrtn]

She got along well with her friends in **kindergarten.** 기출
그녀는 **유치원**에서 자신의 친구들과 잘 지냈다.

□ 0277

term 명 1. 학기 2. 용어

[təːrm]

Susan's grades for this **term** were lower than those for the last **term.**
Susan의 이번 **학기** 성적은 지난 **학기** 성적보다 낮았다.

□ 0278

genius 명 1. 천재, 천재성 2. 특별한 재능

[dʒíːnjəs]

He's such a **genius** that he got perfect scores in every subject.
모든 과목에서 만점을 받다니 그는 정말 **천재**이다.

□ 0279

advice 명 조언, 충고 유 tip

[ədváis]

Contact any person who can give you **advice.**
너에게 **조언**을 줄 수 있는 누구에게든 연락해라.

+ advise 동 조언하다, 충고하다

□ 0280

counsel 명 1. 조언 유 advice 2. 상담 동 조언하다

[káunsəl]

We were grateful for the teacher's helpful **counsel.**
우리는 선생님의 도움이 되는 **조언**에 감사했다.

□ 0281

graduate 동 졸업하다 명 [grǽdʒuət] 1. 졸업생 2. 대학원생

[grǽdʒuèit]

Jin **graduated** from Stanford University with a degree in chemical engineering. 기출

Jin은 화학 공학 학위를 받고 스탠포드 대학교를 **졸업했다**.

+ graduation 명 졸업 graduate from ~을 졸업하다

□ 0282

scold 동 야단치다, 꾸짖다

[skould]

The teacher **scolded** Mia for cheating on the exam.

선생님은 시험에서 부정 행위를 한 것에 대해 Mia를 **야단쳤다**.

□ 0283

oral 형 구술의, 구두의 유 spoken

[ɔ́:rəl]

For me, written tests are more difficult than **oral** tests.

나에게는, 지필 시험이 **구술** 시험보다 더 어렵다.

□ 0284

instruct 동 1. 가르치다 유 teach 2. 지시하다

[instrʌ́kt]

I **instructed** Ashley in Spanish during her freshman year of high school. 기출

나는 Ashley의 고등학교 1학년 동안 그녀에게 스페인어를 **가르쳤다**.

+ instruction 명 교육, 지시 instructor 명 강사, 교사

□ 0285

educate 동 가르치다, 교육하다 유 teach

[édʒukeit]

Some parents **educate** their children at home rather than send them to school.

어떤 부모들은 그들의 자녀를 학교로 보내는 대신 집에서 **가르친다**.

+ education 명 교육 educational 형 교육의

□ 0286

lecture

명 강의, 강연 동 강의하다

[léktʃər]

This notice is about the special **lectures** tomorrow. 기출
이 공지는 내일 있을 특별한 **강의들**에 대한 것이다.

□ 0287

apply

동 1. 지원하다, 신청하다 2. 적용하다

[əplái]

You should **apply** for at least two universities.
너는 최소한 두 개 대학에 **지원해야** 한다.

+ application 명 지원, 신청, 적용

□ 0288

examine

동 1. 시험을 실시하다 유 test 2. 조사하다 유 inspect

[igzǽmin]

The teacher **examined** the students in all subjects.
선생님은 학생들에게 모든 과목에 대해 **시험을 실시했다**.

+ examination 명 시험, 조사

□ 0289

content

명 (-s) 내용, 목차

[kɑ́:ntent]

Did you look over the **contents** of the new textbook?
너는 새 교과서의 **내용들**을 훑어봤니?

□ 0290

turn in

제출하다

I wonder if I can **turn in** my drawing assignment late. 기출
나는 내 그리기 과제를 늦게 **제출해도** 되는지 궁금하다.

Plus +

turn in과 같은 뜻을 나타내는 단어들

submit과 hand in은 turn in과 같이 '제출하다'라는 뜻을 가진 단어들이에요.

Jane **submitted** the report. Jane은 보고서를 **제출했다**.
He will **hand in** his science homework tomorrow.
그는 내일 그의 과학 숙제를 **제출할** 것이다.

ADVANCED 심화 어휘

□ 0291

pupil [pjúːpl]

명 1. 학생 유 student 2. 제자, 문하생

The **pupil** needs time to adapt to the new school.
그 **학생**은 새 학교에 적응하는 데 시간이 필요하다.

□ 0292

fluent [flúːənt]

형 유창한

I'm **fluent** in Chinese and English.
나는 중국어와 영어에 **유창하다**.

+ fluency 명 유창함

□ 0293

behavior [bihéivjər]

명 행동, 품행

The experience greatly influenced my **behaviors** and attitudes. 교과서
그 경험은 내 **행동**과 태도에 크게 영향을 미쳤다.

+ behave 동 행동하다, 처신하다

□ 0294

institution [ìnstətjúːʃən]

명 1. 기관, 단체 2. 제도

This educational **institution** started in 2012 in Seoul.
이 교육 **기관**은 2012년에 서울에서 시작했다.

□ 0295

expose [ikspóuz]

동 1. 접하게 하다 2. 드러내다, 노출하다 반 hide 숨기다

The student-exchange program **exposed** me to a new culture.
교환학생 제도는 내가 새로운 문화를 **접하게 했다**.

+ exposure 명 노출, 알려짐

□ 0296

concentrate 동 집중하다, 전념하다 유 focus

[kɑ́:nsəntrèit]

These days, I can't **concentrate** on studying. 기출

요즘, 나는 공부하는 것에 **집중할** 수 없다.

+ concentration 명 집중, 전념

□ 0297

pronounce 동 1. 발음하다 2. 선언하다

[prənáuns]

Eric can't **pronounce** some English words correctly.

Eric은 몇몇 영어 단어들을 정확하게 **발음하지** 못한다.

+ pronunciation 명 발음

Plus +

pronunciation의 철자

pronounce의 명사형은 pronunciation이에요. 얼핏 보면 pronounce에 명사 접미사 ation만 붙인 형태로 보이지만, 명사로 바뀌면서 중간에 o가 빠지고 pronun으로 바뀌는 것에 주의하세요.

□ 0298

demonstrate 동 1. 보여주다, 설명하다 2. 증명하다 3. 시위하다

[démənstreit]

The art teacher **demonstrated** making a statue in art class.

미술 선생님이 미술 수업에서 조각상을 만드는 것을 **보여줬다**.

+ demonstration 명 설명, 증명, 시위

□ 0299

play a role in ~에서 역할을 하다

A class leader **plays a** major **role in** a class.

반장은 학급**에서** 중요한 **역할을 한다**.

□ 0300

go over 1. 검토하다, 조사하다 2. 건너가다

Don't forget to **go over** the homework before turning it in.

숙제를 제출하기 전에 그것을 **검토하는** 것을 잊지 마라.

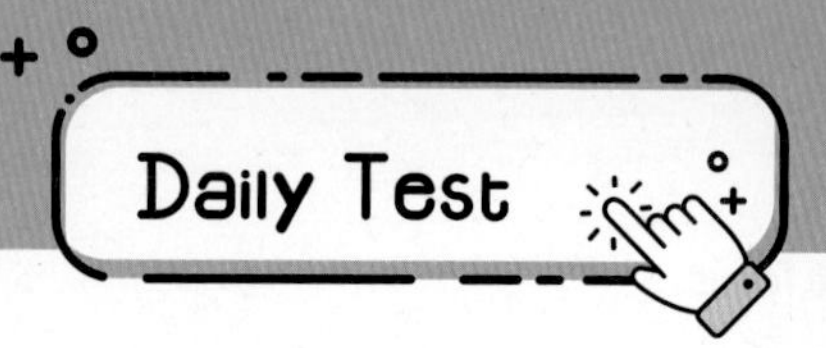

[01~05] 단어와 뜻을 알맞은 것끼리 연결하세요.

01 counsel • • ⓐ 학생, 제자
02 semester • • ⓑ 접하게 하다, 드러내다
03 concentrate • • ⓒ 집중하다
04 expose • • ⓓ 조언, 상담, 조언하다
05 pupil • • ⓔ 학기

[06~15] 우리말과 같은 뜻이 되도록 빈칸에 알맞은 단어를 쓰세요.

06 과학 수업 a science ________
07 보고서의 내용들 the ________ of the report
08 예의 바른 행동 polite ________
09 숙제를 제출하다 ________ the homework
10 교육 기관 an educational ________
11 오래된 기숙사 an old ________
12 또래 집단 a(n) ________ group
13 구술 시험 a(n) ________ test
14 축구 동아리에 지원하다 ________ for the soccer club
15 학생들에게 교통 안전을 교육하다 ________ students on traffic safety

[16~20] 빈칸에 알맞은 단어를 <보기>에서 한 번씩 골라 쓰세요.

<보기>	went over	kindergarten	graduate	term	fluent

16 The woman will ________ from university next year.
17 My homeroom teacher ________ my essay on climate change yesterday.
18 When will this spring ________ end?
19 Becky's daughter is going to enter ________ next month.
20 Tom is ________ in Japanese and English.

Picture Review

사진과 함께 오늘 배운 단어를 다시 기억해보세요.

DAY 11

Jobs & Work

여러분이 영어를 공부하는 purpose는 무엇인가요? :)

CORE 핵심 어휘

☐ 0301

manage 동 운영하다, 관리하다

[mǽnidʒ]

My parents **manage** a small fast-food restaurant. 기출
나의 부모님은 작은 패스트푸드 음식점을 **운영한다**.

+ manage to 간신히 ~하다

☐ 0302

hire 동 고용하다 유 employ 반 fire 해고하다

[haiər]

The manager needs to **hire** a part-time worker. 기출
관리자가 시간제 근로자 한 명을 **고용해야** 한다.

☐ 0303

labor 명 노동, 일

[léibər]

There is a **labor** union in our company.
우리 회사에는 **노동** 조합이 있다.

☐ 0304

firm 명 회사 유 company 형 1. 단단한 2. 확고한

[fəːrm]

Since she was new to her **firm**, people didn't know her. 기출
그녀는 **회사**에 새로 들어왔기 때문에, 사람들은 그녀를 몰랐다.

☐ 0305

attach 동 첨부하다, 붙이다

[ətǽtʃ]

The lawyer **attached** some files to the e-mail.
변호사가 이메일에 몇몇 파일들을 **첨부했다**.

☐ 0306

department 명 부서, 학과

[dipɑ́:rtmənt]

The new employee will work in the research **department.** 기출
새로운 직원은 연구 **부서**에서 일할 것이다.

☐ 0307

career 명 1. 직업 2. 경력, 이력

[kəríər]

Emily has been thinking about her future **career.** 기출
Emily는 자신의 미래 **직업**에 대해 생각해 왔다.

☐ 0308

detail 명 세부 사항 동 열거하다

[dí:teil]

My boss is reviewing the **details** of the report.
내 상사는 보고서의 **세부 사항들**을 재검토하고 있다.

☐ 0309

employ 동 1. 고용하다 2. (물건·기술 등을) 사용하다

[implɔ́i]

The fashion company **employs** 100 people.
그 패션 회사는 100명의 사람들을 **고용한다**.

Plus +

각각 '고용주'와 '고용인'이라는 뜻을 가지는 employer와 employee는 모두 employ에서 나온 단어예요.

employ + er 행동을 하는 사람 ▶ employer 고용을 하는 사람 = 고용주
employ + ee 행동을 당하는 사람 ▶ employee 고용을 당하는 사람 = 고용인

□ 0310

purpose

명 목적, 의도 유 aim

[pə́ːrpəs]

What is the **purpose** of this business trip?
이번 출장의 **목적**이 무엇인가요?

□ 0311

perform

동 1. 수행하다, 실행하다 유 carry out 2. 공연하다

[pərfɔ́ːrm]

Peter **performs** an important role on the team.
Peter는 팀에서 중요한 역할을 **수행한다**.

+ performance 명 수행, 공연

□ 0312

agency

명 1. 대행사, 대리점 2. 기관, 단체

[éidʒənsi]

Daisy reserved a hotel and a flight through a travel **agency** for the business trip. 기출
Daisy는 여행 **대행사**를 통해 출장을 위한 호텔과 항공편을 예약했다.

□ 0313

appoint

동 1. 임명하다, 지명하다 2. (시간·장소 등을) 약속하다

[əpɔ́int]

A new project manager will be **appointed** to the team.
그 팀에 새로운 프로젝트 매니저가 **임명될** 것이다.

+ appointment 명 임명, 약속

□ 0314

succeed

동 1. 성공하다, 잘 되다 2. 뒤를 잇다, 계승하다

[səksíːd]

My mother said that she had tried many times before **succeeding** at my age. 기출
나의 어머니는 그녀가 내 나이에 **성공하기**까지 수차례 노력했다고 말했다.

□ 0315

operate

동 1. 영업하다 유 run 2. 작동하다

[á:pəreit]

The company factories **operate** from 9 a.m. to 6 p.m.
회사의 공장들은 오전 9시부터 오후 6시까지 **영업한다**.

□ 0316

associate

명 동료 유 colleague 동 연상하다, 결부시키다

[əsóuʃieit]

To build good relationships with **associates** is important in a workplace.
직장에서 **동료들**과 좋은 관계를 쌓는 것은 중요하다.

□ 0317

profession

명 직업, 전문직 유 occupation

[prəféʃən]

Which **profession** will you choose in the future?
너는 미래에 어떤 **직업**을 선택할 거니?

+ professional 형 직업의, 전문적인

Plus +

profession의 종류

profession은 많은 직업들 중에서 특정한 훈련이나 교육이 필요한 전문직을 의미해요.

- doctor 의사
- judge 판사
- accountant 회계사
- architect 건축가
- professor 교수

□ 0318

expert

명 전문가 유 specialist 형 전문가의, 전문적인

[ékspə:rt]

Using various methods, **experts** analyze data and draw results from it. 교과서
다양한 방법들을 사용해서, **전문가들**은 자료를 분석하고 그것으로부터 결과를 도출한다.

□ 0319

document

명 문서, 서류 동 1. 기록하다 2. 문서를 첨부하다

[dá:kjumənt]

Nari has to make an important **document** for tomorrow's meeting. 기출
Nari는 내일 회의를 위해 중요한 **문서**를 작성해야 한다.

☐ 0320

deal with

처리하다, 다루다

My team **deals with** the customer complaints.
나의 팀은 고객 불만 사항들을 **처리한다**.

ADVANCED 심화 어휘

☐ 0321

obtain

[əbtéin]

동 얻다, 획득하다 ㊒ get, gain

You can **obtain** useful information from the Internet, an associate, or a boss. 기출
너는 인터넷, 동료, 또는 상사로부터 유용한 정보를 **얻을** 수 있다.

☐ 0322

illustrate

[íləstreit]

동 1. 보여주다, 설명하다 ㊒ demonstrate 2. 삽화를 넣다

The figures **illustrated** how much our company's sales increased.
그 수치는 우리 회사의 판매량이 얼마나 많이 증가했는지를 **보여주었다**.

☐ 0323

achieve

[ətʃíːv]

동 달성하다, 이루다 ㊒ accomplish

Our team **achieved** our goal for the first quarter.
우리 팀은 1분기에 우리의 목표를 **달성했다**.

☐ 0324

confirm

[kənfə́ːrm]

동 1. 확인하다, 확정하다 2. 승인하다

The secretary **confirmed** the schedule for the lawyer's business trip.
비서가 변호사의 출장 일정을 **확인했다**.

☐ 0325

distribute 동 1. 유통시키다 2. 분배하다 ㊒ hand out

[distríbjuːt]

Mark is in charge of **distributing** our products in France.
Mark는 프랑스에 우리 제품들을 **유통시키는** 일을 담당한다.

☐ 0326

superior 형 1. 상급의 2. 우수한 ㊙ inferior 하위의, 열등한

[səːpíəriər]

His **superior** officer is a hard-working person.
그의 **상급** 장교는 열심히 일하는 사람이다.

☐ 0327

retire 동 은퇴하다, 은퇴시키다

[ritáiər]

She would miss getting a paycheck each month, but she wanted to **retire**. 기출
그녀는 매달 급여를 받는 것을 아쉬워할지 모르지만, **은퇴하고** 싶어 했다.

☐ 0328

assign 동 1. 배치하다 2. 할당하다 3. 임명하다 ㊒ appoint

[əsáin]

Stanley was **assigned** to Group D in the training workshop for new employees. 교과서
Stanley는 신입 사원들을 위한 연수에서 D조에 **배치되었다**.

☐ 0329

look forward to ~을 고대하다

The man is **looking forward to** being promoted.
남자는 승진되기를 **고대하고** 있다.

☐ 0330

carry out 수행하다, 실행하다

The marketing team **carried out** a new project successfully.
마케팅 팀이 새로운 프로젝트를 성공적으로 **수행했다**.

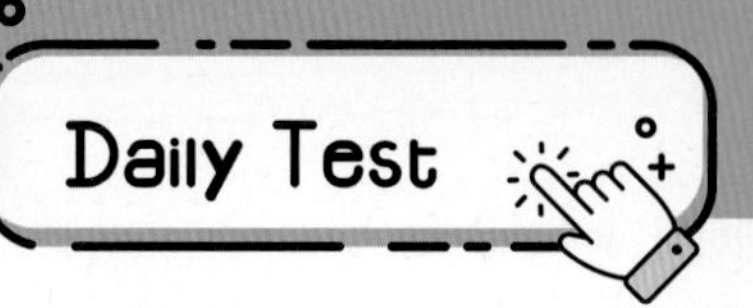

[01~05] 단어와 뜻을 알맞은 것끼리 연결하세요.

01 confirm • • ⓐ 달성하다

02 employ • • ⓑ 처리하다

03 deal with • • ⓒ 고용하다, (물건·기술 등을) 사용하다

04 achieve • • ⓓ 수행하다

05 carry out • • ⓔ 확인하다, 승인하다

[06~15] 우리말과 같은 뜻이 되도록 빈칸에 알맞은 단어를 쓰세요.

06 미래의 직업 a(n) ____________ in the future

07 회사에서 은퇴하다 ____________ from a company

08 상급 장교 a(n) ____________ officer

09 작은 세부 사항 a small ____________

10 사업에 성공하다 ____________ in a business

11 문서를 준비하다 prepare a(n) ____________

12 책임자의 긴 경력 the manager's long ____________

13 법률 회사 a law ____________

14 그 분야의 전문가 a(n) ____________ in the field

15 광고 대행사 an advertising ____________

[16~20] 영영 풀이에 알맞은 단어를 <보기>에서 골라 쓰세요.

<보기>	obtain	labor	purpose	manage	hire

16 ____________ : to take care of a business or organization

17 ____________ : to get something

18 ____________ : the act of working

19 ____________ : to pay someone to do a paticular job for you

20 ____________ : the thing that you want to achieve

Picture Review

사진과 함께 오늘 배운 단어를 다시 기억해보세요.

해커스 보카 중학 고난도

DAY 12

City & Traffic

Destination을 향해 나아갈 때, 속도보다는 방향이 중요한 법이에요.

CORE 핵심 어휘

□ 0331

ride [raid]

동 타다, 몰다 (rode-ridden)

With a special ticket, you can **ride** any train in Europe for a certain length of time. 기출

특별한 티켓으로, 너는 유럽에서 일정 기간 동안 어떤 기차든 **탈** 수 있다.

□ 0332

vehicle [víːikl]

명 차량, 운송 수단

The driver is parking his **vehicle**.

운전자가 그의 **차량**을 주차하고 있다.

□ 0333

passenger [pǽsəndʒər]

명 승객

The bus is capable of carrying twenty **passengers**. 기출

그 버스는 스무 명의 **승객들**을 운송할 수 있다.

□ 0334

traffic [trǽfik]

명 교통(량)

There is always heavy **traffic** at this hour. 기출

이 시간에는 항상 **교통량**이 많다.

Plus +

traffic과 관련된 표현들

- a traffic light 신호등
- a traffic sign 교통 표지판
- traffic police 교통경찰
- a traffic jam 교통 체증
- a streetlight 가로등
- a sidewalk 보도
- the speed limit 제한 속도
- a highway 고속도로

□ 0335

aboard 전 ~을 타고 부 탑승하여

[əbɔ́ːrd]

Betty was **aboard** the train 30 minutes earlier.
Betty는 30분 일찍 기차를 **타고** 있었다.

□ 0336

path 명 1. (좁은) 길, 산책로 2. 방향, 행로

[pæθ]

I rode my bicycle on a **path** through the park.
나는 공원을 지나는 **좁은 길**에서 나의 자전거를 탔다.

□ 0337

crosswalk 명 횡단보도

[krɔ́ːswɔːk]

We should be careful when we cross at a **crosswalk.**
우리는 **횡단보도**에서 길을 건널 때 주의해야 한다.

□ 0338

delivery 명 배송, 배달

[dilívəri]

Many **delivery** trucks are moving fast along the road.
많은 **배송** 트럭들이 도로를 따라 빠르게 이동하고 있다.

+ deliver 동 배송하다, 전달하다

□ 0339

connect 동 연결하다, 연결되다 유 link

[kənékt]

Some bus services **connect** this city with my hometown.
몇몇 버스 운행편은 이 도시를 나의 고향과 **연결한다.**

□ 0340

avenue 명 거리, 대로 유 street

[ǽvənjuː]

I saw a car accident on Baker **Avenue** today. 기출
나는 오늘 Baker **거리**에서 자동차 사고를 봤다.

□ 0341

distance

명 1. 거리, 간격 2. 먼 곳

[dístəns]

He is good at driving long **distances.** 기출
그는 장**거리** 운전을 잘한다.

□ 0342

license

명 면허(증), 허가(증)

[láisəns]

I'm wondering if I can rent this car with an international driver's **license.** 기출
나는 국제 운전 **면허증**을 가지고 내가 이 차를 빌릴 수 있는지 궁금하다.

□ 0343

downtown

명 중심가, 도심 형 중심가의, 도심의 부 중심가에, 도심에

[dàuntáun]

On the way to the Plaza Reial, we got lost in **downtown** Barcelona. 교과서
Reial 광장으로 가는 길에, 우리는 바르셀로나 **중심가**에서 길을 잃었다.

□ 0344

destination

명 목적지, 행선지

[dèstənéiʃən]

They arrived at their **destination** earlier than expected.
그들은 예상한 것보다 더 일찍 그들의 **목적지**에 도착했다.

□ 0345

row

동 배를 젓다 명 (늘어선) 줄, 열

[rou]

The old boatman **rowed** diligently.
나이 든 사공이 부지런히 **배를 저었다.**

□ 0346

transfer

동 1. 환승하다 2. 이동하다, 이동시키다 유 move

[trænsfə́:r]

In LA, we had to **transfer** to another flight. 기출
LA에서, 우리는 또 다른 항공편으로 **환승해야** 했다.

□ 0347

distant

형 (거리가) 먼, 떨어진 유 far

[dístənt]

My parents' house is quite **distant** from mine.
내 부모님의 집은 내 집에서 꽤 **멀다**.

□ 0348

convenient

형 **편리한, 간편한** 반 inconvenient 불편한

[kənvíːnjənt]

The traffic is **convenient** in my town.
나의 동네에서는 교통이 **편리하다**.

□ 0349

intersection

명 **교차로**

[ìntərsékʃən]

Turn left at the third **intersection**, then go one block and turn right. 기출
세 번째 **교차로**에서 좌회전한 다음에, 한 블록을 가서 우회전해라.

Plus +

접두사 inter

접두사 inter는 '상호 간의, 서로 간의'라는 뜻을 더해줘요.

inter + section 부분 ▶ intersection 상호 간의 부분 = 교차로
inter + national 국가의 ▶ international 국가 상호 간의 = 국제적인
inter + net 통신망 ▶ internet 상호 간의 통신망 = 인터넷
inter + view 보다 ▶ interview 상호 간에 보다 = 면접

□ 0350

be afraid of

~을 무서워하다

Actually, I **am afraid of** driving cars.
사실, 나는 차를 운전하는 것을 **무서워한다**.

ADVANCED 심화 어휘

☐ 0351

district 명 구역, 지구 유 area

[dístrikt]

There are often traffic jams in the **district** during rush hour.

혼잡 시간대에는 종종 그 **구역**에 교통 체증이 있다.

☐ 0352

facility 명 (-s) 시설, 설비

[fəsíləti]

Most subway stations have safety **facilities**.

대부분의 지하철 역은 안전 **시설들**을 가지고 있다.

☐ 0353

fasten 동 매다, 고정시키다 유 buckle

[fǽsən]

Please don't forget to **fasten** your seat belt during the flight. 기출

비행 중에는 안전 벨트를 **매는** 것을 잊지 마세요.

☐ 0354

transportation 명 1. 교통 수단 2. 수송, 운송

[trӕnspɔːrtéiʃən]

There are many kinds of public **transportation** in the city. 기출

도시에는 많은 종류의 대중 **교통 수단**이 있다.

☐ 0355

pedestrian 명 보행자

[pədéstriən]

Traffic lights help drivers to avoid accidents, and **pedestrians** to cross the street safely. 기출

신호등은 운전자들이 사고를 피하고, **보행자들**이 안전하게 길을 건너도록 도와준다.

☐ 0356

complicated 형 복잡한 ㊇ complex ㊫ simple 간단한

[kɑ́:mpləkèitid]

Hybrid cars have **complicated** engine systems.
하이브리드 자동차는 **복잡한** 엔진 시스템을 가지고 있다.

☐ 0357

structure 명 1. 구조, 체계 2. 구조물, 건물

[strʌ́ktʃər]

The **structure** of the building is similar to a European style.
그 건물의 **구조**는 유럽의 양식과 비슷하다.

☐ 0358

extend 동 확장하다, 연장하다 ㊇ expand

[iksténd]

The city **extended** the highway.
도시가 고속도로를 **확장했다**.

☐ 0359

be likely to ~할 가능성이 크다, ~할 것 같다

A crash at a high speed **is likely to** result in death or serious injury. 기출
고속 충돌은 사망이나 심각한 부상을 초래**할 가능성이 크다**.

☐ 0360

bring about 야기하다, 초래하다

The road construction **brought about** traffic congestion.
도로 공사가 교통 혼잡을 **야기했다**.

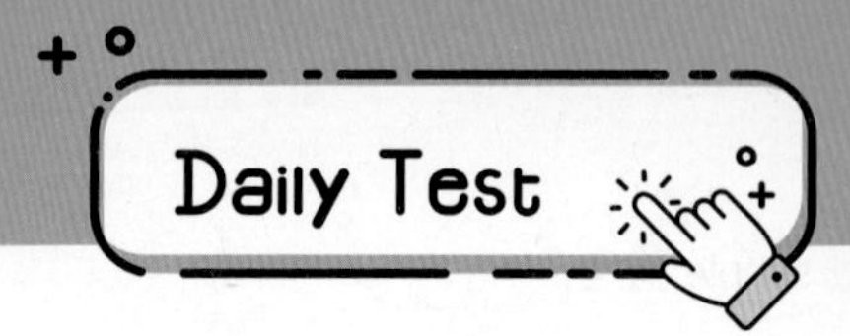

[01~05] 단어와 뜻을 알맞은 것끼리 연결하세요.

01 vehicle • • ⓐ 매다, 고정시키다

02 district • • ⓑ 구역

03 traffic • • ⓒ 승객

04 fasten • • ⓓ 차량

05 passenger • • ⓔ 교통(량)

[06~15] 우리말과 같은 뜻이 되도록 빈칸에 알맞은 단어를 쓰세요.

06 짧은 거리 a short ______________

07 편리한 장소에서 만나다 meet at a(n) ______________ place

08 도로를 연장하다 ______________ the road

09 근대 도시의 구조 the ______________ of the modern city

10 횡단보도에서 길을 건너다 cross at the ______________

11 운전 면허증 a driver's ______________

12 운전하는 것을 무서워하다 ______________ driving

13 비행기에 탑승하여 ______________ the plane

14 교통 시설 a transportation ______________

15 비행편의 최종 목적지 the final ______________ of the flight

[16~20] 괄호 안에 주어진 지시에 맞게 빈칸을 채우세요.

16 connect 연결하다 → (유의어) ______________

17 ride 타다 → (과거분사형) ______________

18 complicated 복잡한 → (반의어) ______________

19 transfer 이동하다 → (유의어) ______________

20 distant (거리가) 먼 → (유의어) ______________

Picture Review

사진과 함께 오늘 배운 단어를 다시 기억해보세요.

DAY 12

해커스 보카 중학 고난도

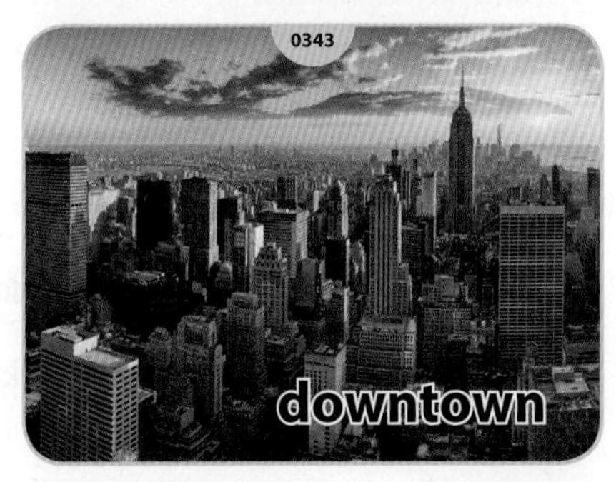

DAY 13

Health

바이러스 예방을 위해 sanitary한 상태를 유지해요.

CORE 핵심 어휘

□ 0361

heal [hiːl]

동 낫게 하다, 치유하다 유 cure

The doctor **healed** the severe wounds on my back.
의사가 내 등에 있는 심각한 상처들을 **낫게 했다**.

□ 0362

medicine [médisn]

명 약, 약물 유 drug

You should take **medicine** and drink a lot of water. 기출
너는 **약**을 먹고 많은 물을 마셔야 한다.

□ 0363

drugstore [drʌ́gstɔːr]

명 약국 유 pharmacy

Elly's husband ran to the **drugstore** to buy painkillers.
Elly의 남편은 진통제를 사기 위해 **약국**으로 달려갔다.

□ 0364

vision [víʒən]

명 1. 시력, 시야 2. 상상력 유 imagination

Carrots have chemicals that produce vitamin A, which improves your **vision**. 교과서
당근은 비타민 A를 생산하는 화학 물질을 가지고 있는데, 이것은 너의 **시력**을 향상시킨다.

+ visual 형 시각적인

□ 0365

mental

[méntl]

형 정신의, 마음의 반 physical 육체의

Mental health is as important as physical health.
정신 건강은 육체 건강만큼 중요하다.

□ 0366

dental

[déntl]

형 치과의, 치아의

My teeth hurt, so I went to the **dental** clinic.
이가 아파서, 나는 **치과** 병원에 갔다.

□ 0367

bruise

[bruːz]

동 멍들게 하다 명 멍

She **bruised** my face by mistake while we were playing together.
우리가 함께 놀던 도중에 그녀는 실수로 내 얼굴을 **멍들게 했다**.

□ 0368

muscle

[mʌ́sl]

명 1. 근육 2. 힘, 근력

Ted had **muscle** pains after hiking for six hours.
Ted는 여섯 시간 동안 하이킹을 하고 나서 **근육**통을 겪었다.

□ 0369

spine

[spain]

명 척추, 등뼈 유 backbone

Keeping your **spine** straight helps relieve backaches.
척추를 곧게 유지하는 것은 등의 통증을 완화하는 데 도움이 된다.

□ 0370

sight

[sait]

명 1. 시력, 시야 유 vision 2. 보기, 봄

The serious disease affected her **sight**.
심각한 질병이 그녀의 **시력**에 영향을 끼쳤다.

+ at first sight 첫눈에, 언뜻 보기에

□ 0371

recover

동 1. 회복하다, 낫다 ㊜ get better 2. 되찾다

[rikʌ́vər]

Angela is **recovering** from a cold.
Angela는 감기로부터 **회복하는** 중이다.

□ 0372

disease

명 질병, 질환

[dizí:z]

Resting helps patients heal from **diseases.**
휴식을 취하는 것은 환자들이 **질병들**로부터 치유되도록 한다.

□ 0373

illness

명 병, 아픔 ㊜ sickness

[ílnis]

Wash your hands to prevent **illnesses.** 기출
병을 예방하기 위해 너의 손을 씻어라.

□ 0374

emergency

명 비상사태, 돌발 사태 ㊜ crisis

[imə́:rdʒənsi]

The nurses replied to **emergency** calls immediately last night.
간호사들은 지난밤 **비상사태** 호출에 즉시 응답했다.

Plus +

명사 접미사 ency

접미사 ency는 동사 뒤에 붙어서 추상 명사를 만들 수 있어요.

emerg(e) (문제가) 생기다 + ency ▸ emergency 비상사태
consist(ent) 한결같은 + ency ▸ consistency 한결같음, 일관성
tend 경향이 있다 + ency ▸ tendency 경향
depend 의존하다 + ency ▸ dependency 의존

□ 0375

digest

동 1. 소화하다, 소화되다 2. 잘 이해하다

[daidʒést]

Bacteria help you **digest** food. 교과서
박테리아는 네가 음식을 **소화하도록** 돕는다.

□ 0376

symptom

명 1. 증상 2. 조짐 ㊐ sign

[símptəm]

An early **symptom** of the flu is a high fever.
독감의 한 초기 **증상**은 고열이다.

□ 0377

trouble

명 1. 문제 ㊐ problem 2. 통증, 병

[trʌ́bl]

I'm having **trouble** with my neck.
내 목에 **문제**가 있다.

+ have trouble ~ing ~하는 데 어려움을 겪다

□ 0378

medical

형 의학의, 의료의

[médikəl]

The development of **medical** technology reduced the death rate.
의학 기술의 발전은 사망률을 감소시켰다.

□ 0379

addict

명 중독자 동 중독시키다, 중독되다

[ǽdikt]

Drug **addicts** should receive treatment.
약물 **중독자들**은 치료를 받아야 한다.

+ addiction 명 중독 addictive 형 중독성이 있는

□ 0380

die of

~으로 죽다

The old man **died of** lung cancer.
그 노인은 폐암**으로 죽었다**.

ADVANCED 심화 어휘

□ 0381

pulse 명 맥박, 고동 동 맥이 뛰다

[pʌls]

The nurse took my **pulse**.
간호사가 나의 **맥박**을 쟀다.

□ 0382

pressure 명 압박, 압력

[préʃər]

The doctor applied **pressure** to the patient's wound to stop the bleeding.
의사는 출혈을 멈추게 하기 위해 환자의 상처에 **압박**을 가했다.

+ press 동 압박하다, 누르다

□ 0383

pregnant 형 임신한

[prégnənt]

Pregnant women should see doctors regularly.
임신한 여성들은 정기적으로 의사의 진찰을 받아야 한다.

+ pregnancy 명 임신

□ 0384

disabled 형 장애를 가진

[diséibld]

At the age of twenty, Julian had a car accident, which left him **disabled**. 기출
스무 살에, Julian은 차 사고를 당했고, 이는 그가 **장애를 가지게** 만들었다.

□ 0385

infection 명 1. 감염, 전염 2. 전염병

[infékʃən]

Infections in hospitals cause serious problems for the healthcare industry. 기출
병원에서의 **감염**은 의료 산업에 심각한 문제를 야기한다.

+ infect 동 감염시키다 infectious 형 전염성의

□ 0386

sanitary

[sǽnəteri]

형 1. 위생의 2. 위생적인, 깨끗한 반 insanitary 비위생적인

A homeless person got sick because of the poor **sanitary** conditions.
한 노숙자가 열악한 **위생** 상태 때문에 병에 걸렸다.

□ 0387

immune

[imjú:n]

형 1. 면역의 2. 영향을 받지 않는

Napping improves your health by strengthening your **immune** system. 기출
낮잠을 자는 것은 너의 **면역** 체계를 강화함으로써 네 건강을 증진시킨다.

+ immunity 명 면역

□ 0388

prescribe

[priskráib]

동 1. 처방하다 2. 명령하다, 지시하다 유 order

The doctor will **prescribe** a medicine for your cold.
의사가 너의 감기에 대한 약을 **처방할** 것이다.

+ prescription 명 처방, 처방전

□ 0389

pass away

1. 돌아가시다, 사망하다 2. 없어지다

My grandmother **passed away** last month.
나의 할머니는 지난 달에 **돌아가셨다**.

□ 0390

little by little

조금씩, 서서히

Tom is recovering from the flu **little by little**.
Tom은 독감에서 **조금씩** 회복하고 있다.

Plus +

little by little에서 by는 '~씩'의 뜻을 나타내요. 이와 비슷한 표현으로 어떤 것들이 있는지 알아볼까요?

- day by day 하루하루
- one by one 하나씩
- step by step 한 걸음씩

Daily Test

[01~05] 단어와 뜻을 알맞은 것끼리 연결하세요.

01 symptom •	• ⓐ 의학의
02 medical •	• ⓑ 처방하다, 명령하다
03 prescribe •	• ⓒ 증상, 조짐
04 vision •	• ⓓ 시력, 상상력
05 heal •	• ⓔ 낫게 하다

[06~10] 우리말과 같은 뜻이 되도록 빈칸에 알맞은 단어를 쓰세요.

06 자동차 사고로 죽다 ______________ a car accident

07 약국을 방문하다 visit a(n) ______________

08 감염을 예방하다 prevent ______________

09 서서히 나빠지다 get worse ______________

10 멍이 들다 get a(n) ______________

[11~15] 괄호 안에 주어진 지시에 맞게 빈칸을 채우세요.

11 recover 회복하다 → (유의어) ______________

12 spine 척추 → (유의어) ______________

13 addict 중독시키다, 중독되다 → (명사형) ______________

14 emergency 비상사태 → (유의어) ______________

15 immune 면역의 → (명사형) ______________

[16~20] 단어와 영영 풀이를 알맞은 것끼리 연결하세요.

16 dental •	• ⓐ being related to teeth
17 pregnant •	• ⓑ the state of being sick
18 mental •	• ⓒ having a baby or babies in a woman's body
19 illness •	• ⓓ a power that you produce when you press something
20 pressure •	• ⓔ being related to the state of a person's mind

Picture Review

사진과 함께 오늘 배운 단어를 다시 기억해보세요.

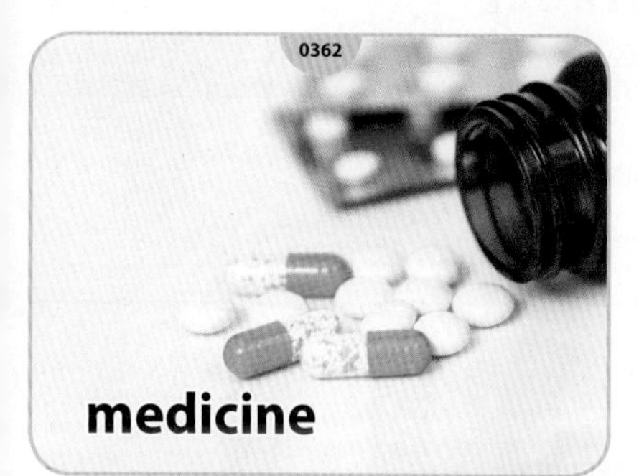

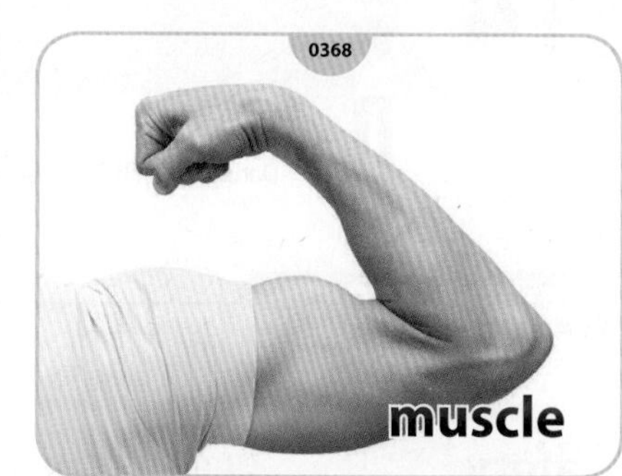

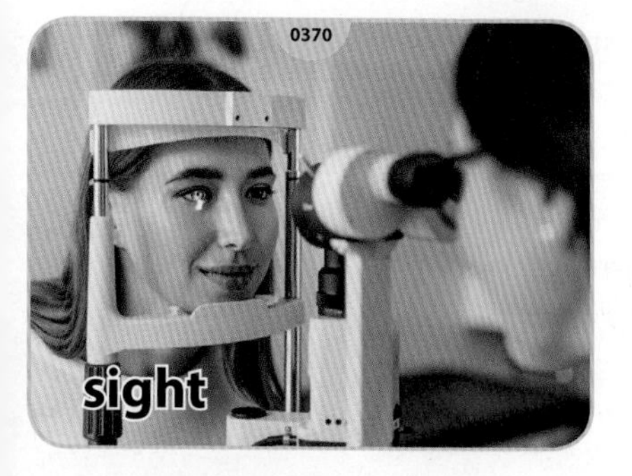

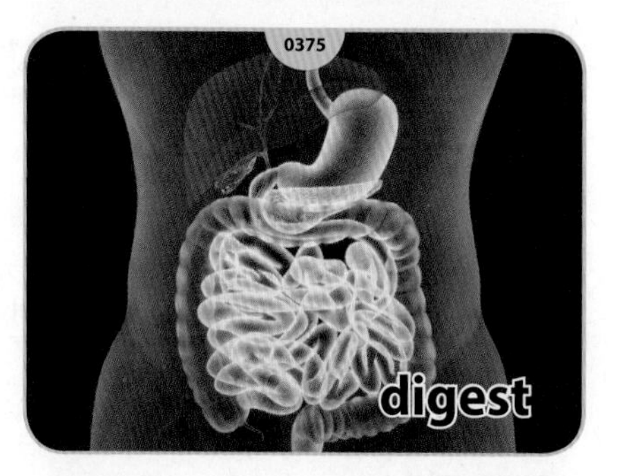

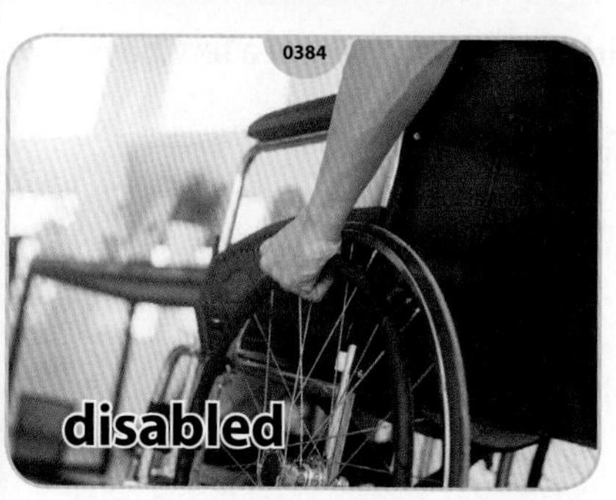

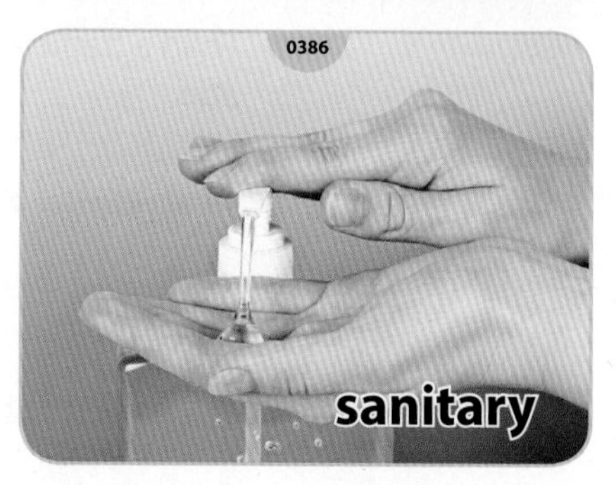

DAY 14

Safety

Danger를 '단 거'라고 발음하면 위험해요. :)

CORE 핵심 어휘

□ 0391

safety 명 안전, 안전성 유 security

[séifti]

Safety comes first, so we're wearing goggles. 교과서
안전이 가장 중요해서, 우리는 보호 안경을 쓰고 있다.

Plus +

safety first

공사장 근처에서 '안전 제일'이라고 쓰여진 팻말을 본 적이 있나요? '안전 제일'이라는 슬로건은 영어로 'safety first'라고 표현해요.

□ 0392

danger 명 위험 유 risk 반 safety 안전

[déindʒər]

When people are in **danger**, rescue dogs can help them. 기출
사람들이 **위험**에 처했을 때, 구조견들이 그들을 도울 수 있다.

+ dangerous 형 위험한 endanger 동 위험에 빠뜨리다

□ 0393

accident 명 1. 사고 2. 우연

[ǽksidənt]

I had a traffic **accident** near the school a few days ago. 기출
나는 며칠 전에 학교 근처에서 교통**사고**를 당했다.

+ accidental 형 사고의, 우연한

☐ 0394

hurt 동 1. 다치게 하다 2. 아프다, 아프게 하다 (hurt-hurt)

[həːrt]

I'm sure Jenny did not mean to **hurt** my legs. 교과서
나는 Jenny가 내 다리를 **다치게 하려고** 의도하지 않았다고 확신한다.

☐ 0395

driver 명 운전자, 기사

[dráivər]

All **drivers** should fasten their seat belts.
모든 **운전자들**은 그들의 안전 벨트를 매야 한다.

☐ 0396

bump 동 충돌하다, 부딪치다

[bʌmp]

The cars **bumped** into each other lightly.
자동차들이 서로 살짝 **충돌했다**.

☐ 0397

crash 명 사고, 충돌 동 충돌하다, 추락하다

[kræʃ]

There were 20 survivors from the car **crash**.
그 자동차 **사고**에서 20명의 생존자들이 있었다.

☐ 0398

crack 동 갈라지다, 금이 가다 명 갈라진 금, 틈

[kræk]

The river ice started to **crack**, and it frightened us.
강의 얼음이 **갈라지기** 시작했고, 그것은 우리를 겁먹게 했다.

☐ 0399

wound 동 상처를 입히다 명 상처, 부상 유 injury

[wuːnd]

John always carries a first-aid kit, just in case someone is sick or **wounded**. 기출
John은 누군가 아프거나 **상처를 입을** 때를 대비하여, 항상 구급상자를 가지고 다닌다.

□ 0400

severe

형 심각한, 극심한 유 serious

[sivíər]

She was hospitalized after the **severe** car accident.
그녀는 **심각한** 자동차 사고 이후에 입원했다.

□ 0401

suffer

동 시달리다, 고통받다

[sʌ́fər]

He is **suffering** from shock after the car crash.
그는 자동차 사고 이후 충격에 **시달리고** 있다.

□ 0402

sink

동 1. 가라앉다 반 float 뜨다 2. (해·달이) 지다 (sank-sunk)

[siŋk]

The Titanic ran into an iceberg and **sank** into the sea.
타이타닉 호는 빙산에 부딪쳤고 바닷속으로 **가라앉았다**.

□ 0403

waterproof

형 방수의

[wɔ́:tərpru:f]

Waterproof clothes can keep you dry during the rainy season.
방수복은 장마철에 너를 젖지 않게 할 수 있다.

Plus +

waterproof는 water와 '~을 막는'을 뜻하는 proof가 결합해서, '방수의'라는 뜻을 나타내요. proof가 사용된 다양한 표현들을 알아볼까요?

- dustproof 먼지를 막는, 방진의
- bulletproof 총알을 막는, 방탄의
- fireproof 불을 막는, 불에 타지 않는

□ 0404

awake

동 (잠에서) 깨우다, 깨다 (awoke-awoken) 형 깨어 있는

[əwéik]

The earthquake **awoke** me at midnight.
자정에 지진이 나를 **잠에서 깨웠다**.

☐ 0405

instant

형 즉각적인, 즉시의 유 immediate 명 순간

[ínstənt]

The man's **instant** reaction prevented his daughter from being burned.
남자의 **즉각적인** 대처는 그의 딸이 화상을 입는 것을 막았다.

+ instantly 부 즉각적으로, 즉시

☐ 0406

protect

동 보호하다, 지키다 유 guard

[prətékt]

Police officers **protect** us from disorder in our society.
경찰관들은 우리 사회의 무질서로부터 우리를 **보호한다**.

☐ 0407

state

명 1. 상태 유 condition 2. 국가 동 진술하다

[steit]

The accident victims are now in a safe **state**.
사고 피해자들은 지금 안전한 **상태**에 있다.

☐ 0408

disaster

명 재난, 대참사

[dizǽstər]

Rescue robots can go into **disaster** areas that are dangerous for humans. 교과서
구조 로봇들은 인간에게 위험한 **재난** 지역에 들어갈 수 있다.

Plus +

disaster의 종류

- earthquake 지진
- typhoon 태풍
- tsunami 해일, 쓰나미
- drought 가뭄
- hurricane 돌풍, 허리케인

☐ 0409

reduce

동 줄이다, 감소시키다 유 decrease

[ridjúːs]

For safety, Ken **reduced** his speed at the corner.
안전을 위해, Ken은 코너에서 속도를 **줄였다**.

DAY 14

해커스 보카 중학 고난도

□ 0410

pay attention

주의를 기울이다, 주목하다

We have to **pay attention** to the safety rules before swimming.
우리는 수영을 하기 전에 안전 수칙에 **주의를 기울여야** 한다.

ADVANCED 심화 어휘

□ 0411

injure

동 다치게 하다, 상처를 입히다 유 hurt, wound

[índʒər]

An angry group of rhinoceroses ran down the streets and **injured** hundreds of people. 교과서
성난 코뿔소 무리가 거리를 내리달렸고 수백 명의 사람들을 **다치게 했다**.

□ 0412

threat

명 위협, 협박

[θret]

The world is faced with the **threat** of terror.
세계는 테러의 **위협**에 직면해 있다.

+ threaten 동 위협하다

□ 0413

urgent

형 긴급한, 시급한

[ə́:rdʒənt]

The force of the hurricane has created an **urgent** and dangerous situation for the community.
허리케인의 세력은 그 지역 사회에 **긴급하고** 위험한 상황을 만들었다.

+ urgently 부 긴급히

□ 0414

secure

형 1. 안전한 유 safe 2. 튼튼한 동 안전하게 하다

[sikjúər]

I checked that the nail was **secure**, and then hung the picture on the wall. 기출
나는 못이 **안전한지** 확인했고, 그리고 나서 벽에 사진을 걸었다.

□ 0415

vital

형 1. 생명의, 생명 유지에 필요한 2. 활기 있는

[váitl]

The emergency officials checked the patient's **vital** signs.
구급대원들은 환자의 **생명** 징후를 확인했다.

□ 0416

unexpected

형 예기치 않은, 예상 밖의

[ʌnikspéktid]

Pull the plugs to prevent an **unexpected** fire. 기출
예기치 않은 화재를 예방하기 위해 플러그를 뽑아라.

□ 0417

concern

명 1. 우려, 걱정 ㊒ worry 2. 관심사

[kənsə́ːrn]

She has **concerns** about her children's safety.
그녀는 자신의 아이들의 안전에 대한 **우려**가 있다.

□ 0418

except

전 접 ~을 제외하고, ~ 외에는

[iksépt]

Lucy prepared for every possible emergency, **except** an earthquake.
Lucy는 지진을 **제외하고** 가능한 모든 비상상황에 대비했다.

□ 0419

hold on (to)

1. (~을) 꼭 잡다 2. (~을) 고수하다, 유지하다

I **hold on to** the rail when I go down stairs.
나는 계단을 내려갈 때 난간을 **꼭 잡는다**.

□ 0420

put away

1. 치우다 2. 저축하다

The woman **put away** the sharp knife for safety.
여자는 안전을 위해 날카로운 칼을 **치웠다**.

Daily Test

[01~05] 단어와 뜻을 알맞은 것끼리 연결하세요.

01 bump • • ⓐ 다치게 하다
02 suffer • • ⓑ 생명의, 활기 있는
03 injure • • ⓒ 충돌하다
04 vital • • ⓓ 시달리다
05 except • • ⓔ ~을 제외하고

[06~11] 우리말과 같은 뜻이 되도록 빈칸에 알맞은 단어를 쓰세요.

06 긴급한 메시지 a(n) ______________ message
07 자정을 지나 깨어 있다 stay ______________ past midnight
08 극심한 태풍 피해 ______________ typhoon damage
09 홍수와 같은 재난 a(n) ______________ such as a flood
10 교통 표지판에 주목하다 ______________ to the traffic signs
11 바이러스의 위협 a(n) ______________ of a virus

[12~15] 빈칸에 알맞은 단어를 주어진 철자로 시작하여 쓰세요.

12 S______________ is the first priority at the construction site.
13 Is your cell phone w______________? It looks fine, even after hours of water activities.
14 Be careful not to w______________ children when you play with them.
15 There is c______________ about food poisoning, especially in summer.

[16~20] 괄호 안에 주어진 지시에 맞게 빈칸을 채우세요.

16 sink 가라앉다 → (반의어) ______________
17 instant 즉각적인 → (유의어) ______________
18 state 상태 → (유의어) ______________
19 accident 사고, 우연 → (형용사형) ______________
20 reduce 줄이다 → (유의어) ______________

Picture Review

사진과 함께 오늘 배운 단어를 다시 기억해보세요.

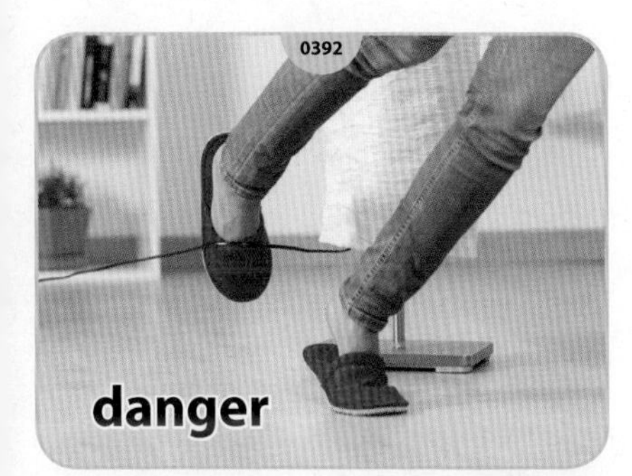

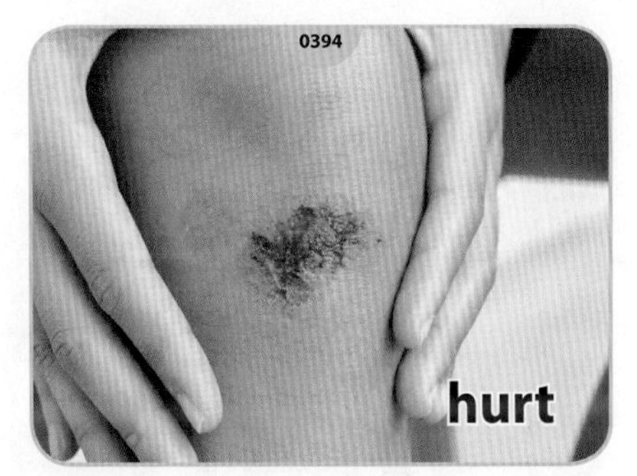

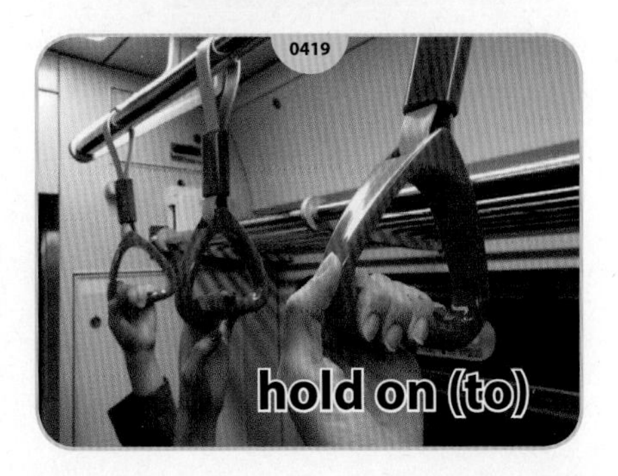

HACKERS

SECTION 3

Leisure & Culture

DAY 15 Travel

Recreation이 필요할 땐 자신이 가장 좋아하는 일을 해보세요. :)

CORE 핵심 어휘

□ 0421

journey 명 여행, 여정 ㊒ trip

[dʒə́ːrni]

I became tired after the long **journey**.
나는 긴 **여행** 후에 지쳤다.

□ 0422

tip 명 1. 팁, 봉사료 2. 조언 ㊒ advice 3. 끝부분

[tip]

Don't forget to leave a **tip** when you visit hotels.
호텔을 방문할 때 **팁**을 남기는 것을 잊지 마라.

□ 0423

baggage 명 수하물 ㊒ luggage

[bǽgidʒ]

It will be convenient to check in first because we have a lot of **baggage**. 기출
우리는 **수하물**이 많기 때문에 먼저 체크인하는 것이 편리할 것이다.

□ 0424

landscape 명 1. 풍경, 경치 ㊒ scenery 2. 풍경화

[lǽndskeip]

Despite its small size, Puerto Rico has a large variety of **landscapes**. 기출
작은 크기에도 불구하고, 푸에르토리코는 매우 다양한 **풍경들**을 가지고 있다.

□ 0425

sightseeing 명 관광, 구경 형 관광의

[sáitsìːiŋ]

The tourists went **sightseeing** by bus.
여행객들은 버스를 타고 **관광**을 갔다.

□ 0426

passport 명 여권

[pǽspɔːrt]

Did you put your **passport** in your suitcase? 기출
너는 여행 가방에 네 **여권**을 넣었니?

□ 0427

cabin 명 1. (항공기·배의) 객실, 선실 2. 오두막집 유 hut

[kǽbin]

They were seated at the back of the **cabin**. 기출
그들은 **객실**의 뒤쪽에 앉았다.

□ 0428

foreigner 명 외국인

[fɔ́ːrənər]

I met lots of **foreigners** during the trip.
나는 여행 중에 많은 **외국인들**을 만났다.

+ foreign 형 외국의

□ 0429

allow 동 허락하다, 허용하다 유 permit

[əláu]

My parents **allowed** me to travel to Europe alone.
나의 부모님은 내가 혼자 유럽으로 여행하는 것을 **허락했다**.

□ 0430

crowded 형 혼잡한, 붐비는

[kráudid]

Jolly hates to travel to **crowded** cities.
Jolly는 **혼잡한** 도시들로 여행하는 것을 싫어한다.

□ 0431

platform | 명 1. 승강장, 플랫폼 2. 단, 연단

[plǽtfɔːrm]

The woman went to **platform** A to board the train.
여자는 기차를 타기 위해 A **승강장**으로 갔다.

□ 0432

abroad | 부 1. 해외에, 해외로 2. 널리

[əbrɔ́ːd]

Did you go **abroad** during summer vacation? 기출
너는 여름 방학 동안 **해외에** 갔었니?

□ 0433

aisle | 명 통로, 복도

[ail]

Which would you prefer, an **aisle** or a window seat? 기출
당신은 **통로** 좌석과 창가 좌석 중에, 어떤 것을 선호하시나요?

□ 0434

souvenir | 명 기념품

[sùːvəníər]

You can buy various items at the **souvenir** shop. 기출
너는 **기념품** 가게에서 다양한 물품들을 살 수 있다.

□ 0435

lighthouse | 명 등대

[láithaus]

They visited the famous **lighthouse** on Jeju Island.
그들은 제주도에 있는 유명한 **등대**를 방문했다.

□ 0436

depart | 동 떠나다, 출발하다 반 arrive 도착하다

[dipɑ́ːrt]

They **departed** for Prague yesterday.
그들은 어제 프라하로 **떠났다**.

\+ departure 명 출발

□ 0437

underground 형 지하의 부 지하에, 지하로

[ʌ́ndərgraund]

The **underground** cave is still cool during the summer.
지하 동굴은 여름 동안에도 여전히 시원하다.

□ 0438

recreation 명 1. 기분 전환, 휴양 2. 오락, 레크리에이션

[rèkriéiʃən]

I need **recreation** time for myself.
나는 내 자신을 위한 **기분 전환** 시간이 필요하다.

□ 0439

highway 명 고속도로

[háiwei]

Traveling by **highway** is much faster than traveling on back roads.
고속도로를 통해 이동하는 것은 시골길로 다니는 것보다 훨씬 더 빠르다.

□ 0440

check out 1. (호텔에서) 체크아웃하다, 나가다 2. 확인하다, 조사하다

What time do we have to **check out**?
우리는 몇 시에 **호텔에서 체크아웃해야** 하니?

Plus +

check out의 의미는 표현을 사용하는 장소에 따라 달라져요. 호텔에서 사용하는 경우에는 '체크아웃하고 퇴실하다'라는 뜻을 나타내지만, 도서관에서는 '책을 빌리다'라는 의미로 쓰여요. 마트나 슈퍼마켓에서는 '계산하다'라는 뜻으로 쓰인답니다.

ADVANCED 심화 어휘

□ 0441

direction 명 1. 방향 2. 위치, 지역 유 location

[dirékʃən]

I took a train traveling in the northern **direction**.
나는 북쪽 **방향**으로 이동하는 기차를 탔다.

☐ 0442

transport

동 수송하다, 옮기다 명 수송, 운송

[trænspɔ́:rt]

The airplane **transports** about 200 passengers at a time.
그 비행기는 한 번에 약 200명의 승객들을 **수송한다**.

+ transportation 명 수송, 운송 public transportation 명 대중교통

Plus +

접두사 trans

접두사 trans는 명사나 동사 앞에 붙어서 다른 장소로 옮기거나 다른 상태로 변화한다는 의미를 더해요.

trans + port 항구 ▶ transport 이동시키다
trans + form 형태 ▶ transform 변형시키다
trans + plant 심다 ▶ transplant 옮겨심다

☐ 0443

reserve

동 1. 예약하다 유 book 2. 비축하다, 남겨두다

[rizə́:rv]

We have to **reserve** the mountain cabin online. 기출
우리는 온라인으로 산속 오두막집을 **예약해야** 한다.

☐ 0444

overseas

형 해외의 부 해외에 유 abroad

[òuvərsí:z]

Overseas travel always makes me excited.
해외여행은 항상 나를 신나게 한다.

☐ 0445

brochure

명 책자, 브로슈어

[brouʃúər]

I got a travel **brochure** from the hotel lobby.
나는 호텔 로비에서 여행 **책자**를 받았다.

☐ 0446

available

형 이용할 수 있는, 쓸모 있는 반 unavailable 이용할 수 없는

[əvéiləbl]

The invention of the low-cost package made overseas travel **available** to many people. 기출
저가 패키지의 발명은 많은 사람들이 해외여행을 **이용할 수 있게** 만들었다.

□ 0447

delay

동 지연시키다, 연기하다 유 put off 명 지연, 연기

[diléi]

My flight was **delayed** 12 hours because of bad weather. 기출

내 항공편은 나쁜 날씨 때문에 12시간 **지연되었다**.

□ 0448

voyage

명 항해, 여행 유 cruise

[vɔ́iidʒ]

My family enjoyed a long sea **voyage** on the yacht.

나의 가족은 요트 위에서 긴 바다 **항해**를 즐겼다.

Plus +

Bon voyage!

bon voyage는 프랑스어로 여행을 떠나는 사람에게 '여행 잘 다녀오세요'라고 말하며 행운을 빌어줄 때 하는 인사말이에요.

□ 0449

come to mind

생각이 나다, 떠오르다

Every summer, my trip to Waikiki beach **comes to** my **mind**.

매해 여름, 와이키키 해변으로의 내 여행이 **생각이 난다**.

□ 0450

supposed to

1. ~하기로 되어 있는 2. ~인 것으로 여겨지는

I am **supposed to** fly to Mexico tomorrow for summer vacation. 기출

나는 내일 여름 휴가차 비행기를 타고 멕시코에 가**기로 되어 있다**.

Daily Test

[01~06] 단어와 뜻을 알맞은 것끼리 연결하세요.

01 allow • • ⓐ 이용할 수 있는

02 delay • • ⓑ 허락하다

03 recreation • • ⓒ 지연시키다, 지연

04 overseas • • ⓓ 생각이 나다

05 available • • ⓔ 기분 전환, 오락

06 come to mind • • ⓕ 해외의, 해외에

[07~16] 우리말과 같은 뜻이 되도록 빈칸에 알맞은 단어를 쓰세요.

07 긴 항해 a long ______________

08 혼잡한 공항들 ______________ airports

09 승객들을 수송하다 ______________ passengers

10 수하물을 보내다 send ______________

11 러시아에서 온 외국인 a(n) ______________ from Russia

12 비싼 기념품을 사다 buy an expensive ______________

13 오전 10시에 체크아웃하다 ______________ at 10 a.m.

14 3번 터미널에서 출발하다 ______________ from Terminal 3

15 호텔을 예약하다 ______________ the hotel

16 통로 좌석을 선호하다 prefer a(n) ______________ seat

[17~20] 영영 풀이에 알맞은 단어를 <보기>에서 골라 쓰세요.

<보기> tip passport highway landscape

17 ______________ : an official document that you have to show when you enter or leave a country

18 ______________ : a main public road which usually connects towns or cities

19 ______________ : money that you give some people to thank them for their services, such as in hotels

20 ______________ : everything you can see when you look around an area

Picture Review

사진과 함께 오늘 배운 단어를 다시 기억해보세요.

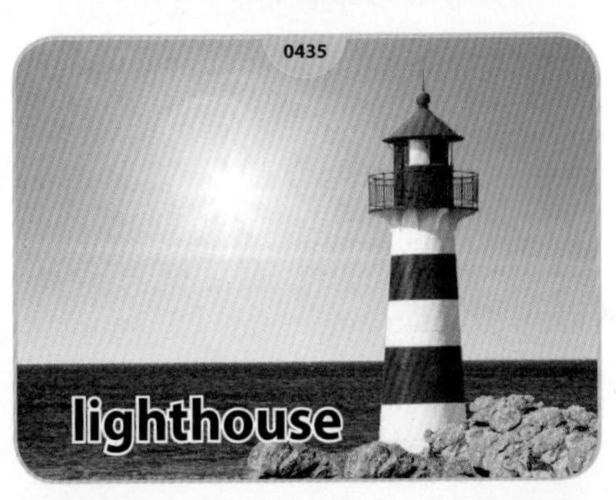

DAY 16

Shopping

MP3 바로 듣기

이번 주말에는 누구와 hang out할 계획인가요? :)

CORE 핵심 어휘

☐ 0451

wallet 명 지갑 유 purse

[wá:lit]

Jamie purchased a new **wallet**.
Jamie는 새 **지갑**을 샀다.

☐ 0452

sunglasses 명 선글라스

[sʌ́nglæsiz]

I should have bought **sunglasses** before the summer break.
나는 여름 휴가 전에 **선글라스**를 샀어야 했다.

☐ 0453

consumer 명 소비자 반 producer 생산자

[kənsú:mər]

We should always be knowledgeable **consumers**.
우리는 항상 합리적인 **소비자들**이 되어야 한다.

+ consume 동 소비하다

☐ 0454

bargain 명 특가품, 싸게 산 물건 동 흥정하다

[bá:rgən]

There are some good **bargains** on the third floor. 기출
3층에는 몇몇의 좋은 **특가품들**이 있다.

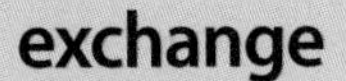

□ 0455

exchange 동 1. 교환하다 유 trade 2. 환전하다 명 1. 교환 2. 환전

[ikstʃéindʒ]

He **exchanged** the pants for the right size. 기출
그는 바지를 알맞은 사이즈로 **교환했다**.

□ 0456

claim 동 1. 요구하다 2. 주장하다 명 1. 요구 2. 주장

[kleim]

The customer **claimed** a refund for the shoes.
고객이 신발에 대한 환불을 **요구했다**.

□ 0457

purchase 명 구매 동 구매하다 유 buy 반 sell 팔다

[pə́:rtʃəs]

The prices of products influence our **purchases**. 교과서
제품의 가격은 우리의 **구매**에 영향을 준다.

□ 0458

receipt 명 영수증

[risí:t]

You can exchange the bag if you have the **receipt**. 기출
네가 **영수증**을 가지고 있다면 가방을 교환할 수 있다.

□ 0459

quality 명 1. 품질 2. 고급, 양질 형 고급의

[kwɑ́:ləti]

Sue thinks the price of the product is more important than **quality**. 기출
Sue는 제품의 가격이 **품질**보다 더 중요하다고 생각한다.

□ 0460

value 명 가치 유 worth 동 (가치를) 평가하다

[vǽlju:]

Customers choose the products that give them the best **value**.
고객들은 그들에게 최고의 **가치**를 주는 제품들을 선택한다.

+ valuable 형 가치가 큰, 귀중한

☐ 0461

retail | 명 소매 형 소매의 반 wholesale 도매; 도매의

[rí:teil]

Most **retail** businesses have websites. 기출

대부분의 **소매** 기업들은 웹사이트를 가지고 있다.

☐ 0462

sum | 명 금액, 총계 동 총계를 내다

[sʌm]

Patricia spent a large **sum** of money shopping.

Patricia는 쇼핑에 많은 양의 **금액**을 썼다.

☐ 0463

total | 형 전체의 유 whole 명 합계

[tóutl]

All customers can get 10% off the **total** price. 기출

모든 고객들은 **전체** 가격에서 10퍼센트 할인을 받을 수 있다.

☐ 0464

reasonable | 형 1. 적정한, 너무 비싸지 않은 2. 합리적인

[rí:zənəbl]

We bought a sofa at a **reasonable** price.

우리는 소파를 **적정한** 가격에 샀다.

+ reason 명 이유, 근거

☐ 0465

serve | 동 1. (손님을) 응대하다 2. (음식을) 제공하다 3. 복무하다

[sə:rv]

The kind clerks **served** us in the shop.

친절한 점원들이 가게에서 우리를 **응대했다**.

☐ 0466

auction | 명 경매

[ɔ́:kʃən]

I bought rare paintings at the **auction**.

나는 **경매**에서 진귀한 그림들을 샀다.

□ 0467

satisfy [sǽtisfài]

동 만족시키다 유 meet 반 disappoint 실망시키다

The brand-new shirts **satisfied** the boy.
새 셔츠가 소년을 **만족시켰다**.

+ satisfaction 명 만족

□ 0468

decision [disíʒən]

명 1. 결정, 판단 2. 판결

She has finally made a **decision** on what to buy.
그녀는 마침내 무엇을 살지 **결정**을 내렸다.

+ decide 동 결정하다

□ 0469

browse [brauz]

동 둘러보다, 훑어보다

Everyone is welcome to **browse** the shop.
모두가 가게를 **둘러봐도** 좋다.

□ 0470

hang out

시간을 보내다

I usually go shopping when I **hang out** with my friends.
나는 내 친구들과 **시간을 보낼** 때 보통 쇼핑을 간다.

ADVANCED 심화 어휘

□ 0471

necessity [nəsésəti]

명 1. 생필품, 필수품 2. 필요

My mom bought some **necessities** at the market.
나의 엄마는 시장에서 몇몇의 **생필품들**을 샀다.

□ 0472

merchandise

명 상품, 제품 유 goods 동 판매하다

[mə́:rtʃəndaiz]

A girl purchased several pieces of **merchandise** at the department store.
소녀는 백화점에서 몇 가지 **상품**을 구매했다.

+ merchant 명 상인

□ 0473

quantity

명 수량, 양 유 amount

[kwɑ́:ntəti]

I couldn't buy the new phone because the **quantities** were limited.
수량이 한정되어 있기 때문에 나는 그 신형 휴대폰을 살 수 없었다.

Plus +

quality over quantity

'양보다 질'은 영어로 'quality over quantity'라고 해요. '질보다 양'은 'quantity over quality'라고 표현할 수 있어요.

□ 0474

luxury

명 사치품, 사치 반 necessity 필수품

[lʌ́kʃəri]

The man likes to spend money on **luxuries**.
그 남자는 **사치품들**에 돈을 쓰는 것을 좋아한다.

+ luxurious 형 사치스러운, 호화로운

□ 0475

steady

형 꾸준한, 안정된 반 unsteady 불안정한

[stédi]

Blue jeans are a product with **steady** sales at our store.
청바지는 우리 가게에서 **꾸준한** 판매량을 가진 제품이다.

+ steady seller 명 꾸준히 잘 팔리는 제품

□ 0476

refund

동 환불하다 명 [rí:fʌnd] 환불, 환불금

[rifʌ́nd]

I **refunded** the electric oven yesterday.
나는 어제 전기 오븐을 **환불했다**.

+ get a refund 환불받다

Plus +

'환불받다'는 'get a refund'라고 표현할 수 있어요.
Can I **get a refund**? **환불받을** 수 있을까요?
I'd like to **get a refund**. **환불받고** 싶어요.

□ 0477

exclude

동 1. 거부하다, 차단하다 2. 제외하다 반 include 포함하다

[iksklú:d]

The owner of the store **excludes** any customer on the blacklist.
그 가게의 주인은 블랙리스트에 있는 어떠한 고객도 **거부한다**.

□ 0478

advertise

동 광고하다

[ǽdvərtàiz]

Companies **advertise** their products to increase sales.
회사들은 판매량을 증가시키기 위해 그들의 제품들을 **광고한다**.

+ advertisement 명 광고

□ 0479

when it comes to

~에 관해서, ~에 대해 말하자면

Let's think about what affects us **when it comes to** buying things. 교과서
물건을 사는 것**에 관해서** 무엇이 우리에게 영향을 미치는지에 대해 생각해보자.

□ 0480

run out of

~을 다 써 버리다, ~이 떨어지다

An ice cream vendor **ran out of** bowls to serve to his customers. 기출
아이스크림 상인이 그의 손님들에게 제공할 그릇들**을 다 써 버렸다**.

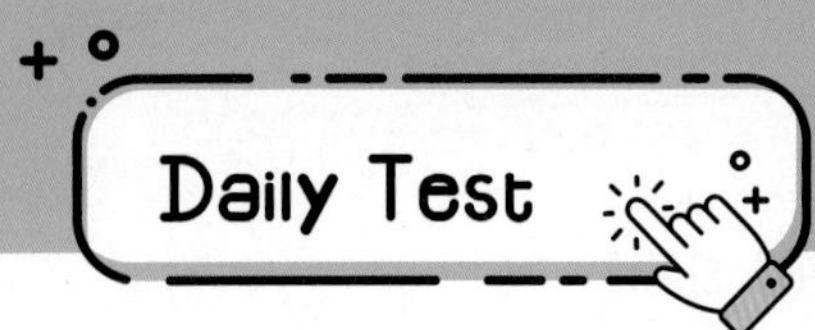

[01~05] 영어는 우리말로, 우리말은 영어로 쓰세요.

01 sum ________________

02 necessity ________________

03 적정한, 합리적인 ________________

04 만족시키다 ________________

05 품질, 고급, 고급의 ________________

[06~12] 우리말과 같은 뜻이 되도록 빈칸에 알맞은 단어를 쓰세요.

06 많은 수량 a large ________________

07 지혜로운 판단 a wise ________________

08 가방을 교환하다 ________________ the bag

09 할인을 요구하다 ________________ a discount

10 소매 의류 가게 a(n) ________________ clothing store

11 친구들과 시간을 보내다 ________________ with friends

12 제품의 가치 the ________________ of the product

[13~17] 빈칸에 알맞은 단어를 주어진 철자로 시작하여 쓰세요.

13 I will r________________ the shoes because they don't fit me.

14 Sales went up after the company a________________ online.

15 We closed our store because we r________________ all of our products.

16 What is the most popular m________________ in the shop?

17 Companies always try to meet all c________________' needs.

[18~20] 단어의 성격이 나머지와 다른 하나를 고르세요.

18 ① receipt ② purse ③ steady ④ direction ⑤ brochure

19 ① quantity ② amount ③ aisle ④ highway ⑤ exclude

20 ① browse ② luxury ③ necessity ④ wallet ⑤ cabin

Picture Review

사진과 함께 오늘 배운 단어를 다시 기억해보세요.

DAY 17

Sports

오늘도 열심히 공부하는 여러분에게 applaud합니다.

CORE 핵심 어휘

□ 0481

score
동 득점하다 ⊕ win 명 득점

[skɔːr]

I **scored** three goals, and my team won. 교과서
나는 세 골을 **득점했고**, 나의 팀이 승리했다.

□ 0482

athlete
명 운동선수, 경기자

[ǽθliːt]

The **athlete** from Korea won the gold medal.
한국 출신의 **운동선수**가 금메달을 땄다.

□ 0483

match
명 1. 경기 ⊕ game 2. 성냥 동 대결하다

[mætʃ]

To me, this soccer ball is more special than a ball from a World Cup **match**. 교과서
나에게는, 이 축구공이 월드컵 **경기**의 공보다 더 특별하다.

Plus +
match는 '어울리다, 일치하다'라는 뜻으로도 쓰일 수 있어요.
The skirt **matches** my blouse. 그 치마는 내 블라우스와 **어울린다**.
Her answer **matches** the answer sheet. 그녀의 답은 답지와 **일치한다**.

□ 0484

referee
명 심판 ⊕ judge 동 심판하다

[rèfəríː]

Ken Aston is an internationally known basketball **referee**. 기출
Ken Aston은 국제적으로 알려진 농구 **심판**이다.

☐ 0485

foul | 명 반칙, 파울 동 파울을 하다

[faul]

During the match, Danny committed a **foul**.
경기 도중에, Danny는 **반칙**을 했다.

☐ 0486

rank | 동 (등급·순위를) 차지하다 명 지위, 계급

[ræŋk]

The baseball team **ranked** first in the contest.
그 야구팀은 대회에서 일등을 **차지했다**.

☐ 0487

victory | 명 승리 유 triumph 반 defeat 패배

[víktəri]

To celebrate our **victory** in the tennis match, we've cancelled afternoon classes. 기출
테니스 경기에서 우리의 **승리**를 축하하기 위해, 우리는 오후 수업들을 취소했다.

☐ 0488

penalty | 명 1. 페널티, 반칙에 대한 벌 2. 처벌 3. 벌금

[pénəlti]

Tim was given a **penalty** because he made a foul during the soccer game.
Tim이 축구 경기 도중에 반칙을 해서 **페널티**를 받았다.

☐ 0489

extreme | 형 극한의, 극단적인 반 moderate 적당한

[ikstríːm]

I often enjoy **extreme** sports when I get stressed out.
나는 스트레스를 받을 때 종종 **극한** 스포츠를 즐긴다.

☐ 0490

leisure | 명 여가, 자유 시간

[líːʒər]

Matt really likes **leisure** activities, such as swimming.
Matt는 수영과 같은 **여가** 활동들을 정말 좋아한다.

□ 0491

captain

명 주장, 우두머리 유 leader

[kǽptin]

John is the **captain** of the basketball team.
John은 그 농구팀의 **주장**이다.

□ 0492

stadium

명 경기장

[stéidiəm]

Are you ready to go to the soccer **stadium**? 기출
너는 축구 **경기장**에 갈 준비가 되었니?

□ 0493

yard

명 운동장, 뜰

[jɑːrd]

The school athletes are running in the **yard**.
학교 육상 선수들이 **운동장**에서 달리고 있다.

□ 0494

coach

명 (스포츠 팀의) 코치, 감독 동 지도하다

[koutʃ]

Our swimming **coach** retired last month. 기출
우리의 수영 **코치**는 지난달에 은퇴했다.

Plus +

coach vs. couch

coach와 couch는 철자가 비슷하기 때문에 혼동하지 않도록 주의해야 해요. couch는 '소파'라는 뜻이에요.

The **coach** made me run. **코치**는 나를 뛰게 했다.
The **couch** in the living room is comfortable. 거실에 있는 **소파**는 편안하다.

□ 0495

league

명 (스포츠 경기의) 리그, 연맹

[liːg]

In 1943, the American Girls Professional Baseball **League** was organized. 교과서
1943년에, 미국 여자 프로 야구 **리그**가 창립되었다.

☐ 0496

tournament

명 **토너먼트, 승자 진출전**

[túərnəmənt]

The great golfer, Robert, won the **tournament.** 기출

훌륭한 골프 선수인 Robert는 **토너먼트**에서 이겼다.

☐ 0497

confident

형 **1. 확신하는** 유 convinced **2. 자신 있는**

[kɑ́:nfədənt]

Karen's father is **confident** that she will win the wrestling match.

Karen의 아버지는 그녀가 레슬링 경기에서 승리할 것이라고 **확신한다**.

+ confidently 부 확신을 갖고, 자신 있게

☐ 0498

regular

형 **정기적인, 규칙적인** 반 irregular 불규칙적인

[régjulər]

There is a **regular** soccer game at my school on weekends.

나의 학교에서는 주말마다 **정기적인** 축구 경기가 있다.

+ regularly 부 정기적으로, 규칙적으로

☐ 0499

unfair

형 **불공평한, 부당한** 반 fair 공평한

[ʌnfér]

The players were disappointed with the referee's **unfair** judgment.

선수들은 심판의 **불공평한** 판정에 실망했다.

☐ 0500

take part in

~에 참가하다, 참여하다

Any healthy men and women over 18 can **take part in** the marathon. 기출

18세 이상의 건강한 남녀라면 누구나 그 마라톤**에 참가할** 수 있다.

ADVANCED 심화 어휘

□ 0501

participate 동 참가하다, 참여하다 유 take part in

[pɑːrtísəpèit]

Athletes from 148 countries **participated** in the Olympics.
148개 국가에서 온 운동선수들이 올림픽에 **참가했다**.

+ participant 명 참가자

□ 0502

compete 동 경쟁하다, 겨루다

[kəmpíːt]

Ten players **competed** in the 200-meter final.
열 명의 선수들이 200미터 결승전에서 **경쟁했다**.

+ competition 명 경쟁, 시합 competitor 명 경쟁자

□ 0503

applaud 동 박수를 보내다, 박수치다 유 clap

[əplɔ́ːd]

The audience **applauded** the baseball team in the stadium.
관중들이 경기장에서 야구팀에 **박수를 보냈다**.

+ applause 명 박수, 박수갈채

□ 0504

amateur 형 아마추어의, 비전문가의 명 아마추어, 비전문가

[ǽmətʃùər]

Peter is an **amateur** golfer.
Peter는 **아마추어** 골프 선수이다.

□ 0505

overcome 동 1. 이기다 2. 극복하다 (overcame-overcome)

[òuvərkʌ́m]

Korea **overcame** Japan in the final game.
한국이 결승전에서 일본을 **이겼다**.

□ 0506

ultimate

형 최종의, 궁극적인 유 final

[ʌ́ltimət]

They were happy with their **ultimate** victory in the final match.
그들은 결승 경기에서 자신들의 **최종** 승리에 기뻤다.

□ 0507

opponent

명 상대, 적수 유 rival

[əpóunənt]

Sam overcame his **opponent** in the tennis game.
Sam은 테니스 경기에서 자신의 **상대**를 이겼다.

□ 0508

outstanding

형 우수한, 눈에 띄는 유 excellent

[autstǽndiŋ]

Sonny is a world-famous and **outstanding** soccer player.
Sonny는 세계적으로 유명하고 **우수한** 축구 선수이다.

□ 0509

put effort (into)

(~에) 노력을 들이다

The basketball player **put effort into** improving his jumping skills.
그 농구 선수는 뛰어오르는 기술을 향상시키는 것**에 노력을 들였다**.

□ 0510

sign up (for)

(~에) 가입하다, 신청하다

I **signed up for** the baseball club.
나는 야구 동아리**에 가입했다**.

Daily Test

[01~05] 단어와 뜻을 알맞은 것끼리 연결하세요.

01 penalty • • ⓐ 경쟁하다

02 ultimate • • ⓑ 운동선수

03 athlete • • ⓒ 확신하는, 자신 있는

04 confident • • ⓓ 최종의

05 compete • • ⓔ 페널티, 처벌, 벌금

[06~15] 우리말과 같은 뜻이 되도록 빈칸에 알맞은 단어를 쓰세요.

06 세 골을 득점하다 ______________ three goals

07 상대 팀의 반칙 the other team's ______________

08 1등을 차지하다 ______________ first

09 훈련에 노력을 들이다 ______________ training

10 경기장에 모이다 gather at the ______________

11 축구 팀의 주장 the ______________ of the soccer team

12 한국 야구 연맹 the Korean baseball ______________

13 불공평한 판정 a(n) ______________ judgment

14 아마추어 수영 선수 a(n) ______________ swimmer

15 세계 챔피언을 이기다 ______________ the world champion

[16~20] 괄호 안에 주어진 지시에 맞게 빈칸을 채우세요.

16 regular 규칙적인 → (반의어) ______________

17 match 경기 → (유의어) ______________

18 opponent 상대 → (유의어) ______________

19 participate 참가하다 → (유의어) ______________

20 extreme 극한의 → (반의어) ______________

Picture Review

사진과 함께 오늘 배운 단어를 다시 기억해보세요.

DAY 18

Art & Culture

이루고자 하는 것에는 꾸준히 focus on할 필요가 있어요.

CORE 핵심 어휘

□ 0511

classic 명 고전, 명작 형 고전의, 최고 수준의

[klǽsik]

I read a **classic** novel yesterday.
나는 어제 **고전** 소설을 읽었다.

□ 0512

script 명 대본, 원고

[skript]

Hayden writes **scripts** for TV dramas.
Hayden은 TV 드라마를 위한 **대본들**을 쓴다.

□ 0513

chorus 명 합창, 합창곡

[kɔ́:rəs]

During the 'Hallelujah' **chorus**, Ted was excited. 기출
'할렐루야' **합창** 중에, Ted는 신이 났다.

□ 0514

talent 명 1. 재능, 장기 유 gift 2. 인재

[tǽlənt]

These recordings show her **talent** as a pianist.
이 음반들은 피아니스트로서 그녀의 **재능**을 보여준다.

+ talented 형 재능 있는

□ 0515

gallery

명 미술관, 화랑

[gǽləri]

How about going to the Modern **Gallery** for our field trip? 기출

우리 현장 학습으로 현대 **미술관**에 가는 게 어때?

□ 0516

display

동 전시하다, 보여주다 유 exhibit 명 전시

[displéi]

At the book exhibition in Paris in 1972, the Jikji was **displayed** as the oldest book in the world. 교과서

1972년 파리의 도서 전시에서, 직지가 세계에서 가장 오래된 책으로 **전시되었다**.

□ 0517

director

명 1. 감독, 연출가 2. 책임자 유 manager

[diréktər]

I enjoyed the new work of my favorite art **director**.

나는 내가 아주 좋아하는 미술 **감독**의 새로운 작품을 즐겼다.

+ direct 동 감독하다, 총괄하다

□ 0518

reality

명 현실, 사실 반 fiction 허구

[riǽləti]

The artist is famous for depicting **reality** well in his paintings.

그 예술가는 자신의 그림에 **현실**을 잘 묘사하는 것으로 유명하다.

+ real 형 현실의 realistic 형 현실적인

□ 0519

copyright

명 저작권, 판권 형 저작권 보호를 받는

[kɑ́:pirait]

The novelist owns the **copyright** on this book.

그 소설가가 이 책의 **저작권**을 가지고 있다.

□ 0520

version 명 버전, 판, 형태

[vəːrʒən]

The movie **version** of this book will be released this September.
이 책의 영화 **버전**이 올해 9월에 개봉될 것이다.

□ 0521

tune 명 선율, 곡조 유 melody 동 조율하다

[tjuːn]

The first piece of music that we played was short and out of **tune**. 교과서
우리가 연주했던 첫 번째 음악 작품은 짧았고 **선율**이 맞지 않았다.

+ out of tune 선율이 맞지 않는

□ 0522

instrument 명 1. 악기 2. 기구, 도구

[ínstrəmənt]

Mary can't imagine what sound these **instruments** make. 교과서
Mary는 이 **악기들**이 어떤 소리를 내는지 상상할 수 없다.

□ 0523

conduct 동 1. 지휘하다 2. 행동하다 명 1. 지휘 2. 행동

[kəndʌ́kt]

Kendrick has **conducted** the orchestra for ten years.
Kendrick은 십 년 동안 오케스트라를 **지휘해** 왔다.

+ conductor 명 지휘자

□ 0524

title 명 제목, 표제 동 제목을 붙이다

[táitl]

The book of poems was given a **title** that the poet had been thinking of for many years. 교과서
그 시집은 시인이 수년 동안 생각해왔던 **제목**을 가지게 되었다.

□ 0525

noble

형 1. 웅장한 2. 귀족의 3. 고결한, 고귀한 명 귀족, 상류층

[nóubl]

The **noble** palace is depicted in the painting.
웅장한 궁전이 그림에 묘사되어 있다.

Plus +

noble vs. novel

noble과 novel은 철자가 비슷하기 때문에 혼동하지 않도록 주의해야 해요.
novel은 명사로는 '소설', 형용사로는 '신기한'의 뜻으로 쓰인답니다.

He is a **noble** man. 그는 **고결한** 사람이다.
Many readers are waiting for her latest **novel**.
많은 독자들은 그녀의 최신 **소설**을 기다리고 있다.

□ 0526

desire

동 원하다, 바라다 유 wish 명 욕구

[dizáiər]

The painter **desires** to show her values through her artwork.
그 화가는 예술 작품을 통해 자신의 가치관을 보여주기를 **원한다**.

□ 0527

tragedy

명 비극 작품, 비극 반 comedy 희극 작품, 희극

[trǽdʒədi]

We chose to see a comedy instead of a **tragedy**.
우리는 **비극 작품** 대신 희극 작품을 보기로 결정했다.

+ tragic 형 비극의, 비극적인

□ 0528

masterpiece

명 명작, 걸작

[mǽstərpiːs]

The film is considered a **masterpiece**.
그 영화는 **명작**으로 여겨진다.

□ 0529

fundamental

형 1. 기본의 유 basic 2. 중요한 명 기본

[fʌ̀ndəméntl]

You should learn the **fundamental** tones first before playing the violin.
너는 바이올린을 연주하기 전에 **기본**음을 먼저 배워야 한다.

☐ 0530

focus on ~에 주력하다, 초점을 맞추다

The artist **focuses on** metalcraft.
그 예술가는 금속 공예**에 주력한다**.

ADVANCED 심화 어휘

☐ 0531

theme 명 주제, 테마 유 subject

[θiːm]

The musical deals with the **theme** of family.
그 뮤지컬은 가족이라는 **주제**를 다룬다.

☐ 0532

involve 동 1. 포함하다 유 contain 2. 관련시키다

[inváːlv]

I like the art class that **involves** photography and painting.
나는 사진술과 그림 그리기를 **포함하는** 그 미술 수업을 좋아한다.

+ be involved in ~에 관련되다

☐ 0533

compose 동 1. 작곡하다, 작문하다 2. 구성하다 유 form

[kəmpóuz]

Ben **composed** several famous operas.
Ben은 몇몇의 유명한 오페라들을 **작곡했다**.

+ composer 명 작곡가

☐ 0534

imitate 동 모방하다, 흉내내다 유 copy

[ímətèit]

Have you ever heard the expression, "Art **imitates** life"? 교과서
너는 "예술은 삶을 **모방한다**"라는 표현을 들어본 적이 있니?

+ imitation 명 모방, 흉내내기

☐ 0535

exhibition

명 **전시회, 전시** 유 display

[èksəbíʃən]

There are many wonderful pieces of art in this **exhibition.** 기출

이 **전시회**에는 훌륭한 예술 작품들이 많이 있다.

+ exhibit 동 전시하다

☐ 0536

abstract

명 **추상화, 추상물** 형 **추상적인**

[æbstrǽkt]

The **abstract** in the gallery impressed me a lot.

미술관의 **추상화**가 나에게 깊은 감명을 주었다.

☐ 0537

reputation

명 **평판, 명성** 유 fame

[rèpjutéiʃən]

The writer earned a good **reputation** from his play.

작가가 그의 연극에서 좋은 **평판**을 얻었다.

☐ 0538

exclaim

동 **(흥분·감동하여) 소리치다, 외치다**

[ikskléim]

Visitors to the gallery saw great works and **exclaimed** with joy.

미술관 방문객들은 훌륭한 작품들을 보고 기쁨으로 **소리쳤다**.

☐ 0539

turn over

뒤집다, 뒤집히다

She **turned over** the paper to draw something.

그녀는 무언가를 그리기 위해 종이를 **뒤집었다**.

☐ 0540

be used to

~에 익숙하다

I started drawing long ago, so I **am used to** it.

나는 오래전에 그림 그리기를 시작해서, 그것**에 익숙하다**.

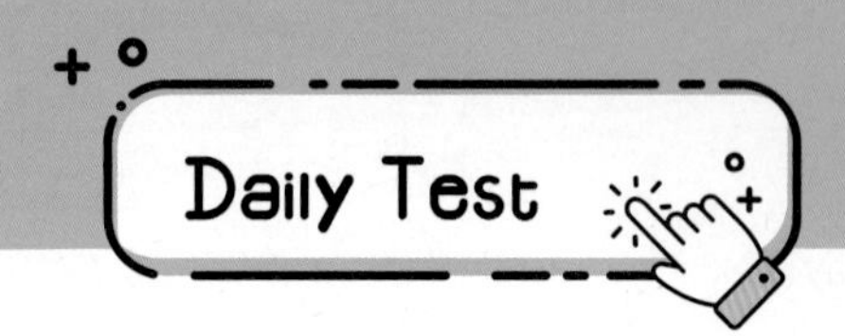

[01~05] 우리말과 같은 뜻이 되도록 빈칸에 알맞은 단어를 쓰세요.

01 책의 최신판 the latest ______________ of the book

02 추상화 그리기 drawing a(n) ______________

03 저작권 보호 ______________ protection

04 풍경화에 주력하다 ______________ the landscape

05 시행착오를 포함하다 ______________ trial and error

[06~10] 빈칸에 알맞은 단어를 주어진 철자로 시작하여 쓰세요.

06 No one can i______________ Picasso's work.

07 The master found t______________ in art when she was young.

08 Several photographers will d______________ their photos in the gallery next month.

09 Bong Joon-ho is a famous movie d______________.

10 The t______________ of the movie I saw yesterday was *Inception*.

[11~15] 괄호 안에 주어진 지시에 맞게 빈칸을 채우세요.

11 reality 현실 → (반의어) ______________

12 tune 선율 → (유의어) ______________

13 fundamental 기본의 → (유의어) ______________

14 exhibition 전시회 → (동사형) ______________

15 reputation 명성 → (유의어) ______________

[16~20] 단어와 영영 풀이를 알맞은 것끼리 연결하세요.

16 theme • • ⓐ an important subject of an artistic work

17 tragedy • • ⓑ a highly excellent work of art

18 masterpiece • • ⓒ a type of story that is serious and sad

19 instrument • • ⓓ an object to produce music

20 desire • • ⓔ to really want something

Picture Review

사진과 함께 오늘 배운 단어를 다시 기억해보세요.

DAY 19

Special Events

MP3 바로 듣기

Recall할 수 있는 행복한 추억을 많이 만들어봐요.

CORE 핵심 어휘

☐ 0541

holiday 명 1. 휴가, 방학 유 vacation 2. 공휴일

[hɑ́:lədèi]

Every winter, my family used to go on **holiday** to Bali. 기출

매년 겨울, 나의 가족은 발리로 **휴가**를 가곤 했다.

Plus + holiday는 '신성한 날'을 의미하는 holy day에서 비롯된 단어예요. 신에게 제사를 올리는 holy day에는 일을 하지 않고 의식에 참석했는데, 이것이 '공휴일, 명절'을 뜻하는 holiday의 유래가 되었답니다.

☐ 0542

balloon 명 풍선 동 부풀다, 부풀리다 유 expand

[bəlú:n]

Why don't we decorate our party room with **balloons**? 기출

우리의 파티 룸을 **풍선**들로 장식하는 게 어때?

☐ 0543

ceremony 명 식, 의식

[sérəmòuni]

How was your elder sister's graduation **ceremony** last month? 기출

지난달에 있었던 네 언니의 졸업**식**은 어땠니?

☐ 0544

carnival 명 축제, 카니발 유 festival

[kɑ́:rnəvəl]

Quebec City's winter **carnival** is famous.

퀘벡 시의 겨울 **축제**는 유명하다.

□ 0545

congratulation

명 축하 인사, 축하

[kəngrætʃuléiʃən]

Ken sent his **congratulations** on the marriage of his colleague.

Ken은 그의 동료의 결혼에 **축하 인사**를 보냈다.

+ congratulate 동 축하하다

□ 0546

pop

명 팝, 팝뮤직 동 펑 하고 터지다

[pɑːp]

There will be a K-**pop** concert in LA in November. 교과서

11월에 LA에서 케이**팝** 콘서트가 있을 것이다.

□ 0547

prepare

동 준비하다, 대비하다

[pripéər]

Judy helped me **prepare** for the barbecue.

Judy는 내가 바비큐를 **준비하는** 것을 도왔다.

+ preparation 명 준비, 대비

□ 0548

decorate

동 장식하다, 꾸미다

[dékərèit]

Who will **decorate** the room for the surprise party? 기출

누가 깜짝 파티를 위해 방을 **장식할** 거니?

+ decoration 명 장식

□ 0549

invitation

명 1. 초대 2. 초대장

[ìnvitéiʃən]

Not everyone has answered the **invitation** to my birthday party yet. 기출

아직 모든 사람이 내 생일 파티 **초대**에 답하지는 않았나.

+ invite 동 초대하다

□ 0550

parade

명 퍼레이드, 행진

[pəréid]

The children are waiting for the **parade** to start.
아이들은 **퍼레이드**가 시작하기를 기다리고 있다.

□ 0551

crowd

명 군중, 무리　동 붐비다

[kraud]

The shouts from the **crowd** in the festival are getting louder.
축제에서 **군중**의 고함 소리가 점점 더 커지고 있다.

+ crowded 형 붐비는, 혼잡한

□ 0552

guard

명 경비원, 보초　동 지키다, 보호하다 ㊒ protect

[gɑːrd]

Security **guards** are standing at the entrance of the concert hall.
보안 **경비원들**이 연주회장의 입구에 서 있다.

□ 0553

unusual

형 1. 흔치 않은, 드문 ㊥ usual 흔한　2. 이상한

[ʌnjúːʒuəl]

The **unusual** event in the town attracted many visitors.
마을에서의 **흔치 않은** 행사가 많은 관광객들을 끌어들였다.

+ unusually 부 평소와 달리, 특이하게

□ 0554

excellent

형 훌륭한, 탁월한 ㊒ outstanding

[éksələnt]

The dinner at the banquet was **excellent**.
연회에서의 저녁 만찬은 **훌륭했다**.

□ 0555

public 형 대중의, 공공의 명 대중, 일반 사람들

[pʌ́blik]

Famous celebrities participated in the **public** event.
유명한 연예인들이 **대중** 행사에 참석했다.

□ 0556

address 명 1. 연설 유 speech 2. 주소 동 연설하다

[ǽdres]

There will be a special **address** after the presentation session.
발표 시간 후에 특별한 **연설**이 있을 것이다.

□ 0557

combination 명 조합, 결합

[kɑ̀ːmbənéiʃən]

I love the **combination** of flowers in the party decorations.
나는 파티 장식 중에서 꽃들의 **조합**이 아주 마음에 든다.

□ 0558

prize 명 상, 상품 유 award

[praiz]

I won the first **prize** in the burger-eating contest.
나는 버거 먹기 대회에서 일등**상**을 탔다.

+ win a prize 상을 타다

□ 0559

grand 형 1. 웅장한, 장려한 유 huge 2. 화려한

[grænd]

We will hold our wedding ceremony in the **grand** wedding hall.
우리는 **웅장한** 예식장에서 결혼식을 올릴 것이다.

□ 0560

at last 마침내, 드디어

At last, my sister graduated from university.
마침내, 나의 언니가 대학교를 졸업했다.

ADVANCED 심화 어휘

□ 0561

response [rispɑ́:ns]

명 1. 회신, 응답, 대답 유 answer 2. 반응

The party hosts are waiting for a **response** to their invitation.
파티 주최자들은 그들의 초대장에 대한 **회신**을 기다리고 있다.

+ respond 동 응답하다, 반응하다

□ 0562

arrange [əréindʒ]

동 1. 준비하다, 마련하다 2. 정리하다, 배열하다

My best friends **arranged** the baby shower for me.
나의 가장 친한 친구들이 나를 위한 임신 축하 파티를 **준비했다**.

+ arrangement 명 준비, 정리

□ 0563

ahead [əhéd]

부 1. (시·공간상) 앞으로, 앞에 2. 미리 유 in advance

A special dance party was planned weeks **ahead**.
특별한 댄스파티가 몇 주 **앞으로** 계획되었다.

□ 0564

annual [ǽnjuəl]

형 연례의, 매년의 유 yearly

The **annual** musical at my school will be held in a few months. 기출
나의 학교의 **연례** 뮤지컬이 몇 개월 뒤에 열릴 것이다.

□ 0565

recall [rikɔ́:l]

동 기억해내다, 상기하다

The old friends gathering at the reunion **recalled** their childhood memories.
동창회에 모인 오랜 친구들은 어린 시절의 추억들을 **기억해냈다**.

□ 0566

explore 동 1. 탐험하다 2. 탐구하다, 조사하다 유 examine

[ikspló:r]

A wildlife adventurer **explored** the special jungle in Myanmar. 교과서

야생 동물 모험가는 미얀마의 특별한 정글을 **탐험했다**.

+ exploration 명 탐험, 탐구

□ 0567

fortunately 부 다행히도, 운 좋게도 반 unfortunately 불행히도

[fó:rtʃənətli]

Fortunately, it was sunny, so we could go on a picnic.

다행히도, 화창한 날씨여서, 우리는 소풍을 갈 수 있었다.

+ fortunate 형 운 좋은, 행운의

□ 0568

organize 동 1. 준비하다, 계획하다 유 arrange 2. 조직하다

[ó:rgənaiz]

Ted and Tom **organized** the Christmas party.

Ted와 Tom은 크리스마스 파티를 **준비했다**.

+ organization 명 준비, 조직

□ 0569

get together 1. 모이다, 모으다 2. 잘 정리하다

Lots of people **got together** in the ballroom.

많은 사람들이 무도회장에 **모였다**.

□ 0570

as ~ as possible 될 수 있는 대로 ~하게, 가급적 ~하게

Come to the entrance now **as** soon **as possible**.

지금 입구로 **될 수 있는 대로** 빨리 와라.

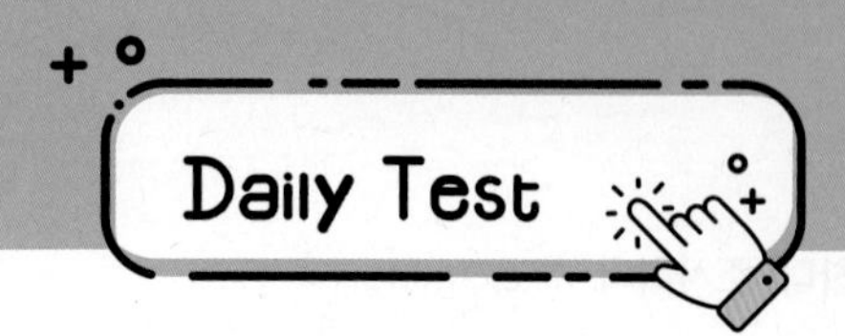

[01~06] 단어와 뜻을 알맞은 것끼리 연결하세요.

01 holiday • • ⓐ 기억해내다
02 combination • • ⓑ 조합
03 recall • • ⓒ 마침내
04 at last • • ⓓ 휴가, 공휴일
05 pop • • ⓔ 팝, 펑 하고 터지다
06 excellent • • ⓕ 훌륭한

[07~11] 빈칸에 알맞은 단어를 <보기>에서 한 번씩 골라 쓰세요.

<보기> unusual prize explore get together organize

07 Peter won first ______________ in the competition.
08 Participating in the event as a host was a(n) ______________ experience.
09 How many people will ______________ at the Christmas party?
10 I will ______________ the birthday party for my sister.
11 Julie and Sunny will ______________ the jungle next summer.

[12~17] 괄호 안에 주어진 지시에 맞게 빈칸을 채우세요.

12 response 대답 → (유의어) ______________
13 fortunately 다행히도 → (반의어) ______________
14 carnival 축제 → (유의어) ______________
15 arrange 준비하다, 정리하다 → (명사형) ______________
16 grand 웅장한 → (유의어) ______________
17 prepare 준비하다, 대비하다 → (명사형) ______________

[18~20] 단어의 성격이 나머지와 다른 하나를 고르세요.

18 ① holiday ② guard ③ response ④ talent ⑤ annual
19 ① organize ② arrange ③ ahead ④ explore ⑤ invole
20 ① decorate ② carnival ③ theme ④ invitation ⑤ version

Picture Review

사진과 함께 오늘 배운 단어를 다시 기억해보세요.

해커스 보카 중학 고난도

DAY 20 Cultural Differences

이런 saying이 있어요. 고생 끝에 낙이 온다!

CORE 핵심 어휘

□ 0571

cultural [kʌ́ltʃərəl]
형 문화의, 문화적인

Cultural exchange helps improve our understanding of the world around us. 기출
문화 교류는 우리 주변의 세계에 대한 우리의 이해를 향상시키는 데 도움을 준다.

+ culture 명 문화

□ 0572

translate [trænsléit]
동 번역하다, 통역하다 유 interpret

The English novel was **translated** into Korean so that it would reflect Korea's characteristics.
그 영어 소설은 한국의 특성들을 반영할 수 있게 한국어로 **번역되었다**.

+ translation 명 번역, 통역　translator 명 번역가, 통역가

□ 0573

tradition [trədíʃən]
명 전통, 관습 유 custom

As part of a wedding **tradition**, Mr. Kim's family sent my family some money. 교과서
결혼 **전통**의 일부로, Mr. Kim의 가족은 나의 가족에게 약간의 돈을 보냈다.

+ traditional 형 전통적인, 관습적인

□ 0574

saying [séiiŋ]
명 속담, 격언 유 proverb

Sayings usually reflect cultures.
속담은 보통 문화를 반영한다.

□ 0575

native 형 1. 모국의, 출생지의 2. 타고난 명 토착민

[néitiv]

A **native** language makes it hard to learn a second language.
모국어는 두 번째 언어를 배우는 것을 어렵게 만든다.

□ 0576

private 형 사적인, 개인의 유 personal 반 public 공적인

[práivət]

Some cultures believe that one's **private** and public lives should be separate.
일부 문화들은 한 사람의 **사적인** 삶과 공적인 삶이 분리되어야 한다고 생각한다.

+ privacy 명 사생활

□ 0577

nod 명 끄덕임 동 끄덕이다

[nɑ:d]

A **nod** means "yes" in most cultures.
대부분의 문화에서 **끄덕임**은 "네"를 의미한다.

□ 0578

argue 동 1. 다투다, 논쟁하다 2. 주장하다

[á:rgju:]

People sometimes **argue** because of cultural differences.
사람들은 때때로 문화적 차이 때문에 **다툰다**.

+ argument 명 논쟁, 주장

□ 0579

celebrate 동 기념하다, 축하하다

[séləbrèit]

Each culture has its own way to **celebrate** New Year's Day.
각각의 문화는 새해 첫날을 **기념하는** 고유의 방식을 가지고 있다.

+ celebration 명 기념, 축하

☐ 0580

eastern 형 1. 동양의 2. 동쪽의

[í:stərn]

Which do you prefer, **Eastern** food or Western food? 교과서

너는 **동양** 음식 또는 서양 음식 중에 어떤 것을 선호하니?

☐ 0581

universal 형 보편적인, 전 세계적인 유 general

[jù:nəvə́:rsəl]

There are **universal** table manners around the world.

전 세계에 **보편적인** 식사 예절이 있다.

+ universe 명 우주

☐ 0582

rather 부 1. 꽤, 상당히 유 quite 2. 오히려, 차라리

[rǽðər]

I think it's **rather** easy to accept cultural diversity.

나는 문화적 다양성을 받아들이는 것이 **꽤** 쉽다고 생각한다.

☐ 0583

react 동 반응하다, 반응을 보이다 유 respond

[riǽkt]

Since it was my first time visiting China, I didn't know how to **react** to the Chinese way of greeting.

내가 중국을 방문한 것은 처음이었기 때문에, 나는 중국식 인사에 어떻게 **반응할지** 몰랐다.

+ reaction 명 반응

☐ 0584

scale 명 1. 규모, 정도 유 size 2. 저울

[skeil]

The global culture festival will be on a large **scale**.

세계 문화 축제가 큰 **규모**로 있을 것이다.

□ 0585

greet

동 인사하다, 환영하다 ㊌ welcome

[griːt]

In Korea, people normally **greet** each other by bowing.
한국에서, 사람들은 보통 머리를 숙이며 서로 **인사한다**.

+ greeting 명 인사

□ 0586

ethnic

형 1. 인종의, 민족의 ㊌ racial 2. 민족 특유의

[éθnik]

Though 80% of the South African population is black, the people are from various **ethnic** groups. 기출
남아프리카 인구의 80퍼센트가 흑인이지만, 그 사람들은 다양한 **인종** 집단 출신이다.

Plus +

ethnicity vs. race

'민족'을 뜻하는 ethnicity와 race는 어떤 차이가 있을까요? ethnicity는 국적, 문화, 언어 등을 토대로 구분한 민족을 의미하고, race는 피부, 머리 및 눈동자의 색깔 등과 같은 외모로 구분한 민족을 의미해요.

□ 0587

accent

명 1. 말투, 악센트 2. 강조

[ǽksent]

Why doesn't the modern American **accent** sound similar to the British **accent**? 기출
왜 현대 미국식 **말투**는 영국식 **말투**와 소리가 비슷하지 않나요?

□ 0588

belief

명 믿음, 신념 ㊌ faith

[bilíːf]

Every culture has different **beliefs** about religion. 기출
모든 문화는 종교에 대해 다른 **믿음**을 가지고 있다.

□ 0589

manner

명 1. (-s) 예절, 예의 2. 태도 3. 방식

[mǽnər]

Maintain good **manners** everywhere you go.
네가 가는 모든 곳에서 좋은 **예절**을 지켜라.

□ 0590

look into ~을 조사하다

The students **looked into** the origin of the Mayan civilization.
학생들은 마야 문명의 기원을 **조사했다**.

ADVANCED 심화 어휘

□ 0591

famine 명 기근, 굶주림 유 starvation

[fǽmin]

A severe **famine** suddenly occurred in Vietnam.
베트남에서 갑자기 극심한 **기근**이 발생했다.

□ 0592

refuse 동 거부하다, 거절하다 유 reject

[rifjúːz]

Kelly and Yuna **refused** to understand their cultural differences.
Kelly와 Yuna는 그들의 문화적 차이를 이해하기를 **거부했다**.

+ refusal 명 거부, 거절

□ 0593

heritage 명 유산, 전통 유 tradition

[héritidʒ]

Gyeongju is well known for its rich cultural **heritage**.
경주는 풍부한 문화**유산**으로 잘 알려져 있다.

Plus +

World Heritage

World Heritage는 유네스코에서 지정한 '세계 문화유산'을 의미해요. 유네스코에서는 세계적으로 보존할 가치가 있는 문화유산을 선정하는데, 한국에서는 경주의 석굴암, 불국사 등을 포함해 총 14개의 문화유산이 등재되어 있어요.

□ 0594

maintain 동 1. 유지하다 2. 주장하다 유 claim

[meintéin]

The ethnic groups **maintained** a good relationship.
그 인종 집단들은 좋은 관계를 **유지했다**.

☐ 0595

regard | 동 여기다, 간주하다 명 고려, 관심

[rigá:rd]

Mutual understanding between various cultures is **regarded** as fundamental.
다양한 문화들 간의 상호 이해는 필수적인 것으로 **여겨진다**.

☐ 0596

recognize | 동 1. 인정하다 2. 알아보다, 분간하다 ㊒ identify

[rékəgnàiz]

UNESCO **recognizes** the cultural traditions of each country.
유네스코는 각 나라의 문화적 전통들을 **인정한다**.

☐ 0597

hesitate | 동 망설이다, 주저하다

[hézətèit]

Don't **hesitate** to learn foreign languages.
외국어를 배우는 것을 **망설이지** 마라.

＋ hesitation 명 망설임, 주저함

☐ 0598

unite | 동 연합하다, 통합하다

[ju:náit]

The two countries **united** to solve the environmental problem.
두 국가는 환경 문제를 해결하기 위해 **연합했다**.

＋ unity 명 연합, 통합

☐ 0599

be based on | ~에 기초하다, 근거하다

A culture **is based on** arts, language, and so on.
문화는 예술, 언어 등등**에 기초한다**.

☐ 0600

take ~ for granted | ~을 당연시하다, 대수롭지 않게 여기다

We usually **take** cultural differences **for granted**.
우리는 보통 문화적 차이들**을 당연시한다**.

Daily Test

[01~10] 우리말과 같은 뜻이 되도록 빈칸에 알맞은 단어를 쓰세요.

01 옛날 속담을 배우다 learn an old ______________

02 토착민 집단 a(n) ______________ group

03 식사 예절 table ______________

04 역사를 조사하다 ______________ the history

05 기근으로 고통받다 suffer from ______________

06 한국어를 영어로 번역하다 ______________ Korean into English

07 관습을 유지하다 ______________ a custom

08 전통을 지키다 keep a(n) ______________

09 인종 갈등 a(n) ______________ conflict

10 끄덕임으로 대답하다 reply with a(n) ______________

[11~15] 빈칸에 알맞은 단어를 <보기>에서 한 번씩 골라 쓰세요.

<보기>	accent	is based on	celebrate	hesitate	regard

11 Jay does not ______________ to travel to other countries.

12 Most cultures ______________ manners as an important thing.

13 Koreans usually ______________ New Year's Day with their families.

14 Patrick isn't familiar with the British ______________.

15 Chinese culture ______________ Confucian ideas.

[16~20] 단어와 영영 풀이를 알맞은 알맞은 것끼리 연결하세요.

16 argue • • ⓐ being related to a certain culture

17 cultural • • ⓑ to speak angrily to each other about something

18 universal • • ⓒ to know what the thing is or who the person is

19 recognize • • ⓓ being in or from the east of a region or country

20 eastern • • ⓔ being related to everyone and everything in the world

Picture Review

사진과 함께 오늘 배운 단어를 다시 기억해보세요.

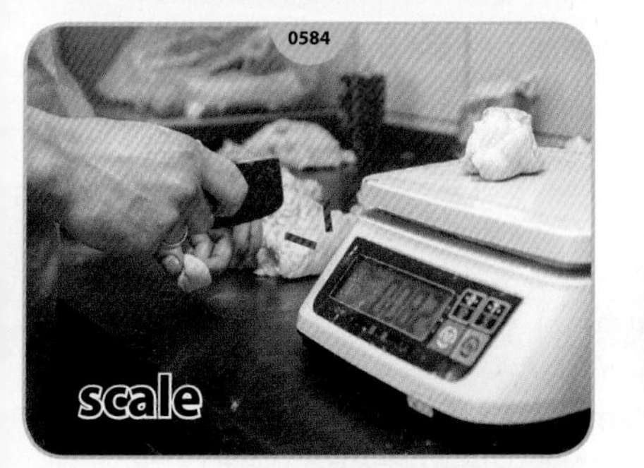

DAY 21

Media

열심히 노력해서 gain한 것은 쉽게 사라지지 않아요.

CORE 핵심 어휘

□ 0601

monitor

동 관찰하다, 감시하다 명 모니터, 화면

[mά:nətər]

The TV program helps people **monitor** the situation indirectly.

그 TV 프로그램은 사람들이 상황을 간접적으로 **관찰할** 수 있게 한다.

□ 0602

inform

동 (정보·지식을) 제공하다, 알리다 유 tell

[infɔ́:rm]

The media **informs** us about recent news and events.

매체는 우리에게 최근의 소식과 사건들에 대한 **정보를 제공한다**.

＋ information 명 정보

□ 0603

online

형 온라인의 부 온라인으로

[ɔ̀:nláin]

The company utilizes **online** campaigns to increase sales.

그 회사는 판매량을 증가시키기 위해 **온라인** 캠페인을 이용한다.

□ 0604

gain

동 1. (노력해서) 얻다 반 lose 잃다 2. (경험 등을) 쌓다

[gein]

The actress **gained** popularity through dramas and films.

여배우가 드라마와 영화를 통해 인기를 **얻었다**.

□ 0605

channel 명 1. 채널 2. 경로, 수로

[tʃǽnl] I watched the weekend news on **channel** 6. 기출

나는 6번 **채널**에서 주말 뉴스를 보았다.

□ 0606

press 명 언론, 신문 동 누르다 유 push

[pres] After receiving a great review from the **press**, the musical became more famous. 기출

언론으로부터 좋은 평을 받은 후에, 그 뮤지컬은 더 유명해졌다.

□ 0607

false 형 1. 거짓의 2. 틀린

[fɔːls] Why do some people write such **false** articles? 교과서

왜 몇몇 사람들은 그러한 **거짓** 기사들을 쓸까?

□ 0608

mass 명 1. 다량, 다수 2. 덩어리 형 대중의

[mæs] We can get a **mass** of information through our smartphones.

우리는 스마트폰을 통해 **다량**의 정보를 얻을 수 있다.

+ mass media 명 대중 매체

□ 0609

poll 명 1. 여론 조사 유 survey 2. 투표, 선거

[poul] Mr. Park took part in an Internet **poll** on the political issue. 기출

Mr. Park은 그 정치적 문제에 대한 인터넷 **여론 조사**에 참여했다.

□ 0610

rumor 명 소문, 유언비어 동 소문내다

[rúːmər] The more horrible a **rumor**, the faster it travels. 기출

소문이 더 끔찍할수록, 더 빨리 전해진다.

□ 0611

express 동 표현하다, 나타내다 형 급행의, 신속한

[ikssprés]

The journalist **expressed** his thoughts about inflation in the newspaper.
기자가 신문에서 물가 상승에 대한 그의 생각을 **표현했다**.

+ expression 명 표현

□ 0612

article 명 1. 기사, 글 2. 조항 3. 물건

[á:rtikl]

I read a newspaper **article** about the war today.
나는 오늘 전쟁에 대한 신문 **기사**를 읽었다.

□ 0613

lead 동 이끌다, 인도하다 (led-led) 반 follow 따르다

[li:d]

The broadcasting company is **leading** the free speech movement.
그 방송사는 자유로운 언론 운동을 **이끌고** 있다.

□ 0614

unknown 형 알려지지 않은, 유명하지 않은

[ʌnnóun]

The reporter said that the cause of the fire is still **unknown.**
기자가 화재의 원인이 아직도 **알려지지 않았다고** 말했다.

□ 0615

attention 명 1. 주의, 주목 2. 관심, 흥미

[əténʃən]

The documentary drew my **attention** to climate change.
다큐멘터리가 기후 변화에 대해 내 **주의**를 끌었다.

□ 0616

communicate

동 의사소통하다, 연락하다

[kəmjúːnikèit]

SNS is the new way for people to **communicate** with each other.

SNS는 사람들이 서로 **의사소통하는** 새로운 방식이다.

+ communication 명 의사소통, 연락

□ 0617

announce

동 발표하다, 알리다 유 declare

[ənáuns]

The results of the presidential election were **announced** on the TV.

대통령 선거의 결과가 TV에서 **발표되었다**.

+ announcement 명 발표, 소식

□ 0618

audience

명 시청자, 관중 유 spectator

[ɔ́ːdiəns]

The target **audience** of the TV show is office workers.

그 TV 쇼의 대상 **시청자**는 회사원들이다.

□ 0619

auditorium

명 1. 청중석, 관람석 2. 강당

[ɔ̀ːditɔ́ːriəm]

The **auditorium** of the studio is almost full.

그 스튜디오의 **청중석**은 거의 가득 찼다.

Plus +

auditorium, audience, audio(오디오)의 공통점은 무엇일까요? 모두 단어 앞에 '듣다'를 뜻하는 audi가 붙어있다는 점이에요. audi가 '듣다'를 뜻하기 때문에 청중, 시청자를 audience라고 하고, 소리를 들을 수 있는 음향 기기인 오디오를 audio라고 해요.

□ 0620

instead of

~ 대신에

These days most people read news online **instead of** in a newspaper.

요즘 대부분의 사람들은 신문 **대신에** 온라인으로 뉴스를 읽는다.

ADVANCED 심화 어휘

□ 0621

criticize 동 비판하다, 비난하다 반 praise 칭찬하다

[krítisàiz]

The bad president didn't allow the media to **criticize** him. 교과서

형편없는 대통령은 언론이 그를 **비판하도록** 허용하지 않았다.

+ critical 형 비판적인 critic 명 비평가

□ 0622

statistics 명 1. 통계 자료, 통계 2. 통계학

[stətístiks]

The media should refer to **statistics** from reliable sources.

매체는 믿을 만한 출처에서 나온 **통계 자료**를 언급해야 한다.

□ 0623

broadcast 동 방송하다 (broadcast-broadcast) 명 방송

[brɔ́:dkæst]

The talk show will be **broadcast** this evening.

토크 쇼가 오늘 저녁에 **방송될** 것이다.

□ 0624

immediately 부 즉시, 즉각 유 at once

[imí:diətli]

The news director **immediately** recognized the broadcasting accident as soon as it occurred.

보도국장은 방송 사고가 일어나자마자 **즉시** 그것을 인지했다.

+ immediate 형 즉각적인

□ 0625

directly 부 1. 곧장, 똑바로 2. 직접적으로

[diréktli]

The business magazine article goes **directly** into the heart of the economic issue.

비즈니스 잡지 기사가 경제 문제의 핵심으로 **곧장** 들어갔다.

+ direct 형 직접적인

☐ 0626

reveal

동 드러내다, 밝히다 반 hide 숨기다

[riví:l]

The reporter **revealed** the truth about the robbery.
기자가 강도 사건과 관련된 진실을 **드러냈다**.

☐ 0627

incident

명 사건, 일어난 일 유 event

[ínsədənt]

Over the last few years, there have been a lot of news reports about violent **incidents** in schools. 기출
지난 몇 년간, 학교에서의 폭력적인 **사건들**에 대한 많은 뉴스 보도들이 있었다.

Plus +

incident vs. accident

incident는 '사건, 일어난 일'을 의미하지만, accident는 '우연히 발생한 좋지 않은 사건이나 사고'를 뜻해요.

The **incident** was reported in the press. 그 **사건**은 언론에 보도되었다.
Jane was injured in the car **accident**. Jane은 자동차 **사고**에서 부상을 입었다.

☐ 0628

observe

동 1. 주시하다, 관찰하다 유 watch 2. 준수하다

[əbzə́:rv]

The journalist has been **observing** the company's corruption.
기자는 그 회사의 부패를 **주시해** 왔다.

☐ 0629

in detail

자세하게, 상세하게

The news reported on the forest damage **in detail**.
뉴스는 산림 파괴에 대해 **자세하게** 보도했다.

☐ 0630

stick to

~을 고수하다

Elderly people usually **stick to** reading newspapers rather than online news.
노인들은 보통 온라인 뉴스보다 신문을 읽는 것을 **고수한다**.

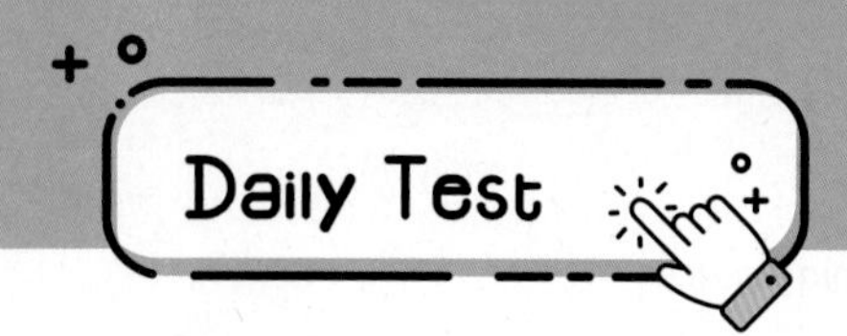

[01~05] 단어와 뜻을 알맞은 것끼리 연결하세요.

01 lead • • ⓐ 이끌다

02 false • • ⓑ 소문, 소문내다

03 rumor • • ⓒ 거짓의, 틀린

04 audience • • ⓓ 언론, 누르다

05 press • • ⓔ 시청자

[06~15] 우리말과 같은 뜻이 되도록 빈칸에 알맞은 단어를 쓰세요.

06 사건의 원인 the cause of the ____________

07 대중의 반응을 주시하다 ____________ the public reaction

08 대중 매체에 의존하다 rely on ____________ media

09 온라인으로 뉴스를 읽다 read the news ____________

10 기사를 상세하게 작성하다 write an article ____________

11 대통령 선거에 대한 여론 조사 a(n) ____________ on the presidential election

12 은행 강도 사건을 곧장 보도하다 report the bank robbery ____________

13 소셜 미디어를 통해 의사소통하다 ____________ through social media

14 아나운서 대신에 기자가 되다 become a reporter ____________ an announcer

15 뇌물 사건에 대해 알려지지 않은 사실 a(n) ____________ fact about the bribery

[16~20] 괄호 안에 주어진 지시에 맞게 빈칸을 채우세요.

16 gain 얻다 → (반의어) ____________

17 immediately 즉시 → (유의어) ____________

18 criticize 비판하다 → (반의어) ____________

19 express 표현하다 → (명사형) ____________

20 reveal 드러내다 → (반의어) ____________

Picture Review

사진과 함께 오늘 배운 단어를 다시 기억해보세요.

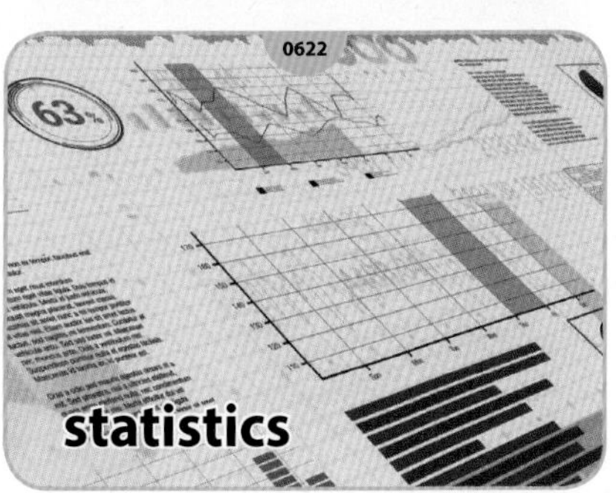

DAY 21

해커스 보카 중학 고난도

DAY 22 Reading & Stories

단어를 오래 기억하기 위해서는 over and over 학습하는 것이 중요해요.

CORE 핵심 어휘

☐ 0631

novel [nάːvəl]

명 소설 유 fiction 형 새로운, 신기한

I am sure that the book will become a world-famous **novel**.

나는 그 책이 세계적으로 유명한 **소설**이 될 것이라고 확신한다.

☐ 0632

fiction [fíkʃən]

명 1. 소설 2. 허구 반 reality 현실

Theodore Taylor was the author of more than 50 **fiction** books. 기출

Theodore Taylor는 50편이 넘는 **소설** 책들의 작가였다.

☐ 0633

fable [féibl]

명 우화

In Aesop's **fable** *The Thirsty Crow*, a crow drops stones into a jar to raise the height of water. 교과서

이솝 **우화**「목마른 까마귀」에서, 까마귀는 물의 높이를 올리기 위해 병 속으로 돌멩이를 떨어뜨린다.

☐ 0634

fairy [féəri]

명 요정

The girl tried out for the part of the **fairy** Tinkerbell. 기출

소녀는 **요정** 팅커벨 역할에 지원했다.

+ fairy tale 명 동화

□ 0635

essay [ései]

명 에세이, 수필

There is a class about how to write an **essay**. 기출
에세이를 쓰는 방법에 대한 수업이 있다.

□ 0636

dictionary [díkʃənèri]

명 사전

"Selfie" was added as a new word to the **dictionary** in 2013. 교과서
"Selfie"는 2013년에 새로운 단어로 **사전**에 추가되었다.

□ 0637

magazine [mæ̀gəzíːn]

명 잡지

I read a **magazine** about famous buildings around the world. 기출
나는 전 세계의 유명한 건물들에 관한 **잡지**를 읽었다.

□ 0638

author [ɔ́ːθər]

명 작가, 저자 유 writer

Jack is a famous, best-selling **author**. 기출
Jack은 유명한 베스트셀러 **작가**이다.

□ 0639

publish [pʌ́bliʃ]

동 1. 발행하다, 출판하다 유 issue 2. 게재하다

The magazine **publishes** a wide range of editions. 기출
그 잡지는 다양한 판을 **발행한다**.

□ 0640

poet [póuit]

명 시인

He borrowed a poetry book written by a famous **poet**, Baek Seok. 교과서
그는 유명한 **시인** 백석이 쓴 시집을 빌렸다.

+ poetry 명 시, 시가

☐ 0641

whole | 형 전체의, 전부의 ㊒ entire 명 전체, 전부

[houl]

The **whole** theme of the book is love and friendship.
그 책의 **전체** 주제는 사랑과 우정이다.

☐ 0642

volume | 명 1. (책의) 권, 책 2. 양, 용량 3. 음량

[vάːljuːm]

Jeff read every **volume** of the book series.
Jeff는 그 책 시리즈의 모든 **권**을 읽었다.

☐ 0643

narrator | 명 서술자, 내레이터

[nǽreitər]

The **narrator** of the novel is the author herself.
그 소설의 **서술자**는 작가 그녀 자신이다.

☐ 0644

feature | 명 특징, 특색 ㊒ characteristic 동 특징으로 삼다

[fíːtʃər]

The distinct characters are the main **feature** of this novel.
독특한 등장인물들은 이 소설의 주요한 **특징**이다.

☐ 0645

recent | 형 최근의, 새로운

[ríːsnt]

The most **recent** book from the author was loved by readers.
그 작가의 가장 **최근의** 책은 독자들에 의해 사랑받았다.

☐ 0646

category | 명 범주, 카테고리

[kǽtəgɔːri]

There are various **categories** of children's literature in the bookstore.
그 서점에 다양한 아동 문학의 **범주**가 있다.

□ 0647

folk

형 민속의, 전통적인 명 사람들 유 people

[fouk]

My mother likes to read **folk** tales.
나의 엄마는 **민속** 설화를 읽는 것을 좋아한다.

□ 0648

literature

명 문학

[lítərətʃər]

My sister is interested in English **literature**.
내 여동생은 영**문학**에 관심이 있다.

+ literary 형 문학의, 문학적인

□ 0649

journalism

명 언론, 저널리즘

[dʒə́ːrnəlizm]

Healthy **journalism** tries to convey true information.
건강한 **언론**은 진실된 정보를 전달하려고 한다.

+ journal 명 신문, 저널

Plus +

명사 접미사 ism

접미사 ism은 명사 뒤에 붙어서 추상 명사를 만들어요.

journal 신문 + ism ▶ journalism 언론
real 현실 + ism ▶ realism 현실성
tour 여행 + ism ▶ tourism 관광업
critic 비평가 + ism ▶ criticism 비평

□ 0650

over and over

반복해서, 몇 번이고

I read the stories **over and over**. 교과서
나는 그 이야기들을 **반복해서** 읽었다.

ADVANCED 심화 어휘

□ 0651

release 동 1. 공개하다, 발표하다 2. 석방하다, 풀어주다

[rilí:s]

James King, the famous author, **released** his latest novel yesterday.
유명한 작가인 James King은 어제 자신의 최신 소설을 **공개했다**.

□ 0652

translation 명 번역, 통역

[trænsléiʃən]

I needed a **translation** to understand the poem better.
나는 그 시를 더 잘 이해하기 위해 **번역**이 필요했다.

+ translate 동 번역하다, 통역하다

□ 0653

predict 동 예측하다, 예견하다

[pridíkt]

Readers cannot **predict** the ending of the novel.
독자들은 그 소설의 결말을 **예측할** 수 없다.

□ 0654

phrase 명 1. 구 2. 구절, 관용구

[freiz]

Writers search lots of newspapers, magazines, and websites for new words and **phrases.** 기출
작가들은 많은 신문, 잡지, 그리고 웹사이트에서 새로운 단어와 **구**를 찾아본다.

□ 0655

context 명 문맥, 맥락

[kɑ́:ntekst]

Rather than working with word lists, it is best to learn new words in **context.** 기출
단어 목록을 가지고 공부하는 것보다, **문맥** 속에서 새로운 단어들을 배우는 것이 가장 좋다.

□ 0656

manual

명 설명서 형 수동의 반 automatic 자동의

[mǽnjuəl]

The man read the **manual** first.
남자는 **설명서**를 먼저 읽었다.

□ 0657

biography

명 일대기, 전기

[baiɑ́:grəfi]

The president's **biography** will be published shortly.
대통령의 **일대기**가 곧 출간될 것이다.

Plus +

biography vs. autobiography

biography는 다른 사람이 쓴 어떤 사람의 일대기이고, autobiography는 자신이 직접 쓴 자신의 일대기인 자서전을 뜻해요.

□ 0658

interpret

동 1. 해석하다, 설명하다 2. 통역하다 유 translate

[intə́:rprit]

Celine felt that it was hard to **interpret** the contents of the essay.
Celine은 그 에세이의 내용을 **해석하는** 것이 어렵다고 느꼈다.

□ 0659

from time to time

때때로

I read comic books **from time to time**.
나는 **때때로** 만화책을 읽는다.

□ 0660

be worthy of

~할 만하다, 가치가 있다

The novel **was worthy of** reading three times.
그 소설은 세 번 읽을 **만했다**.

Daily Test

[01~10] 우리말과 같은 뜻이 되도록 빈칸에 알맞은 단어를 쓰세요.

01 흥미로운 우화 an interesting ______________

02 사랑에 대한 수필 a(n) ______________ on love

03 간디의 일대기 the ______________ of Gandhi

04 일인칭 서술자 a first-person ______________

05 새로운 책을 발표하다 ______________ a new book

06 유명한 미국의 시인 a famous American ______________

07 한 권으로 엮다 put together in a(n) ______________

08 책들을 범주에 따라 정리하다 organize the books by ______________

09 이야기의 결말을 예측하다 ______________ the ending of the story

10 문맥으로부터 단어의 의미를 추측하다
guess the meaning of the word from the ______________

[11~15] 괄호 안에 주어진 지시에 맞게 빈칸을 채우세요.

11 folk 사람들 → (유의어) ______________

12 author 작가 → (유의어) ______________

13 fiction 허구 → (반의어) ______________

14 interpret 통역하다 → (유의어) ______________

15 feature 특징 → (유의어) ______________

[16~20] 단어와 영영 풀이를 알맞은 것끼리 연결하세요.

16 recent •　　• ⓐ to print copies of a book for the purpose of selling

17 publish •　　• ⓑ happening a short time ago

18 whole •　　• ⓒ sometimes, once in a while

19 from time to time •　　• ⓓ containing all parts of something

20 over and over •　　• ⓔ repeatedly, for many times

Picture Review

사진과 함께 오늘 배운 단어를 다시 기억해보세요.

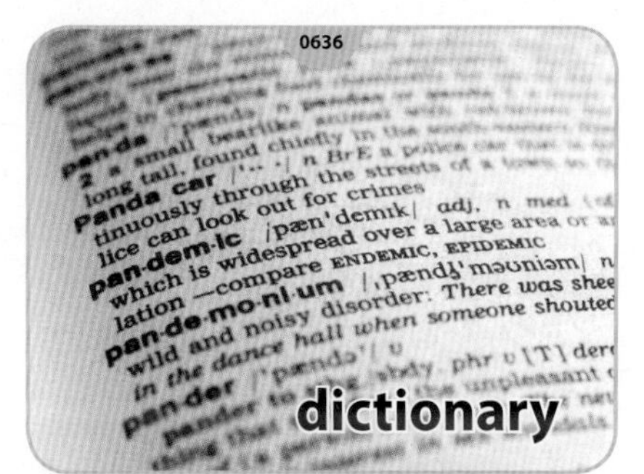

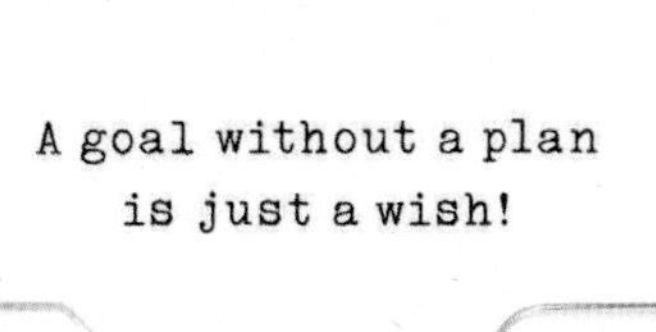

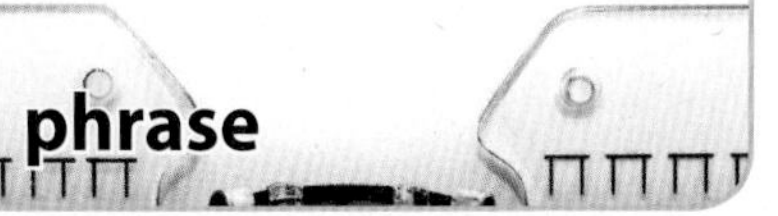

HACKERS

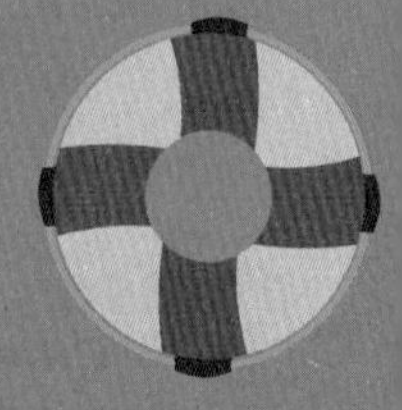

SECTION 4

Things & Conditions

DAY 23

Describing Things

지나간 시간은 되돌아오지 않아요. 그래서 시간은 precious해요.

CORE 핵심 어휘

□ 0661

brief 형 1. 짧은, 잠시 동안의 유 short 2. 간단한

[bri:f]

Dr. Kim's career was quite **brief**.
Dr. Kim의 경력은 꽤 **짧았다**.

□ 0662

broad 형 1. (폭이) 넓은 유 wide 2. 광범위한

[brɔ:d]

The tourists crossed a **broad** river by boat.
관광객들은 배를 타고 **넓은** 강을 건넜다.

□ 0663

narrow 형 1. (폭이) 좁은 반 wide, broad 넓은 2. 제한된, 한정된

[nǽrou]

I walked down the **narrow** street.
나는 **좁은** 거리를 걸어 내려갔다.

□ 0664

describe 동 묘사하다, 기술하다

[diskráib]

People often use hand gestures during conversations to **describe** the size of something. 기출
사람들은 대화 중에 무언가의 크기를 **묘사하기** 위해 종종 손짓을 사용한다.

□ 0665

tiny

[táini]

형 아주 작은

I observed a **tiny** bird in the park.
나는 공원에서 **아주 작은** 새를 봤다.

□ 0666

common

[kά:mən]

형 1. 흔한 유 ordinary 2. 공동의, 공통의

Pork and vegetables are **common** in our daily side dishes. 교과서
돼지고기와 채소는 우리의 일상 반찬에서 **흔하다**.

0667

locate

[lóukeit]

동 1. 위치를 찾아내다 2. 두다, 설치하다

I **located** the lost car through GPS.
나는 GPS를 통해 잃어버린 차의 **위치를 찾아냈다**.

+ location 명 장소 be located in ~에 위치해 있다

□ 0668

empty

[émpti]

형 1. 빈 반 full 가득 찬 2. 공허한, 무의미한

The girl put the **empty** bottles in a recycling bin. 교과서
소녀가 **빈** 병들을 재활용 통에 넣었다.

□ 0669

mild

[maild]

형 (정도가) 가벼운, 약한, 온화한

In the **mild** wind, the colorful leaves made a soft sound. 기출
가벼운 바람에, 다채로운 나뭇잎들이 부드러운 소리를 냈다.

□ 0670

pure

[pjuər]

형 1. 순수한 2. 맑은, 깨끗한

This scarf is made of 100% **pure** silk.
이 스카프는 100퍼센트 **순수한** 실크로 만들어져 있다.

□ 0671

rapid [rǽpid]

형 빠른, 신속한

When people sleep, their breathing becomes less **rapid** and more relaxed. 기출

사람들이 잘 때, 그들의 호흡은 덜 **빨라지고** 더 편안해진다.

□ 0672

object [ɑ́:bdʒikt]

명 1. 물건 2. 목적, 목표 유 purpose 동 [əbdʒékt] 반대하다

The man discovered a strange **object** wrapped in a newspaper. 기출

남자는 신문지에 싸인 이상한 **물건**을 발견했다.

□ 0673

sharp [ʃɑ:rp]

형 날카로운, 뾰족한 반 dull 무딘

The shark broke through the net with its **sharp** teeth. 교과서

상어가 **날카로운** 이빨로 그물을 뚫고 나아갔다.

□ 0674

smooth [smu:ð]

형 1. 매끈한, 부드러운 2. 잔잔한, 평온한

My cat has **smooth** skin without fur.

나의 고양이는 털이 없는 **매끈한** 피부를 가지고 있다.

□ 0675

rough [rʌf]

형 1. 거친, 고르지 않은 2. 대강의 3. 험준한

The car is shaking a lot because we're going across **rough** ground.

차가 많이 흔들리고 있는데 이는 우리가 **거친** 땅을 가로지르고 있기 때문이다.

Plus +

rough는 '힘든, 고된', '(성질이) 무례한, 난폭한', '(날씨가) 안 좋은, 거친'이라는 뜻의 형용사로도 쓰여요.

I had a **rough** day. 나는 **힘든** 하루를 보냈어.

He is a little bit **rough** with strangers. 그는 낯선 사람들에게 조금 **무례하다**.

We prepared for **rough** weather conditions.

우리는 **안 좋은** 기상 상황에 대비했다.

□ 0676

neat 형 정돈된, 단정한 유 tidy

[niːt]

The cleaner made my office **neat** and tidy.
청소부가 내 사무실을 **정돈되고** 깔끔하게 했다.

□ 0677

exactly 부 정확하게, 틀림없이

[igzǽktli]

My parents still didn't know what **exactly** was happening. 교과서
나의 부모님은 **정확하게** 무슨 일이 일어나고 있는지 여전히 몰랐다.

+ exact 형 정확한

□ 0678

precious 형 귀중한, 값비싼 유 valuable

[préʃəs]

The pot is very **precious**, so you should be careful not to break it. 교과서
그 항아리는 매우 **귀중해서**, 너는 그것을 깨뜨리지 않도록 조심해야 한다.

□ 0679

necessary 형 필수적인, 필요한 유 essential

[nésəsèri]

Water is **necessary** for all life.
물은 모든 생명체에 **필수적이다**.

□ 0680

break down 고장나다, 망가지다

My laptop suddenly **broke down**.
내 노트북이 갑자기 **고장났다**.

ADVANCED 심화 어휘

□ 0681

distinct 형 1. 분명한, 뚜렷한 2. 전혀 다른, 별개의 유 different

[distíŋkt]

The students wrote **distinct** answers for each of the questions.
학생들은 각각의 문제에 대해 **분명한** 답을 적었다.

□ 0682

surround 동 둘러싸다, 에워싸다

[səráund]

The lake is **surrounded** by various trees and flowers.
호수가 다양한 나무들과 꽃들로 **둘러싸여** 있다.

+ surroundings 명 주변, 환경

□ 0683

faint 형 (빛·소리·냄새 등이) 희미한 유 dim 동 실신하다

[feint]

I saw a **faint** light behind the car.
나는 자동차 뒤에서 **희미한** 빛을 보았다.

□ 0684

particular 형 특별한, 특정한 유 specific

[pərtíkjulər]

This **particular** gem is the birthstone for May.
이 **특별한** 보석은 5월의 탄생석이다.

+ in particular 특히

□ 0685

monotonous 형 단조로운, 지루한

[mənɑ́:tənəs]

She feels tired of her **monotonous** work.
그녀는 자신의 **단조로운** 일에 싫증이 난다.

□ 0686

enormous 형 거대한, 막대한 유 large, huge 반 tiny 아주 작은

[inɔ́:rməs]

When I entered the theater, I was shocked by the **enormous** screen. 기출
내가 극장에 들어갔을 때, 나는 **거대한** 화면에 충격을 받았다.

□ 0687

flexible 형 유연한, 잘 구부러지는 반 stiff 뻣뻣한

[fléksəbl]

Stretching is a useful way to keep your muscles and joints **flexible.** 기출
스트레칭은 네 근육과 관절을 **유연하게** 유지하는 유용한 방법이다.

□ 0688

artificial 형 1. 인공의, 인조의 반 natural 자연의 2. 거짓의, 꾸민

[ɑ̀:rtəfíʃəl]

The 3D modeler makes **artificial** hands and legs. 교과서
3D 모형 제작자는 **인공** 손과 다리를 제작한다.

□ 0689

fall off 1. ~에서 떨어지다 2. (양·질 등이) 떨어지다

The man saw apples **falling off** the tree.
남자는 사과들이 나무**에서 떨어지는** 것을 보았다.

Plus +

fall off vs. fall down

fall off는 '고정되어 있던 곳으로부터 떨어지는' 동작을 나타내고, fall down은 '높은 곳에서 아래로 굴러떨어지는' 동작을 나타낸답니다.

A button **fell off.** 단추가 **떨어졌다.**
He **fell down** the stairs. 그는 계단에서 **굴러떨어졌다.**

□ 0690

give off (소리·빛 등을) 발산하다, 내다

A red lighthouse is **giving off** light brightly.
빨간 등대가 빛을 밝게 **발산하고** 있다.

Daily Test

[01~05] 단어와 뜻을 알맞은 것끼리 연결하세요.

01 pure • • ⓐ 묘사하다

02 describe • • ⓑ 순수한, 맑은

03 common • • ⓒ 흔한, 공동의

04 necessary • • ⓓ 둘러싸다

05 surround • • ⓔ 필수적인

[06~13] 우리말과 같은 뜻이 되도록 빈칸에 알맞은 단어를 쓰세요.

06 네 가지 뚜렷한 계절 four ________ seasons

07 사다리에서 떨어지다 ________ a ladder

08 넓은 길을 선택하다 choose a(n) ________ path

09 인공 숲을 방문하다 visit a(n) ________ forest

10 희미한 향수 냄새 a(n) ________ smell of perfume

11 빠른 차량들을 조심하다 be careful of ________ vehicles

12 보고서의 목적 a(n) ________ of the report

13 거대한 주택에 살다 live in a(n) ________ house

[14~18] 괄호 안에 주어진 지시에 맞게 빈칸을 채우세요.

14 brief 짧은 → (유의어) ________

15 locate 위치를 찾아내다 → (명사형) ________

16 neat 정돈된 → (유의어) ________

17 flexible 유연한 → (반의어) ________

18 particular 특정한 → (유의어) ________

[19~20] 단어의 성격이 나머지와 다른 하나를 고르세요.

19 ① describe ② mild ③ locate ④ surround ⑤ predict

20 ① narrow ② recent ③ dictinct ④ exactly ⑤ monotonous

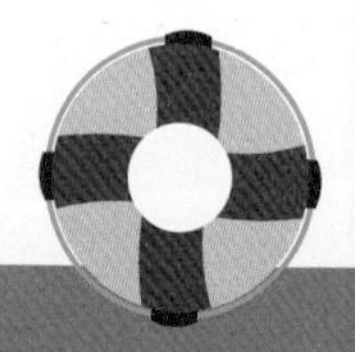

Picture Review

사진과 함께 오늘 배운 단어를 다시 기억해보세요.

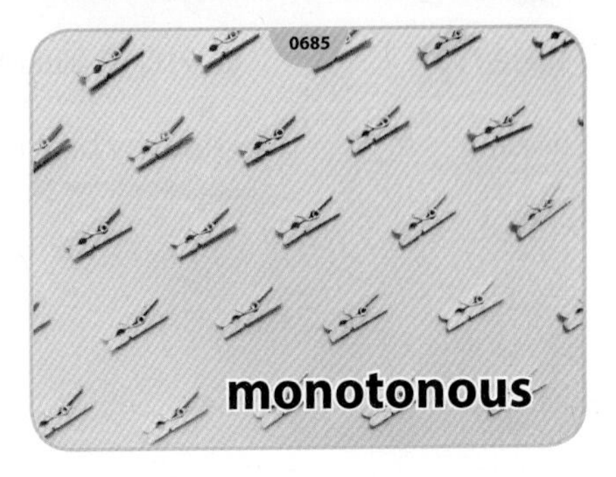

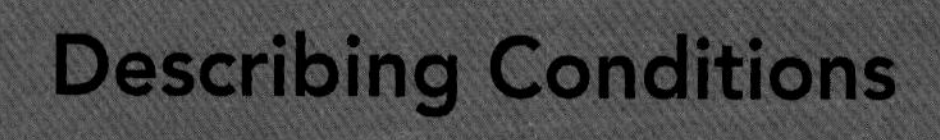

꿈을 이루기 위해서 실천할 수 있는 realistic한 목표들을 세우는 것이 중요해요.

CORE 핵심 어휘

□ 0691

include

동 포함하다, 포괄하다 반 exclude 제외하다

[inklúːd]

Hiking is **included** in the adventure course. 기출
하이킹이 모험 코스에 **포함된다**.

□ 0692

worse

형 더 나쁜, 더 심한 부 더 나쁘게, 더 심하게

[wəːrs]

The patient's condition became **worse**. 교과서
환자의 상태가 **더 나빠졌다**.

□ 0693

likely

형 1. ~할 것 같은 2. 있음직한, 그럴듯한

[láikli]

The map tells when and where crime is most **likely** to happen. 교과서
그 지도는 언제 그리고 어디서 범죄가 가장 발생**할 것 같은지**를 보여준다.

+ be likely to ~할 것 같다

□ 0694

nearly

부 거의 유 almost

[níərli]

I ride my bike **nearly** every day. 기출
나는 내 자전거를 **거의** 매일 탄다.

□ 0695

further | 형 추가의, 더 이상의 유 additional 부 더 멀리

[fə́:rðər]

Citizens have to stay indoors until **further** notice. 교과서

시민들은 **추가** 통지 때까지 실내에 머물러야 한다.

+ furthermore 부 더욱이

□ 0696

opposite | 형 1. 반대의, 맞은편의 2. 정반대의, 상반되는

[ɑ́:pəzit]

Some pine trees are on the **opposite** side of my house.

몇몇 소나무들이 나의 집 **반대**쪽에 있다.

Plus +

위치를 나타내는 전치사

opposite은 '건너편에, 맞은편에'라는 뜻의 전치사로도 쓰여요. 위치를 나타내는 다양한 전치사에 대해서 알아볼까요?

- near ~의 가까이에
- below ~보다 아래에
- above ~보다 위에
- among ~의 사이에, ~중에(셋 이상 사이)
- between ~의 사이에, ~중에(둘 사이)

□ 0697

fantastic | 형 환상적인, 굉장한 유 wonderful

[fæntǽstik]

The scenery was **fantastic**, so I felt better. 교과서

경치가 **환상적이어서**, 나는 기분이 나아졌다.

□ 0698

quick | 형 1. 빠른, 신속한 유 rapid 2. 순식간의

[kwik]

David made a **quick** decision. 기출

David는 **빠른** 결정을 내렸다.

□ 0699

sudden | 형 갑작스러운, 뜻밖의 반 gradual 점진적인

[sʌ́dn]

I felt sad because of Jessica's **sudden** illness.

나는 Jessica의 **갑작스러운** 병 때문에 슬픔을 느꼈다.

+ suddenly 부 갑자기 all of a sudden 갑자기

☐ 0700

exact | 형 1. 정확한, 정밀한 유 precise 2. 꼼꼼한

[igzǽkt]

He checked the **exact** condition of the products.
그는 제품들의 **정확한** 상태를 점검했다.

+ exactly 부 정확히, 틀림없이

☐ 0701

following | 형 그다음의 명 다음의 것

[fá:louiŋ]

Her last trip was to Sweden in 2016, and she passed away the **following** year. 교과서
그녀의 마지막 여행은 2016년 스웨덴으로였고, 그녀는 **그다음** 해에 사망했다.

☐ 0702

recently | 부 최근에, 근래에 유 lately

[rí:sntli]

Recently, there have been many complaints about the condition of the fitness center. 기출
최근에, 그 헬스클럽의 상태에 대한 많은 불평들이 있었다.

☐ 0703

moreover | 부 게다가, 더욱이

[mɔ:róuvər]

Moreover, it started to rain heavily.
게다가, 비가 심하게 내리기 시작했다.

☐ 0704

increase | 동 증가시키다, 증가하다 명 증가, 증대

[inkrí:s]

Using your smartphone for a long time might **increase** the stress on your eyes.
스마트폰을 오랫동안 사용하는 것은 너의 눈에 긴장을 **증가시킬** 수 있다.

☐ 0705

decrease | 동 감소하다, 감소시키다 유 reduce 명 감소, 하락

[dikrí:s]

The total rate of people smoking has **decreased**.
흡연하는 사람들의 전체 비율이 **감소했다**.

□ 0706

situation

명 1. 상황, 처지, 입장 2. 위치, 장소

[sìtʃuéiʃən]

Parachutes are mostly used in emergency **situations** or in the military. 기출

낙하산은 주로 긴급 **상황**이나 군대에서 사용된다.

□ 0707

badly

부 1. 심하게, 몹시 2. 나쁘게, 안 좋게

[bǽdli]

Paul hurt his left leg quite **badly**, so he went to the doctor. 기출

Paul은 왼쪽 다리를 꽤 **심하게** 다쳐서, 병원에 갔다.

□ 0708

mostly

부 주로, 일반적으로 유 mainly

[móustli]

In India, I saw children living in a town that was **mostly** filled with garbage. 교과서

인도에서, 나는 **주로** 쓰레기가 가득한 마을에 사는 어린이들을 보았다.

□ 0709

useless

형 쓸모없는, 소용없는 반 useful 유용한

[júːslis]

Adding **useless** words to a sentence makes it hard for readers to understand.

문장에 **쓸모없는** 말을 더하는 것은 읽는 사람이 이해하는 것을 어렵게 만든다.

Plus +

형용사 접미사 less

접미사 less는 명사 뒤에 붙어서 '~하지 않는, ~이 없는'의 의미를 더해요.

use 용도 + less ▸ useless 쓸모없는
life 생명 + less ▸ lifeless 죽은
care 주의 + less ▸ careless 부주의한

□ 0710

on one's feet

1. 일어서서 2. 자립하여

She felt tired because she worked **on her feet** all day.

그녀는 온종일 **일어서서** 일했기 때문에 피곤했다.

ADVANCED 심화 어휘

□ 0711

valid 형 1. 유효한 2. 타당한, 정당한

[vǽlid]

The membership is **valid** for two years from the date you registered. 기출

회원 자격은 네가 등록한 날짜부터 2년 동안 **유효하다**.

□ 0712

realistic 형 현실적인, 실제적인 반 unrealistic 비현실적인

[rìːəlístik]

Special effects make movies seem more **realistic**. 기출

특수 효과는 영화가 더 **현실적으로** 보이게 만든다.

□ 0713

moderate 형 1. 적당한, 알맞은 반 extreme 지나친 2. 보통의, 중간의

[mάːdərət]

The woman drove her car at a **moderate** speed.

여자는 그녀의 차를 **적당한** 속도로 운전했다.

□ 0714

obvious 형 분명한, 명백한 유 clear

[άːbviəs]

It is **obvious** that my health is bad.

나의 건강이 나쁘다는 것은 **분명하다**.

□ 0715

potential 형 잠재적인, 가능성이 있는 명 잠재력, 가능성

[pəténʃəl]

We haven't considered the **potential** problems with the change.

우리는 변화에 대한 **잠재적인** 문제들을 고려하지 않았다.

☐ 0716

complex

형 복잡한, 복합적인 반 simple 단순한

[kəmpléks]

It's sometimes difficult to understand the **complex** emotions of teenagers.

청소년들의 **복잡한** 감정을 이해하는 것은 때때로 어렵다.

☐ 0717

frequently

부 자주, 빈번히

[fríːkwəntli]

Car accidents **frequently** happen on rainy days.

차 사고는 비 오는 날에 **자주** 발생한다.

+ frequent 형 잦은, 빈번한

☐ 0718

alternative

형 대체 가능한, 대안적인 명 대안

[ɔːltə́ːrnətiv]

We're seeking **alternative** ways to produce energy.

우리는 에너지를 생산할 **대체 가능한** 방법들을 찾고 있다.

☐ 0719

back and forth

이리저리, 왔다 갔다

When the ship came near the boat, the waves made it float **back and forth.** 기출

선박이 보트 근처에 오자, 물결이 보트를 **이리저리** 떠다니게 했다.

☐ 0720

up close

바로 가까이에서

You can enjoy a whale watching tour, where you will see whales **up close.** 기출

너는 고래 관람 투어를 즐길 수 있는데, 그 투어에서 너는 **바로 가까이에서** 고래들을 볼 것이다.

Daily Test

[01~05] 단어와 뜻을 알맞은 것끼리 연결하세요.

01 worse • • ⓐ 분명한
02 likely • • ⓑ 더 나쁜, 더 나쁘게
03 following • • ⓒ ~할 것 같은, 있음직한
04 frequently • • ⓓ 그다음의, 다음의 것
05 obvious • • ⓔ 자주

[06~15] 우리말과 같은 뜻이 되도록 빈칸에 알맞은 단어를 쓰세요.

06 심하게 다친 ____________ injured
07 나쁜 상황 a bad ____________
08 유효한 계약 a(n) ____________ contract
09 쓸모없는 지식 ____________ knowledge
10 현실적인 목표 a(n) ____________ goal
11 잠재적인 문제 a(n) ____________ problem
12 뜻밖의 불꽃놀이 ____________ fireworks
13 자동차 바로 가까이에서 ____________ to the car
14 거의 하루 종일 ____________ all day long
15 주로 일요일마다 외출을 하다 go out ____________ on Sundays

[16~20] 영영 풀이에 알맞은 단어를 <보기>에서 골라 쓰세요.

<보기>	quick	moderate	fantastic	further	alternative

16 ____________ : being additional
17 ____________ : moving or doing something with great speed
18 ____________ : being used instead of something
19 ____________ : not being extreme
20 ____________ : being very good and great

Picture Review

사진과 함께 오늘 배운 단어를 다시 기억해보세요.

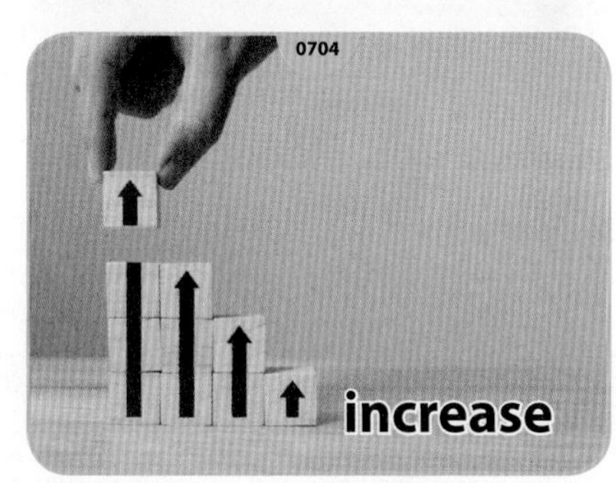

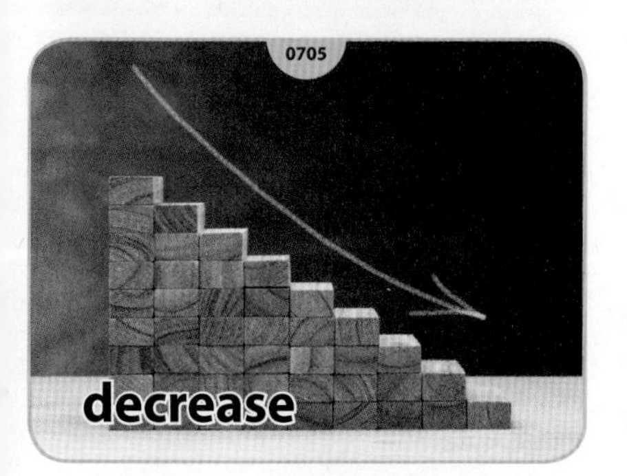

SECTION 5

Nature & Science

DAY 25

Nature & Climates

Climate의 변화를 막기 위해 우리는 어떤 노력을 할 수 있을까요?

CORE 핵심 어휘

□ 0721

freeze 동 1. 얼 정도로 춥다 2. 얼다, 얼리다 (froze-frozen)

[fri:z]

It **freezes** in Siberia, especially in the winter.
시베리아에서는 특히 겨울에 **얼 정도로 춥다**.

□ 0722

depth 명 깊이

[depθ]

The **depth** of the sea cannot be measured exactly.
바다의 **깊이**는 정확히 측정될 수 없다.

+ deep 형 깊은 deeply 부 깊게

□ 0723

tropical 형 열대의, 열대 지방의

[trá:pikəl]

Northern Puerto Rico is home to a **tropical** rain forest. 기출
푸에르토리코 북부는 **열대** 우림의 자생지이다.

□ 0724

arctic 형 북극의, 북극 지방의 명 북극

[á:rktik]

Polar bears can survive in the harsh **arctic** environment.
북극곰은 혹독한 **북극의** 환경에서 살아남을 수 있다.

□ 0725

Pacific

형 태평양의 명 태평양

[pəsífik]

There are some beautiful islands in the **Pacific** region.
태평양 지역에 몇몇 아름다운 섬들이 있다.

□ 0726

flood

명 홍수 반 drought 가뭄 동 범람시키다, 침수되다

[flʌd]

Serious **floods** hit northern England suddenly. 기출
심각한 **홍수**가 갑자기 영국 북부를 덮쳤다.

□ 0727

disappear

동 사라지다, 소멸하다 반 appear 나타나다

[dìsəpíər]

Honeybees are **disappearing**. 교과서
꿀벌들이 **사라지고** 있다.

+ disappearance 명 사라짐, 소멸

Plus +

접두사 dis

접두사 dis는 동사 앞에 붙어서 부정, 반대의 의미를 더해요.

dis + appear 나타나다 ▸ disappear 사라지다
dis + connect 연결하다 ▸ disconnect 분리하다
dis + agree 동의하다 ▸ disagree 동의하지 않다
dis + continue 계속하다 ▸ discontinue 중단하다

□ 0728

coal

명 석탄

[koul]

Chemicals that pollute the Earth mostly come from oil, but also from **coal**.
지구를 오염시키는 화학 물질들은 주로 석유에서 나오지만, **석탄**에서도 나온다.

□ 0729

fuel

명 연료 동 연료를 공급하다

[fjú:əl]

Burning fossil **fuels** causes the greenhouse effect.
화석 **연료**를 태우는 것은 온실효과를 초래한다.

□ 0730

thorn

명 1. (식물의) 가시 2. 가시나무, 가시가 있는 식물

[θɔːrn]

Every rose has **thorns.**
모든 장미는 **가시**를 가지고 있다.

□ 0731

lack

명 부족, 결핍 ⊕ shortage 동 ~이 없다

[læk]

The **lack** of natural resources is a major problem in the country.
천연자원의 **부족**은 그 나라에서 중대한 문제이다.

□ 0732

shade

명 그늘 동 그늘지게 하다

[ʃeid]

Jewelweeds normally grow in the **shade**, where there is not much sunlight. 기출
물봉선화는 보통 **그늘**에서 자라는데, 그곳에는 햇볕이 많지 않다.

□ 0733

bush

명 관목, 덤불

[buʃ]

The thorns of the salmonberry are much smaller than those of the blackberry **bush.** 기출
새먼베리의 가시들은 블랙베리 **관목**의 가시들보다 훨씬 더 작다.

□ 0734

climate

명 1. 기후 2. 지방, 지대

[kláimit]

Climate change is having a serious impact on the world every year. 기출
기후 변화는 매년 세계에 심각한 영향을 미치고 있다.

Plus +

다양한 기후들을 나타내는 표현

- tropical **climate** 열대 **기후**
- temperate **climate** 온대 **기후**
- dry **climate** 건조 **기후**
- polar **climate** 한대 **기후**

□ 0735

temperature 명 1. 기온, 온도 2. 체온

[témpərətʃər]

On Saturday, the **temperature** will go down, and it will snow. 기출
토요일에, **기온**이 내려갈 것이며, 눈이 올 것이다.

□ 0736

chain 명 1. 연속, 일련, 띠 2. 사슬, 쇠줄

[tʃein]

There was a **chain** of earthquakes around the Pacific.
태평양 근처에 지진의 **연속**이 있었다.

+ food chain 명 먹이 사슬

□ 0737

erupt 동 1. (화산이) 폭발하다 유 explode 2. (감정을) 분출시키다

[irʌ́pt]

Mount Tambora, on the island of Sumbawa, Indonesia, **erupted** in 1815. 교과서
인도네시아 숨바와 섬에 있는 탐보라산은 1815년에 **폭발했다**.

+ eruption 명 폭발, 분출

□ 0738

resource 명 자원, 재원

[ríːsɔːrs]

Do you know what we should do to save natural **resources**? 기출
너는 천연**자원**을 절약하기 위해 우리가 무엇을 해야 하는지 아니?

□ 0739

orbit 명 궤도 동 궤도를 돌다

[ɔ́ːrbit]

Scientists are keeping a close watch on the asteroids in **orbit**. 기출
과학자들은 **궤도**에 있는 소행성들을 주시하고 있다.

□ 0740

no longer 더 이상 ~ 아닌

The sea is **no longer** clean and clear.
그 바다는 **더 이상** 깨끗하고 맑지 **않다**.

ADVANCED 심화 어휘

□ 0741

current 명 (물·공기의) 흐름 형 1. 현재의 2. 유통되는

[kə́:rənt]

The **current** of the river is quite strong.
강의 **흐름**이 상당히 세다.

□ 0742

atmosphere 명 대기, 공기

[ǽtməsfiər]

Stars' light has to pass through several miles of Earth's **atmosphere** before it reaches people's eyes. 기출
별들의 빛은 사람들의 눈에 이르기 전에 몇 마일의 지구 **대기**를 통과해야 한다.

□ 0743

moisture 명 수분, 습기

[mɔ́istʃər]

Plants in dry climates need soil that has **moisture**.
건조한 지대의 식물들은 **수분**을 가진 토양이 필요하다.

□ 0744

reflect 동 1. 반사하다 2. 반영하다

[riflékt]

The trees were **reflected** on the surface of the pond.
나무들이 연못의 표면에 **반사되었다**.

+ reflection 명 반사, 반영

☐ 0745

purify

동 정화하다, 깨끗이 하다

[pjúərifai]

Some plants can **purify** the air.
어떤 식물들은 공기를 **정화할** 수 있다.

☐ 0746

wreck

동 1. 파괴하다, 망가뜨리다 ㊒ destroy 2. 난파시키다

[rek]

Sometimes humans' excessive greed **wrecks** nature.
때때로 인간의 지나친 욕심이 자연을 **파괴한다**.

☐ 0747

forecast

동 예측하다, 예보하다 ㊒ predict 명 예보, 예측

[fɔ́:rkæst]

Temperatures were **forecasted** to rise up to 30 °C.
온도가 섭씨 30도까지 올라갈 것으로 **예측되었다**.

☐ 0748

thermometer

명 온도계, 체온계

[θərmɑ́:mitər]

The **thermometer** recorded a temperature of 50 °C in the Sahara Desert.
사하라 사막에서 **온도계**가 섭씨 50도의 온도를 기록했다.

☐ 0749

put out

(불을) 끄다

Firefighters couldn't **put out** the strong fire in the forest for months.
소방관들은 수개월 동안 숲의 강한 불을 **끄지** 못했다.

☐ 0750

most of all

무엇보다도

Most of all, we should protect nature.
무엇보다도, 우리는 자연을 보호해야 한다.

Daily Test

[01~06] 단어와 뜻을 알맞은 것끼리 연결하세요.

01 lack	ⓐ 더 이상 ~ 아닌
02 Pacific	ⓑ 부족, ~이 없다
03 put out	ⓒ (불을) 끄다
04 no longer	ⓓ 태평양의, 태평양
05 climate	ⓔ 대기
06 atmosphere	ⓕ 기후, 지방

[07~16] 우리말과 같은 뜻이 되도록 빈칸에 알맞은 단어를 쓰세요.

07 석탄 채굴 ______________ mining

08 대체 연료 an alternative ______________

09 시간이 지나면서 사라지다 ______________ over time

10 선인장 가시에 의해 긁힌 scratched by a cactus ______________

11 따뜻한 기온 a warm ______________

12 북극 탐험 a(n) ______________ exploration

13 공기 중의 수분 the ______________ in the air

14 그늘 아래에서 쉬다 rest under the ______________

15 지역 수자원 a regional water ______________

16 호수의 깊이를 측정하다 measure the ______________ of the lake

[17~20] 괄호 안에 주어진 지시에 맞게 빈칸을 채우세요.

17 flood 홍수 → (반의어) ______________

18 forecast 예측하다 → (유의어) ______________

19 erupt 폭발하다, 분출시키다 → (명사형) ______________

20 wreck 파괴하다 → (유의어) ______________

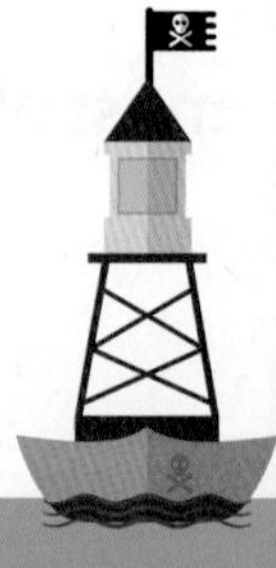

Picture Review

사진과 함께 오늘 배운 단어를 다시 기억해보세요.

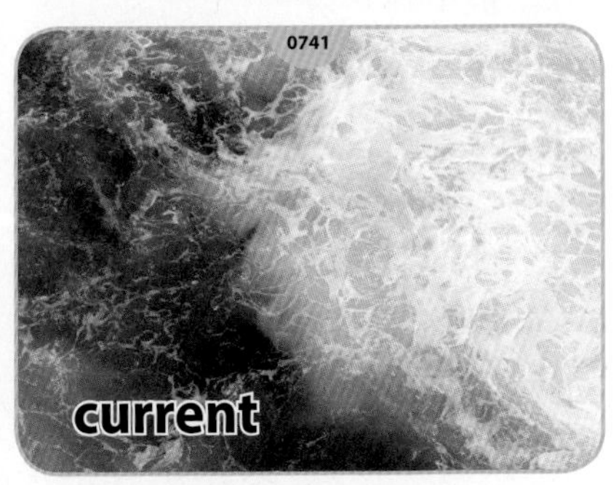

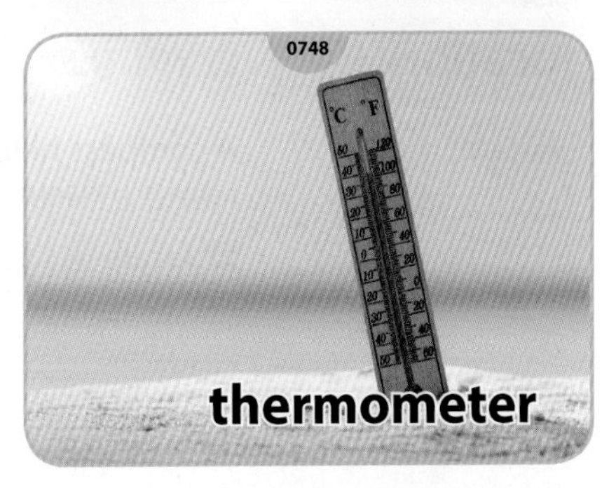

DAY 26 Geography

새해 첫날, 새로운 시작을 맞이하여 horizon에서 해가 뜨는 것을 본 적이 있나요?

CORE 핵심 어휘

□ 0751

island | 명 섬

[áilənd]

Dokdo has two big **islands** as well as many small **islands.** 교과서

독도에는 많은 작은 **섬들**뿐만 아니라 두 개의 큰 **섬들**도 있다.

□ 0752

volcano | 명 화산

[vɑːlkéinou]

The soil near a **volcano** is very good for farming. 교과서

화산 근처의 토양은 농사에 아주 알맞다.

+ volcanic 형 화산의

□ 0753

cliff | 명 절벽, 벼랑

[klif]

A bird is nesting on the **cliff.**

한 새가 **절벽**에 둥지를 틀고 있다.

□ 0754

location | 명 위치, 장소

[loukéiʃən]

A compass helps sailors figure out their **location.** 기출

나침반은 선원들이 자신의 **위치**를 알아내는 데 도움이 된다.

+ locate 동 위치를 찾아내다

□ 0755

ash [æʃ]

명 화산재, 재

A volcanic eruption shoots lots of **ash** and dust into the air. 교과서
화산 폭발은 많은 **화산재**와 먼지를 공중으로 내뿜는다.

□ 0756

range [reindʒ]

명 1. 산맥 2. 범위 유 limits

The Andes are the world's longest **range.** 교과서
안데스 산맥은 세계에서 가장 긴 **산맥**이다.

 0757

peak [piːk]

명 1. 정상, 산꼭대기 유 top 2. 절정

The **peak** of Halla Mountain is above the clouds.
한라산 **정상**이 구름 위에 있다.

□ 0758

pole [poul]

명 1. (지구의) 극 2. 막대기, 기둥

The ice at the North **Pole** and the South **Pole** is melting. 기출
북극과 남극에 있는 얼음이 녹고 있다.

□ 0759

basis [béisis]

명 기반, 기초, 근거 복 bases

The residents of the village live on the **basis** of fishing.
그 마을의 주민들은 어업을 **기반**으로 먹고산다.

+ on the basis of ~을 기반으로, ~에 근거하여

Plus +

라틴어에서 온 basis

영단어 중에는 basis, crisis(위기), emphasis(강조)와 같이 라틴어에서 유래한 단어들이 있어요. 이 단어들은 복수형을 만들 때 단어의 맨 뒤에 있는 is가 es로 바뀌는 것이 특징이에요. basis의 복수형은 bases, crisis의 복수형은 crises, emphasis의 복수형은 emphases랍니다.

□ 0760

environment | 명 1. (자연) 환경 2. (주변) 환경, 상황

[inváiərənmənt]

Geographers study the connection between the **environment** and geography.
지리학자들은 **환경**과 지리 사이의 관계를 연구한다.

□ 0761

metal | 명 금속 형 금속의

[métl]

The city is famous for a rich amount of **metals**.
그 도시는 풍부한 양의 **금속들**로 유명하다.

□ 0762

phase | 명 1. 단계, 국면 유 stage 2. 모습, 양상

[feiz]

The geographical exploration is in the planning **phase**.
지리 탐사가 계획 **단계**에 있다.

□ 0763

southern | 형 남쪽의, 남쪽에 있는

[sʌ́ðərn]

The river flows into the **southern** sea.
강이 **남쪽의** 바다로 흘러 들어간다.

□ 0764

northern | 형 북쪽의, 북쪽에 있는

[nɔ́:rðərn]

There are lots of mountains in the **northern** region of the country.
나라의 **북쪽** 지역에 많은 산들이 있다.

Plus +

형용사 접미사 ern

접미사 ern은 명사 뒤에 붙어서 형용사를 만들어요.

- east 동쪽 + ern ▸ eastern 동쪽의
- west 서쪽 + ern ▸ western 서쪽의
- south 남쪽 + ern ▸ southern 남쪽의
- north 북쪽 + ern ▸ northern 북쪽의

□ 0765

underwater

형 수중의, 물속의 부 물속에서

[ʌ̀ndərwɔ́ːtər]

George dove to explore the **underwater** beauty.
George는 **수중의** 아름다움을 탐험하기 위해 물속으로 뛰어들었다.

□ 0766

curve

동 곡선을 이루다, 구부리다 명 곡선, 곡면

[kəːrv]

The path **curves** along the lake.
길이 호수를 따라 **곡선을 이룬다**.

□ 0767

slope

명 경사면, 경사지

[sloup]

Walter slowly skied down the steep mountain **slope**.
Walter는 가파른 산의 **경사면**을 스키를 타고 내려왔다.

□ 0768

access

명 1. 출입, 접근 2. (자료 등의) 이용

[ǽkses]

Access to the national park was limited for a month.
국립공원으로의 **출입**이 한 달 동안 제한되었다.

□ 0769

remote

형 1. (공간상) 먼, 외진 유 distant 2. (시간상) 먼

[rimóut]

The beach is **remote**, so it takes a long time to get there.
해변이 **멀어서**, 거기까지 가는 데 시간이 오래 걸린다.

□ 0770

pass through

1. ~을 지나가다, 통과하다 2. 겪다

The stream **passes through** the town.
개울이 마을을 **지나간다**.

ADVANCED 심화 어휘

□ 0771

geography 명 1. 지리학 2. 지리, 지형

[dʒiάːgrəfi]

Human **geography** is about how people interact with the environment.

인문 **지리학**은 사람들이 어떻게 환경과 상호 작용하는지에 관한 것이다.

□ 0772

refine 동 1. 정제하다, 깨끗하게 하다 2. 개선하다

[rifáin]

Petroleum is normally **refined** from crude oil near the seaside.

석유는 보통 바닷가 근처에서 원유로부터 **정제된다**.

□ 0773

substance 명 물질 유 material, matter

[sʌ́bstəns]

Explorers found metal **substances** in the cave.

탐험가들이 동굴에서 금속 **물질들**을 발견했다.

□ 0774

horizon 명 수평선, 지평선 유 skyline

[həráizn]

A heavy storm is forming over the **horizon**.

강력한 폭풍우가 **수평선** 위에서 형성되고 있다.

□ 0775

peninsula 명 반도

[pənínsjulə]

The Baja **Peninsula** of Mexico is the best place to observe whales. 기출

멕시코의 바하 **반도**는 고래들을 관찰하기에 가장 좋은 장소이다.

□ 0776

steep 형 가파른, 경사가 급한 명 가파른 곳

[stiːp]

The mountain is **steeper** than what we climbed last time.
그 산은 우리가 지난번에 등반했던 것보다 **더 가파르다**.

□ 0777

territory 명 영토, 지역 ㊒ zone

[térətɔːri]

Dokdo is a Korean **territory**.
독도는 한국의 **영토**이다.

□ 0778

swamp 명 습지, 늪

[swɑːmp]

It is hard to cultivate the **swamp** because it's too moist.
습지를 경작하는 것은 어려운데 이는 그것이 너무 축축하기 때문이다.

Plus +

swamp는 '가라앉히다, 침수시키다', '(할 일이) 넘쳐나게 하다'라는 뜻의 동사로도 쓰여요.

The flood **swamped** the whole town. 홍수는 마을 전체를 **가라앉게 했다**.
I was **swamped** because of my midterm exams.
나는 중간고사로 **할 일이 넘쳐났다**.

□ 0779

set off 출발하다

The explorers **set off** to explore the desert.
탐험가들이 사막을 탐험하러 **출발했다**.

□ 0780

in advance 미리

The geographer had planned **in advance** to study the volcanoes on the island.
지리학자가 **미리** 그 섬의 화산을 연구하기로 계획했다.

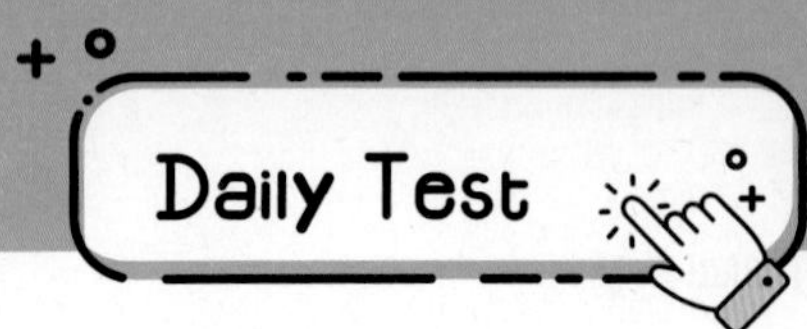

[01~10] 우리말과 같은 뜻이 되도록 빈칸에 알맞은 단어를 쓰세요.

01 절벽 위에 on the ______________

02 금속판 a(n) ______________ plate

03 북쪽 지역 a(n) ______________ region

04 남쪽의 극 the southern ______________

05 수평선 위로 over the ______________

06 해변으로의 출입 ______________ to the beach

07 먼 바다 a(n) ______________ sea

08 한반도 the Korean ______________

09 넓은 습지 a large ______________

10 환경을 보호하다 protect the ______________

[11~15] 빈칸에 알맞은 단어를 <보기>에서 한 번씩 골라 쓰세요.

<보기>	substances	steep	southern	geography	set off

11 We climbed up the ______________ mountain, so we are exhausted.

12 My favorite subject is ______________.

13 The geographers ______________ to explore the sea cave.

14 Jeju island is located in the ______________ part of Korea.

15 Polluting ______________ were found in this dirty river.

[16~20] 단어와 영영 풀이를 알맞은 것끼리 연결하세요.

16 pass through • • ⓐ a chain of mountains

17 peak • • ⓑ to go through a place quickly without stopping

18 refine • • ⓒ the highest part of a mountain

19 territory • • ⓓ to make something pure by removing other matter

20 range • • ⓔ a land ruled by a particular country

Picture Review

사진과 함께 오늘 배운 단어를 다시 기억해보세요.

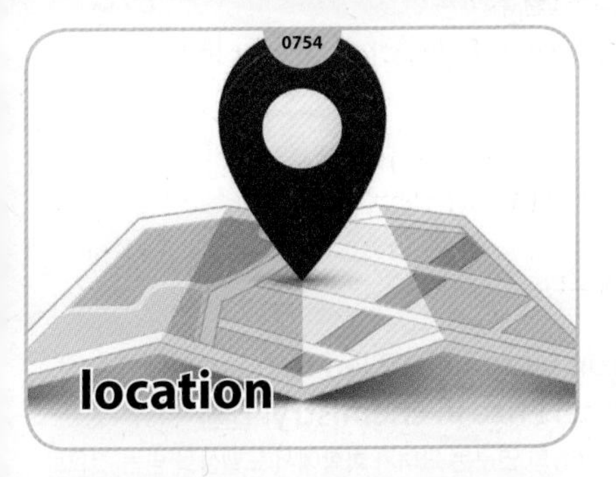

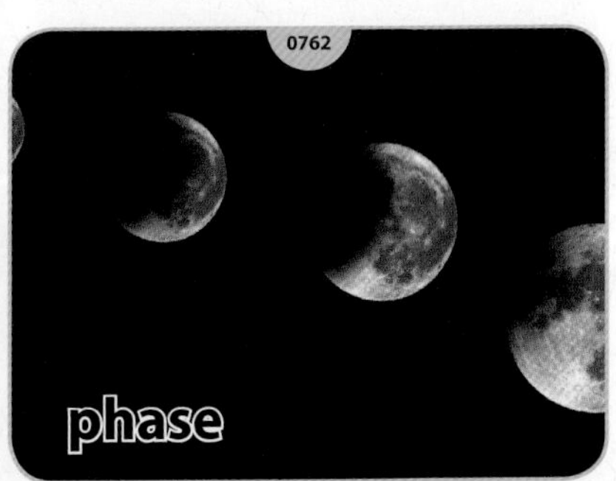

DAY 27 Biology & Chemistry

당신은 이 세상에서 하나뿐인 특별한 scent를 가지고 있는 소중한 사람이에요. :)

CORE 핵심 어휘

□ 0781

biology | 명 생물학

[baiά:lədʒi]

Biology covers all the information about life.
생물학은 생명에 관한 모든 정보를 다룬다.

□ 0782

chemistry | 명 화학

[kéməstri]

Dorothy's work on vitamin B12 led to her being awarded the Nobel Prize in **chemistry**. 기출
비타민 B12에 대한 Dorothy의 연구는 그녀가 **화학**에서 노벨상을 받는 것으로 이어졌다.

Plus + 다양한 과목의 이름을 영어로 어떻게 표현하는지 알아볼까요?

- Mathematics 수학
- Physics 물리학
- Geogrphy 지리학
- Earth science 지구과학
- Social studies 사회
- Literature 문학
- Physical Education 체육
- Art 미술

□ 0783

oxygen | 명 산소

[ά:ksidʒen]

Animals living in water get their **oxygen** from the water. 기출
물속에 사는 동물들은 물에서 **산소**를 얻는다.

□ 0784

solid 명 고체 형 1. 고체의 2. 단단한 ㊤ hard

[sɑ́:lid]

There are three states of matter, which are **solids**, liquids, and gases. 교과서

물질의 세 가지 상태가 있는데, 그것은 **고체**, 액체, 그리고 기체이다.

□ 0785

liquid 명 액체 형 액체의

[líkwid]

The tool is used to pick up and release small amounts of **liquid**, like water. 기출

그 도구는 물과 같은 소량의 **액체**를 빨아올리고 내보내는 데 사용된다.

□ 0786

thin 형 1. 가는, 얇은 ㊥ thick 두꺼운, 굵은 2. 마른

[θin]

Kate inherited **thin** and gray hair from her mother.

Kate는 그녀의 엄마로부터 **가는** 회색의 머리카락을 물려받았다.

□ 0787

mammal 명 포유동물

[mǽməl]

The addax is an endangered **mammal**, and there are about 500 left in the wild. 기출

애닥스는 멸종 위기에 처한 **포유동물**이고, 야생에 약 500마리가 남아 있다.

□ 0788

mankind 명 인류, 인간

[mænkáind]

The purpose of science is to benefit **mankind**.

과학의 목적은 **인류**를 이롭게 하는 것이다.

□ 0789

scent 명 향기, 냄새 ㊤ smell 동 냄새를 맡다

[sent]

The **scent** of flowers attracts bees and butterflies.

꽃들의 **향기**는 벌과 나비를 끌어들인다.

□ 0790

mineral 명 미네랄, 광물

[mínərəl]

People need vitamins and **minerals** to live.
사람들은 살기 위해 비타민과 **미네랄**을 필요로 한다.

□ 0791

mixture 명 혼합물, 혼합

[míkstʃər]

Air is a **mixture** of gases.
공기는 기체들의 **혼합물**이다.

□ 0792

nuclear 형 원자력의, 핵의

[njúːkliər]

Nuclear energy is one way of producing electricity.
원자력 에너지는 전기를 생산하는 한 가지 방법이다.

□ 0793

skeleton 명 골격, 뼈대

[skélətn]

Scientists who study dinosaurs observe every detail in dinosaurs' **skeletons**. 기출
공룡을 연구하는 과학자들은 공룡 **골격**의 모든 세부 사항을 관찰한다.

□ 0794

filter 명 여과 장치, 필터 동 여과하다

[fíltər]

The water **filter** removes both dusts and chemicals.
물 **여과 장치**는 먼지와 화학 물질들을 모두 제거한다.

□ 0795

laboratory 명 실험실, 연구실 형 실험용의

[lǽbərətɔːri]

The students did a biological experiment in the **laboratory**.
학생들은 **실험실**에서 생물 실험을 했다.

☐ 0796

physical

형 1. 물리적인, 물질적인 2. 육체의 반 mental 정신의

[fízikəl]

Jean observed the **physical** reactions of metals.
Jean은 금속들의 **물리적인** 반응을 관찰했다.

☐ 0797

contain

동 함유하다, 포함하다 유 include

[kəntéin]

Onions **contain** vitamin B, which helps make healthy cells. 교과서
양파는 비타민 B를 **함유하는데**, 이는 건강한 세포를 만드는 것을 돕는다.

+ container 명 그릇, 용기

☐ 0798

combine

동 결합하다, 섞다 유 mix

[kəmbáin]

Oxygen **combines** with hydrogen to make water.
산소는 물을 만들기 위해 수소와 **결합한다**.

+ combination 명 결합

☐ 0799

absorb

동 1. 흡수하다 2. (사람·마음을) 열중시키다

[əbsɔ́:rb]

When spinach **absorbs** water, it **absorbs** other things from the soil as well. 교과서
시금치가 물을 **흡수할** 때, 그것은 토양으로부터 다른 것들도 **흡수한다**.

☐ 0800

give up

포기하다

The female whale didn't **give up** while giving birth to a baby.
암컷 고래는 새끼를 낳는 동안에 **포기하지** 않았다.

ADVANCED 심화 어휘

□ 0801

breed

동 번식하다, 새끼를 낳다 (bred-bred) 명 품종

[bri:d]

The toothfish does not **breed** until it is at least ten years old. 기출

메로는 적어도 열 살이 되어서야 **번식한다**.

□ 0802

dispose

동 처리하다, 폐기하다 ㊌ discard

[dispóuz]

It is necessary to **dispose** of waste safely after the experiment.

실험 후에 폐기물을 안전하게 **처리하는** 것은 필수적이다.

+ dispose of ~을 처리하다, 폐기하다

□ 0803

microscope

명 현미경

[máikrəskoup]

One can see thousands of living things in a drop of water through a **microscope**. 기출

현미경을 통해 한 방울의 물에서 수많은 생물들을 볼 수 있다.

Plus +

microscope, microwave(초미세파), microbe(미생물)는 모두 단어 앞에 '아주 작은'을 뜻하는 접두사 micro가 붙어있어요. micro가 '아주 작은'을 뜻하기 때문에 아주 미세한 파동을 microwave라고 하고, 아주 작은 생물을 microbe라고 한답니다.

□ 0804

consist

동 1. 이루어져 있다 2. 존재하다

[kənsíst]

The mixture **consists** of sugars and water.

혼합물이 설탕과 물로 **이루어져 있다**.

+ consist of ~으로 이루어져 있다, 구성되다

□ 0805

impact 명 영향, 충격 유 effect 동 영향을 주다

[ímpækt]

Do not ignore the biological **impact** of smoking cigarettes.
흡연하는 것의 생물학적 **영향**을 간과하지 마라.

□ 0806

genetic 형 유전의, 유전학의

[dʒənétik]

Some **genetic** diseases can be treated by replacing damaged genes with healthy ones. 기출
일부 **유전**병은 손상된 유전자를 건강한 유전자로 교체함으로써 치료될 수 있다.

□ 0807

identical 형 똑같은, 동일한 유 same

[aidéntikəl]

The twins have **identical** appearances.
쌍둥이는 **똑같은** 외모를 가지고 있다.

□ 0808

reproduce 동 1. 번식하다 2. 재생하다 3. 복제하다

[rì:prədú:s]

Birds **reproduce** by laying eggs.
새들은 알을 낳음으로써 **번식한다**.

+ reproduction 명 번식, 재생, 복제

□ 0809

made up of ~으로 구성된

An animal's body is **made up of** tiny cells, which are mainly water. 기출
동물의 몸은 아주 작은 세포들**로 구성되는데**, 이것들은 주로 물이다.

□ 0810

free from 1. ~이 없는 2. ~에서 벗어난

The shampoo is **free from** chemicals.
그 샴푸는 화학 물질**이 없다**.

Daily Test

[01~06] 영어는 우리말로, 우리말은 영어로 쓰세요.

01 liquid ________________

02 biology ________________

03 consist ________________

04 화학 ________________

05 포기하다 ________________

06 미네랄, 광물 ________________

[07~15] 우리말과 같은 뜻이 되도록 빈칸에 알맞은 단어를 쓰세요.

07 물의 입자들은 산소와 수소 원자들을 포함한다.
Water particles contain ________________ and hydrogen atoms.

08 너는 실험실에서 위험한 화학 물질들을 조심해야 한다.
You should be careful of dangerous chemicals in the ________________.

09 원자력 발전소는 전기를 생산한다.
________________ power plants produce electricity.

10 그 식물은 가는 줄기를 가지고 있다. The plant has a ________________ stem.

11 과학은 인류의 발전에 기여했다.
Science contributed to the development of ________________.

12 고래는 포유동물인데 이는 고래가 알을 낳지 않기 때문이다.
A whale is a ________________ because it doesn't lay eggs.

13 고체가 가열되었을 때 액체로 변했다.
The ________________ turned into a liquid when it was heated.

14 나는 공장에서 화학 물질들의 혼합물을 만들었다.
I made the ________________ of chemicals in the factory.

15 대부분의 식물은 씨앗을 퍼뜨려서 번식한다.
Most plants ________________ by spreading seeds.

[16~20] 괄호 안에 주어진 지시에 맞게 빈칸을 채우세요.

16 scent 냄새 → (유의어) ________________

17 combine 결합하다 → (명사형) ________________

18 impact 영향 → (유의어) ________________

19 dispose 폐기하다 → (유의어) ________________

20 physical 육체의 → (반의어) ________________

Picture Review

사진과 함께 오늘 배운 단어를 다시 기억해보세요.

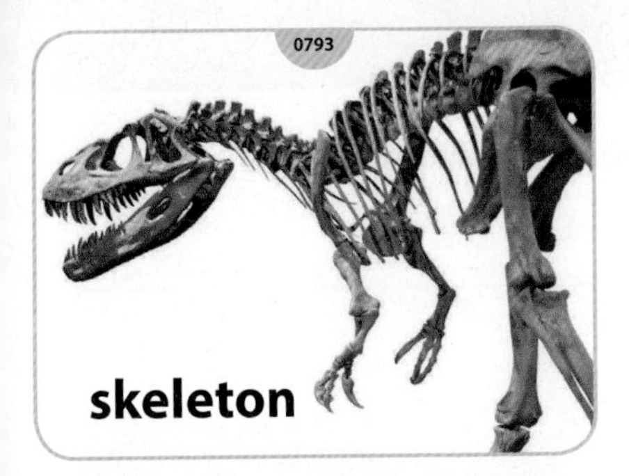

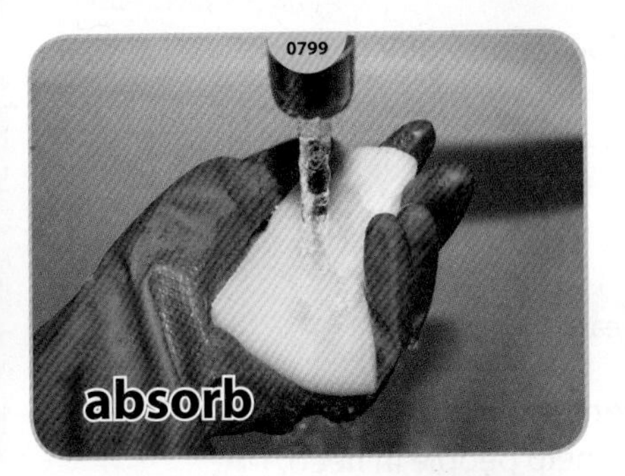

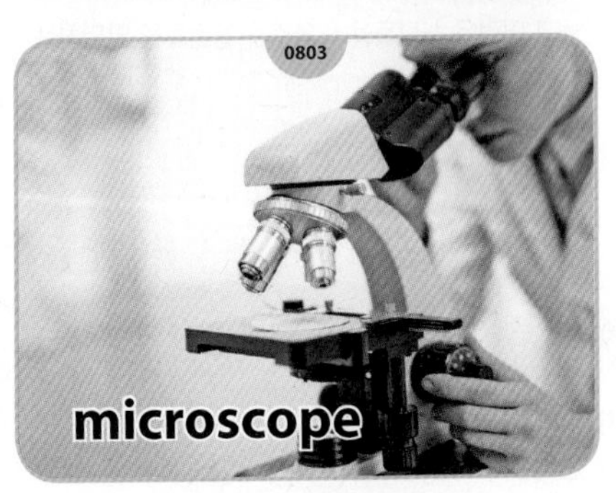

DAY 28

Technology

Gravity가 없는 우주에 가면 마치 하늘에서 헤엄치는 기분일 것 같아요.

CORE 핵심 어휘

□ 0811

technology 명 (과학) 기술

[tekná:lədʒi]

As communication **technology** develops, the amount of data we have is becoming greater. 교과서

통신 **기술**이 발전하면서, 우리가 가진 데이터의 양이 점점 많아지고 있다.

□ 0812

invent 동 발명하다 유 create

[invént]

Max likes to **invent** things to make life more comfortable and help people in need. 기출

Max는 삶을 더 편안하게 만들고 어려운 사람들을 도와주는 물건들을 **발명하는** 것을 좋아한다.

+ invention 명 발명 inventor 명 발명가

□ 0813

ease 동 완화하다 유 relieve 명 1. 편안함 2. 쉬움

[i:z]

The medical equipment **eased** the patient's pain.

의료 장비가 환자의 통증을 **완화했다**.

□ 0814

device 명 장치, 기구 유 gadget, tool

[diváis]

A Scottish company developed a new security **device**. 기출

한 스코틀랜드의 회사가 새로운 보안 **장치**를 개발했다.

□ 0815

technique

명 기술, 기법 유 method

[tekníːk]

The architect used many amazing building **techniques.** 기출

건축가가 많은 놀라운 건축 **기술들**을 사용했다.

□ 0816

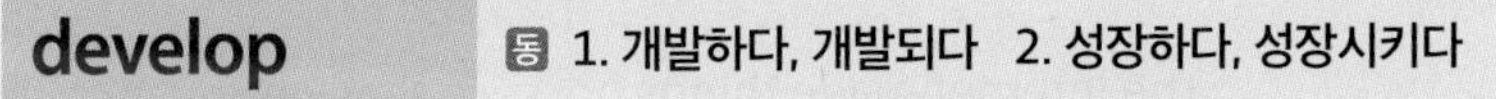

develop

동 1. 개발하다, 개발되다 2. 성장하다, 성장시키다

[divéləp]

Scientists have finally **developed** a robot to explore Mars.

과학자들은 마침내 화성을 탐사하기 위한 로봇을 **개발했다**.

□ 0817

scientific

형 과학의, 과학적인

[sàiəntífik]

Technology contributes to **scientific** developments.

기술은 **과학의** 발전에 기여한다.

□ 0818

effect

명 영향, 효과 동 (결과를) 가져오다

[ifékt]

Digital devices had some **effects** on the ways we work.

디지털 장치들은 우리가 일하는 방식에 몇몇의 **영향**을 미쳤다.

+ effective 형 효과적인

□ 0819

electricity

명 전기, 전력

[ilèktrísəti]

These lights are powered by **electricity.**

이 조명들은 **전기**에 의해 작동된다.

+ electric 형 전기의

□ 0820

magnet 명 자석, 자철

[mǽgnit]

Iron is attracted to **magnets.**
철은 **자석들**에 끌린다.

□ 0821

impossible 형 불가능한, 있을 수 없는 반 possible 가능한

[impɑ́:səbl]

The Internet made things possible that were previously **impossible.**
인터넷이 이전에는 **불가능했던** 것들을 가능하게 만들었다.

□ 0822

galaxy 명 은하, 은하계

[gǽləksi]

The image of the Andromeda **Galaxy** was captured by a telescope.
안드로메다 **은하**의 사진이 망원경을 통해 포착되었다.

□ 0823

astronaut 명 우주 비행사

[ǽstrənɔ̀:t]

Between 1969 and 1972, the US sent a few **astronauts** to the moon. 기출
1969년과 1972년 사이에, 미국은 몇몇 **우주 비행사들**을 달에 보냈다.

Plus +

astronaut의 astro는 '별'을 뜻해요. astronomy(천문학), astrology(점성술)에서도 astro를 찾아볼 수 있답니다. astro가 '별'을 의미하기 때문에 별을 포함해 우주에 대해 연구하는 학문을 astronomy라고 하고, 별의 빛이나 위치를 보고 개인이나 국가의 운세를 보는 점성술을 astrology라고 하는 거예요!

□ 0824

gravity 명 중력

[grǽvəti]

The heavier something is, the stronger its **gravity** is. 기출
무언가가 더 무거울수록, 그것의 **중력**은 더 세진다.

□ 0825

satellite

명 위성, 인공위성 형 위성의

[sǽtəlàit]

The TV program is broadcast through **satellites.**
TV 프로그램은 **위성**을 통해 방송된다.

□ 0826

function

명 1. 기능 2. 역할 동 기능하다

[fʌ́ŋkʃən]

Ellie uses a cellphone with a video-recording **function** to record her life.
Ellie는 자신의 삶을 기록하기 위해 영상 촬영 **기능**이 있는 휴대폰을 사용한다.

□ 0827

benefit

명 혜택, 이득 유 advantage 동 이익이 되다

[bénəfit]

All people have the right to enjoy the **benefits** of smartphones.
모든 사람은 스마트폰의 **혜택들**을 누릴 권리를 가진다.

□ 0828

measure

동 측정하다, 재다 유 calculate 명 측정

[méʒər]

Satellites can be used to **measure** the height of mountains.
위성은 산의 높이를 **측정하기** 위해 사용될 수 있다.

□ 0829

efficiency

명 효율, 능률 유 effectiveness

[ifíʃənsi]

The new machine increased the **efficiency** of production.
새로운 기계가 생산의 **효율**을 증가시켰다.

□ 0830

catch up

따라잡다, 따라가다

The old often feel difficulty in **catching up** on new technology.
노인들은 종종 새로운 기술을 **따라잡는** 데 어려움을 느낀다.

ADVANCED 심화 어휘

□ 0831

automatic | 형 자동의 반 manual 수동의

[ɔ̀ːtəmǽtik]

I switched the camera into **automatic** mode.
나는 카메라를 **자동** 모드로 전환했다.

□ 0832

advance | 명 진보, 전진 동 진보하다, 전진하다

[ədvǽns]

Thanks to **advances** in technology, there have been some great inventions. 기출
기술의 **진보** 덕분에, 몇몇의 위대한 발명품들이 있었다.

□ 0833

specific | 형 1. 특정한 유 particular 2. 구체적인

[spisífik]

The company developed a new car meeting **specific** safety standards.
그 회사는 **특정한** 안전 기준을 충족하는 새로운 차를 개발했다.

□ 0834

accurate | 형 정밀한, 정확한 반 inaccurate 부정확한

[ǽkjurət]

The digital measuring device made **accurate** measurements easier.
디지털 측정 장치가 **정밀한** 측정을 더 쉽게 만들었다.

+ accuracy 명 정확성

□ 0835

adjust | 동 1. 조정하다 2. 적응하다 유 adapt

[ədʒʌ́st]

An autonomous car **adjusts** its speed by itself.
자율 주행 자동차는 그것의 속도를 저절로 **조정한다**.

+ adjustment 명 조정, 적응

□ 0836

progress

명 진보, 진척 유 improvement 동 진행되다

[prά:gres]

Recent **progress** in the global 3D-printing industry has been amazing.
전 세계 3D 프린팅 산업의 최근의 **진보**는 놀랍다.

+ progressive 형 진보적인

□ 0837

transform

동 바꾸다, 변형시키다 유 change

[trænsfɔ́:rm]

The Internet has greatly **transformed** the way we live. 기출
인터넷은 우리가 사는 방식을 크게 **바꾸었다**.

+ transformation 명 변형, 변화

□ 0838

accelerate

동 1. 가속하다 2. 촉진하다 반 delay 지연시키다

[əksélərèit]

The newly developed engines have allowed cars to **accelerate** to 200 km per hour.
새로 개발된 엔진은 차들이 시간당 200킬로미터까지 **가속할** 수 있게 했다.

□ 0839

now that

~이기 때문에, ~이므로

Now that communication networks are well developed, contacting others is convenient.
통신망들이 잘 발달되어 있**기 때문에**, 다른 사람들과 연락하는 것이 편리하다.

□ 0840

come to an end

끝나다, 마치다

The age of corded telephones has nearly **come to an end**.
유선 전화의 시대는 거의 **끝났다**.

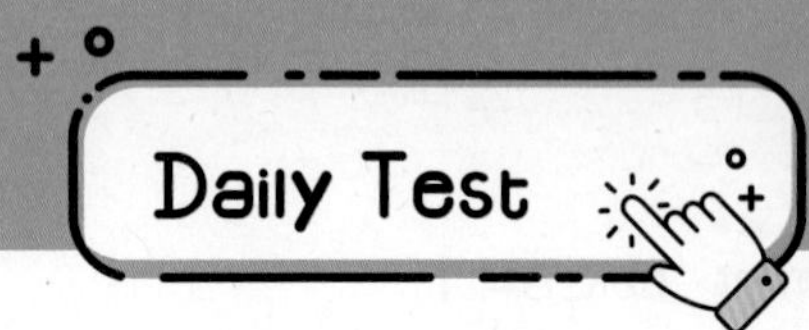

[01~06] 영어는 우리말로, 우리말은 영어로 쓰세요.

01 satellite ________________

02 efficiency ________________

03 scientific ________________

04 혜택, 이익이 되다 ________________

05 ~이기 때문에 ________________

06 진보, 진행되다 ________________

[07~11] 우리말과 같은 뜻이 되도록 빈칸에 알맞은 단어를 쓰세요.

07 불가능한 것 a(n) ________________ thing

08 스마트폰의 편안함 the ________________ of smartphones

09 전기차를 발명하다 ________________ an electric car

10 새로운 생산 기법 a new production ________________

11 기술 개발의 영향 a(n) ________________ of technical development

[12~15] 빈칸에 알맞은 단어를 주어진 철자로 시작하여 쓰세요.

12 The supercomputer has a variety of f________________.

13 It is not easy to c________________ with new technologies.

14 The application operates in s________________ circumstances, where it can access the internet and use location information.

15 A________________ in technology have made our everyday lives more comfortable.

[16~20] 단어와 영영 풀이를 알맞은 것끼리 연결하세요.

16 come to an end • • ⓐ to stop and no longer continue

17 transform • • ⓑ the power that causes something to fall to the ground

18 gravity • • ⓒ being correct without any errors

19 accurate • • ⓓ to get faster and faster

20 accelerate • • ⓔ to change something into another thing

Picture Review

사진과 함께 오늘 배운 단어를 다시 기억해보세요.

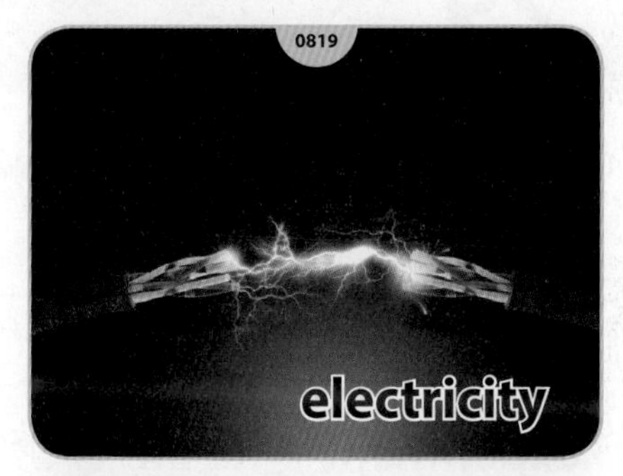

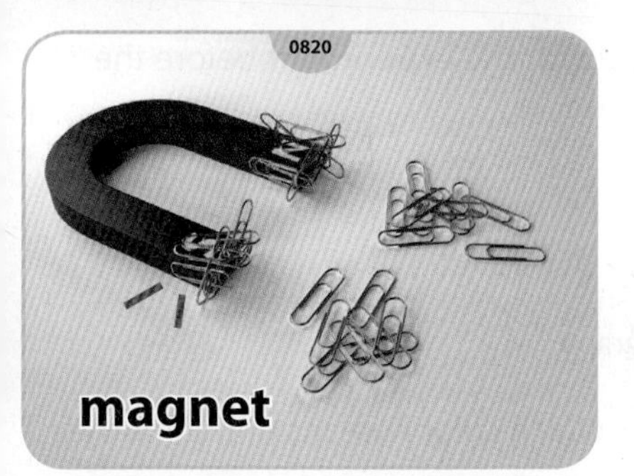

DAY 29

Research & Experiments

Positive한 태도로 인생을 살아가면 복이 온대요. :)

CORE 핵심 어휘

☐ 0841

experiment 명 실험 동 실험하다

[ikspérəmənt]

Kevin has to set up for the **experiment** before the science class starts. 기출

Kevin은 과학 수업이 시작하기 전에 **실험**을 위해 준비해야 한다.

☐ 0842

chart 명 도표, 차트 ㊐ graph

[tʃɑːrt]

The **chart** shows which color Koreans prefer for their cars. 기출

도표가 한국인들이 자동차에 대해 어떤 색을 선호하는지 보여준다.

☐ 0843

sheet 명 1. (종이) 한 장 ㊐ piece 2. (침대의) 시트

[ʃiːt]

The students should write their reports on a **sheet** of paper after doing the experiment.

학생들은 실험을 한 후에 종이 **한 장**에 보고서를 써야 한다.

☐ 0844

cell 명 1. 세포 2. 방, 칸

[sel]

The man observed the **cells** of a living frog through a microscope.

남자는 현미경을 통해 살아있는 개구리의 **세포들**을 관찰했다.

□ 0845

negative

형 1. 나쁜, 부정적인 2. 반대의

[négətiv]

An exposure to ultraviolet light can have some **negative** effects on the skin. 기출

자외선으로의 노출은 피부에 **나쁜** 영향을 줄 수 있다.

□ 0846

positive

형 1. 명확한 2. 긍정적인 반 negative 부정적인

[pá:zətiv]

It turned out that people felt comfortable with **positive** situations.

사람들은 **명확한** 상황을 편안하게 느끼는 것으로 밝혀졌다.

□ 0847

poison

명 독, 독약

[pɔ́izn]

Be careful of the **poison** contained in some chemicals, especially in a laboratory.

특히 실험실에서, 일부 화학 물질들에 포함된 **독**을 조심해라.

+ poisonous 형 독이 있는

□ 0848

cause

명 원인 동 야기하다

[kɔ:z]

Many doctors have searched for the **causes** of a rare heart disease. 기출

많은 의사들이 희귀 심장 질환의 **원인들**을 연구해왔다.

□ 0849

iron

명 1. 철, 쇠 2. 다리미 동 다림질하다

[áiərn]

The experiment's equipment is made of **iron**.

그 실험 장비는 **철**로 만들어졌다.

□ 0850

material | 명 1. 물질, 재료 ㊚ matter 2. 자료 형 물질의

[mətíəriəl]

Scottish researchers discovered a very strong and light **material**. 교과서

스코틀랜드의 연구원들은 매우 강하고 가벼운 **물질**을 발견했다.

□ 0851

angle | 명 1. 각도, 각 2. 관점 ㊚ aspect

[ǽŋgl]

James measured the **angle** between the two pipes.

James는 두 개의 관 사이의 **각도**를 측정했다.

□ 0852

enable | 동 ~할 수 있게 하다

[inéibl]

Experiments **enable** scientists to test their hypotheses.

실험은 과학자들이 그들의 가설들을 시험해 볼 **수 있게 한다**.

□ 0853

rate | 명 1. 비율 2. 속도 3. 요금 동 평가하다

[reit]

The research showed that the **rate** of diseases caught in water dropped. 기출

그 연구는 물에서 걸리는 질병들의 **비율**이 감소했다는 것을 보여주었다.

□ 0854

element | 명 1. 요소, 성분 ㊚ component 2. 원소

[éləmənt]

I studied the essential **elements** of photosynthesis.

나는 광합성의 필수 **요소들**을 연구했다.

□ 0855

factor | 명 요인, 요소 ㊚ component

[fǽktər]

Many **factors** are considered for a successful study.

성공적인 연구를 위해 많은 **요인들**이 고려된다.

□ 0856

suppose [səpóuz]

동 1. 가정하다 ㊒ assume 2. 추측하다

To keep bees, many people **suppose** that it's essential to have a large garden. 기출

벌을 키우기 위해서는, 많은 사람들이 큰 정원을 가지는 것이 필수적이라고 **가정한다**.

□ 0857

besides [bisáidz]

전 ~ 외에 부 게다가

There are many topics to research **besides** biology.

생물학 **외에** 연구할 많은 주제들이 있다.

□ 0858

neither [níːðər]

형 어느 것도 ~ 아닌 대 어느 쪽도 ~ 아니다

Neither result of the research matches with the hypothesis.

연구의 결과들 중 **어느 것도** 가설에 맞지 **않는다**.

Plus +

상관접속사 neither

neither는 nor와 함께 쓰이는 상관접속사예요. 다른 상관접속사에는 어떤 것들이 있는지 알아볼까요?

I like **neither** apples **nor** bananas.

나는 사과와 바나나 중에 **어느 것도** 좋아하지 **않는다**.

Can I have **either** an apple **or** a banana?

내가 사과와 바나나 **둘 중에 하나를** 먹어도 될까?

I like **both** apples **and** bananas. 나는 사과와 바나나 **둘 다를** 좋아한다.

□ 0859

certain [sə́ːrtn]

형 1. 확신하는, 확실한 2. 특정한

He is **certain** that his scientific research will succeed.

그는 자신의 과학 연구가 성공할 것이라고 **확신한다**.

□ 0860

move on

~으로 넘어가다, 이동하다

Let's **move on** to the next step of the survey.

설문 조사의 다음 단계로 **넘어가자**.

ADVANCED 심화 어휘

□ 0861

layer 명 층, 막

[léiər]

The students analyzed the components of the ozone **layer**.
학생들은 오존**층**의 구성 성분들을 분석했다.

□ 0862

equipment 명 장비, 용품

[ikwípmənt]

Wear protective **equipment** before testing.
실험하기 전에 보호 **장비**를 착용해라.

+ equip 동 장비를 갖추다

□ 0863

research 명 연구, 조사 동 연구하다, 조사하다

[rísəːrtʃ]

The **research** shows that people who exercise later in the day can't sleep well. 기출
연구는 오후 늦게 운동하는 사람들이 잠을 잘 자지 못한다는 것을 보여준다.

+ researcher 명 연구원

□ 0864

flame 명 불꽃, 불길 유 spark

[fleim]

Andy was injured by the **flames** in the laboratory.
Andy는 실험실에서 **불꽃**에 의해 상처를 입었다.

□ 0865

precise 형 정밀한, 정확한 유 accurate

[prisáis]

For meaningful results, **precise** research should be done.
의미 있는 결과를 위해, **정밀한** 연구가 이루어져야 한다.

□ 0866

outline

명 1. 개요 유 summary 2. 윤곽

[áutlain]

Write a simple **outline** of your experiment.
네 실험의 간단한 **개요**를 써라.

□ 0867

electronic

형 전자의

[ìlektrá:nik]

The **electronic** scale is commonly used these days.
전자저울은 요즘 흔하게 사용된다.

Plus +

형용사 접미사 ic

접미사 ic는 명사 뒤에 붙어서 형용사를 만들어요.

electron 전자 + ic ▸ electronic 전자의
artist 예술가 + ic ▸ artistic 예술적인
symbol 상징 + ic ▸ symbolic 상징적인

□ 0868

analyze

동 분석하다

[ǽnəlàiz]

Big data is **analyzed** by experts. 교과서
빅 데이터는 전문가들에 의해 **분석된다**.

□ 0869

take advantage of

~을 이용하다

The scientists **took advantage of** modern cameras to study the cells in detail.
과학자들은 세포들을 자세히 연구하기 위해 현대식 카메라를 **이용했다**.

□ 0870

turn out

1. ~인 것으로 드러나다 2. (결과적으로) ~이 되다

The theory about the human brain **turned out** to be false.
인간의 두뇌에 대한 이론이 사실이 아닌 **것으로 드러났다**.

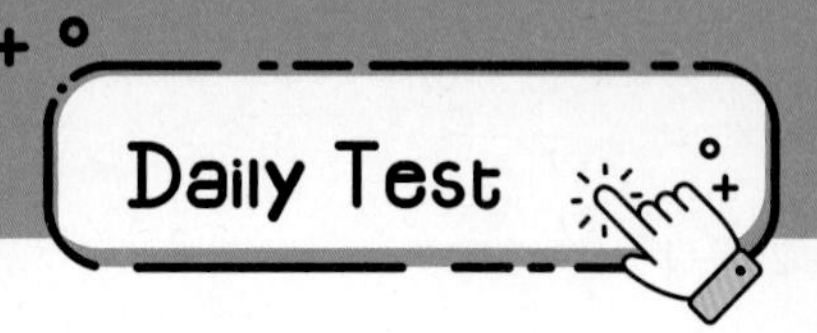

[01~06] 단어와 뜻을 알맞은 것끼리 연결하세요.

01 cause	•	• ⓐ 원인, 야기하다
02 rate	•	• ⓑ 비율, 속도, 요금, 평가하다
03 suppose	•	• ⓒ 불꽃
04 move on	•	• ⓓ ~인 것으로 드러나다, (결과적으로) ~이 되다
05 flame	•	• ⓔ ~으로 넘어가다
06 turn out	•	• ⓕ 가정하다, 추측하다

[07~13] 빈칸에 알맞은 단어를 주어진 철자로 시작하여 쓰세요.

07 I will t______________ a new microscope to examine bacteria.

08 Did you a______________ the data? What was the result?

09 I studied the ozone l______________.

10 Knowledge usually e______________ us to study society deeply.

11 The r______________ about nutrition and diet has made people focus on nutritionally balanced food.

12 After I planned an experiment for next semester, I submitted an o______________ to the professor.

13 It was c______________ that the experiment succeeded.

[14~17] 괄호 안에 주어진 지시에 맞게 빈칸을 채우세요.

14 poison 독 → (형용사형) ______________

15 precise 정확한 → (유의어) ______________

16 equipment 장비 → (동사형) ______________

17 element 요소 → (유의어) ______________

[18~20] 단어의 성격이 나머지와 다른 하나를 고르세요.

18 ① experiment ② sheet ③ electronic ④ cell ⑤ device

19 ① chart ② besides ③ layer ④ angle ⑤ astronaut

20 ① factor ② analyze ③ enable ④ suppose ⑤ invent

Picture Review

사진과 함께 오늘 배운 단어를 다시 기억해보세요.

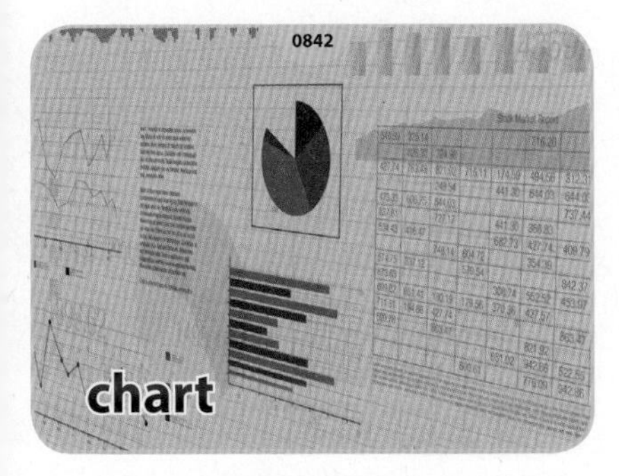

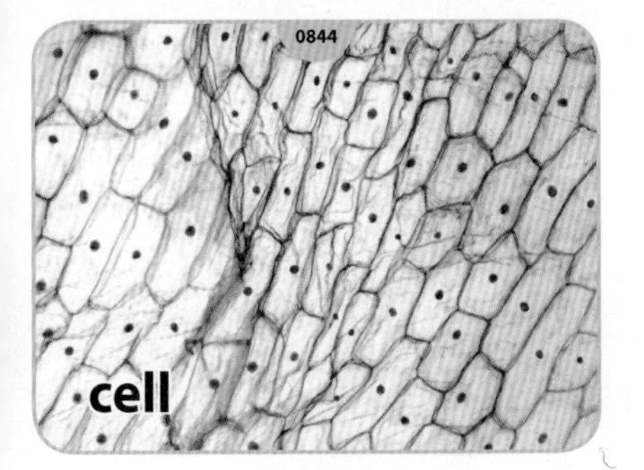

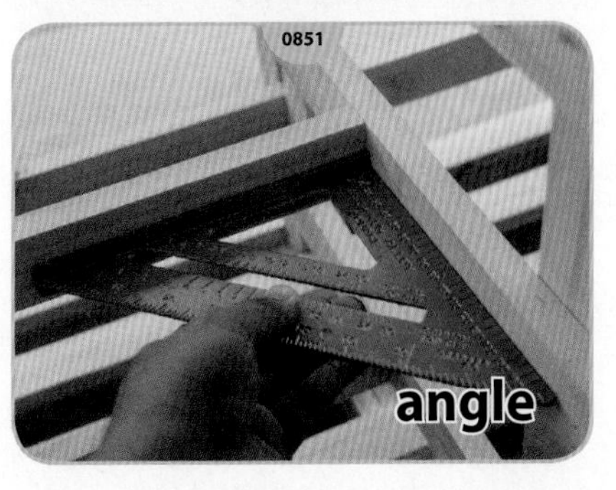

HACKERS

SECTION 6

World & Society

DAY 30

Society

우리는 성격도 생김새도 모두 differ하지만, 서로의 gap을 이해하며 더불어 살아가고 있어요.

CORE 핵심 어휘

☐ 0871

social

[sóuʃəl]

형 1. 사회적인, 사회의 2. 사교적인

Many companies hire employees regardless of their age, education, and **social** background. 기출

많은 회사들이 나이, 학력, 그리고 **사회적인** 배경에 관계없이 직원들을 고용한다.

+ society 명 사회

Plus +

SNS

SNS는 Social Networking Service의 줄임말로 '사회 연결망 서비스'라는 뜻이에요. 영어로는 SNS라고 하지 않고 social media(사회적 매체)라고 한다는 점도 알아두세요!

☐ 0872

relate

[riléit]

동 관련시키다, 관련이 있다

A few people tend to **relate** their success with their fate.

몇몇 사람들은 그들의 성공과 운명을 **관련시키는** 경향이 있다.

+ relation 명 관계 be related to ~과 관련이 있다

☐ 0873

status

[stǽtəs]

명 1. 지위, 신분 유 position 2. 상태

Jackson values his social **status**.

Jackson은 자신의 사회적 **지위**를 중요시한다.

☐ 0874

differ

동 다르다 유 vary

[dífər]

People's lifestyles and values **differ** from one another. 기출

사람들의 생활 방식과 가치관은 서로 **다르다**.

+ different 형 다른　difference 명 차이

☐ 0875

gap

명 1. 격차, 차이 유 difference　2. 틈

[gæp]

The **gap** between the rich and the poor has widened.

부유한 사람들과 가난한 사람들 사이에 **격차**가 커졌다.

☐ 0876

volunteer

명 자원봉사자　동 자원하다　형 자원하는

[và:ləntíər]

We need **volunteers** for cleaning, washing, cooking, and so on. 기출

우리는 청소, 세탁, 요리 등을 위한 **자원봉사자들**이 필요하다.

☐ 0877

organization

명 1. 조직, 단체　2. 구성

[ɔ̀:rgənizéiʃən]

A community center is an **organization** composed of ordinary citizens. 기출

지역 주민 센터는 일반 시민들로 구성된 **조직**이다.

☐ 0878

opportunity

명 기회 유 chance

[à:pərtjú:nəti]

Some people avoid the **opportunity** to make a public presentation because it makes them anxious. 기출

어떤 사람들은 공개 발표를 할 **기회**를 피하는데 이는 그것이 그들을 긴장하게 만들기 때문이다.

☐ 0879

advantage

명 장점, 이점 반 disadvantage 단점

[ædvǽntidʒ]

Flexible thinking can be an **advantage** when adapting to new circumstances.
유연한 사고는 새로운 환경에 적응할 때 **장점**이 될 수 있다.

☐ 0880

tend

동 경향이 있다, 하기 쉽다

[tend]

Most people **tend** to be nervous when they join a new group.
대부분의 사람들은 그들이 새로운 집단에 가입할 때 긴장하는 **경향이 있다**.

+ tend to ~하는 경향이 있다, ~하기 쉽다

☐ 0881

require

동 요구하다, 필요로 하다 유 demand

[rikwáiər]

Morality **requires** us to consider the impacts of our choices on others.
도덕은 우리의 선택들이 다른 사람들에게 미칠 영향들을 고려할 것을 우리에게 **요구한다**.

+ requirement 명 요구, 필요

☐ 0882

proper

형 1. 적절한 유 appropriate 2. 예의 바른

[prá:pər]

Maintaining a **proper** distance between people is important. 기출
사람들 사이에 **적절한** 거리를 유지하는 것은 중요하다.

+ properly 부 적절하게

☐ 0883

ethic

명 윤리, 도덕

[éθik]

If a team member displays a strong work **ethic** and starts to have a positive impact, others copy him or her. 기출
만약 팀원이 강한 직업 **윤리**를 보여주고 긍정적인 영향을 미치기 시작하면, 다른 사람들이 그나 그녀를 따라 할 것이다.

□ 0884

affect

동 영향을 미치다 유 influence

[əfékt]

Televisions **affect** our thoughts and behaviors.
텔레비전은 우리의 생각과 행동에 **영향을 미친다**.

Plus +

affect vs. effect

affect는 '영향을 주다'의 뜻을 가지는 동사이고, effect는 '영향', 결과'의 뜻을 가지는 명사예요.

A lot of trash **affects** the environment.
많은 양의 쓰레기가 환경에 **영향을 미친다**.

The virus had serious **effects** on the world.
그 바이러스는 세계에 심각한 **영향**을 주었다.

□ 0885

moral

형 도덕적인, 도덕의 반 immoral 부도덕한

[mɔ́:rəl]

Taking care of the poor is a **moral** duty.
가난한 사람들을 돌보는 것은 **도덕적** 의무이다.

□ 0886

circumstance

명 상황, 환경 유 condition

[sə́:rkəmstæns]

The world was under bad **circumstances** due to COVID-19.
세계는 코로나 19로 인해 나쁜 **상황**에 처해 있었다.

□ 0887

liberty

명 자유 유 freedom

[líbərti]

The right to vote is a **liberty** all people can enjoy.
투표할 권리는 모든 사람들이 누릴 수 있는 **자유**이다.

□ 0888

standard

명 기준, 표준 형 일반적인

[stǽndərd]

In America, thin women have been considered the **standard** of beauty. 기출
미국에서, 마른 여성들이 미인의 **기준**으로 여겨져왔다.

□ 0889

intend 동 ~할 작정이다, 의도하다 ㊒ mean

[inténd]

The government **intends** to solve the high cost of housing.
정부가 높은 주거 비용을 해결**할 작정이다**.

□ 0890

fill out 작성하다, 기입하다

I **filled out** a form to support the poor students.
나는 가난한 학생들을 후원하기 위한 신청서를 **작성했다**.

ADVANCED 심화 어휘

□ 0891

indicate 동 1. 나타내다, 보여주다 2. 가리키다

[índikèit]

The study **indicates** that Korea is becoming an aging society.
연구는 한국이 고령화 사회가 되어가고 있다는 것을 **나타낸다**.

□ 0892

arise 동 발생하다, 생기다 (arose-arisen)

[əráiz]

The social problems **arose** from the economic crisis.
사회적 문제들이 경제 위기로부터 **발생했다**.

□ 0893

establish 동 1. 설립하다 ㊒ found 2. 확립하다

[istǽbliʃ]

Bud **established** Global Volunteers, an organization that helps people around the world. 기출
Bud는 전 세계의 사람들을 돕는 Global Volunteers라는 조직을 **설립했다**.

□ 0894

prospect 명 1. 전망, 가망 2. 경치, 조망 ㊒ view

[prά:spekt]

Our society has faced the **prospect** of a low birth rate.
우리 사회는 저출산율의 **전망**에 직면했다.

☐ 0895

conflict

[kάnflikt]

명 갈등, 충돌 동 [kənflíkt] 대립하다

Dorothy Hodgkin showed great concern for resolving social **conflicts**. 기출

Dorothy Hodgkin은 사회적 **갈등들**을 해결하는 것에 큰 관심을 보였다.

☐ 0896

contribute

[kəntríbjuːt]

동 1. 기여하다 2. 원인이 되다 3. 기부하다

Nobel decided to **contribute** to the world. 교과서

노벨은 세상에 **기여할** 것을 결심했다.

☐ 0897

deserve

[dizə́ːrv]

동 ~을 해야[받아야] 마땅하다, ~을 받을 만하다

The mayor **deserves** the award from the government.

그 시장은 정부로부터 상을 **받아야 마땅하다**.

☐ 0898

significant

[signífikənt]

형 1. 중대한, 중요한 2. 상당한

Inequality is still a **significant** social problem.

불평등은 여전히 **중대한** 사회적 문제이다.

☐ 0899

look back on

되돌아보다, 회상하다

As I **looked back on** the past, I realized there was always an economic crisis.

내가 과거를 **되돌아봤더니**, 항상 경제 위기가 있다는 것을 깨달았다.

☐ 0900

drop out

중퇴하다, 탈퇴하다

In developing countries, girls often have to **drop out** of school because they must work. 기출

개발 도상국에서, 여자아이들은 종종 학교를 **중퇴해야** 하는데 이는 그들이 일해야 하기 때문이다.

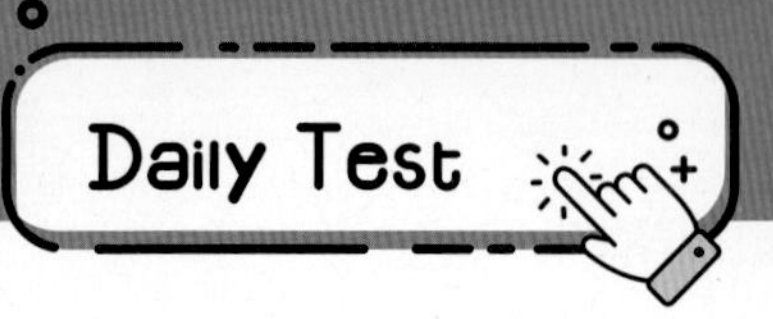

[01~10] 우리말과 같은 뜻이 되도록 빈칸에 알맞은 단어를 쓰세요.

01 경제적 지위 the economic ______________

02 사회적 문제 a(n) ______________ problem

03 비영리 단체 a non-profit ______________

04 변화를 요구하다 ______________ changes

05 규칙을 깨기 쉽다 ______________ to break rules

06 업무 윤리 work ______________

07 엄격한 기준 a strict ______________

08 사회에 기여하다 ______________ to society

09 자유와 평화 ______________ and peace

10 도덕적인 삶 a(n) ______________ life

[11~15] 빈칸에 알맞은 단어를 <보기>에서 한 번씩 골라 쓰세요.

<보기>	arise	deserve	dropped out	significant	prospect

11 You ______________ to be praised for your devotion to the country.

12 My grandmother ______________ of middle school because of poverty.

13 There is no ______________ of economic development in the meantime.

14 Conflicts often ______________ between members of the community.

15 The president announced a(n) ______________ policy change.

[16~20] 단어의 관계가 <보기>와 일치하도록 빈칸에 알맞은 단어를 쓰세요.

<보기>	status - position

16 circumstance - ______________

17 proper - ______________

18 differ - ______________

19 intend - ______________

20 opportunity - ______________

Picture Review

사진과 함께 오늘 배운 단어를 다시 기억해보세요.

DAY 31 Economy

미국의 작가 데일 카네기는 자신에 대한 credit이 있으면 뭐든지 할 수 있다고 말했어요.

CORE 핵심 어휘

□ 0901

invest 동 투자하다

[invést]

She **invested** all her money in her new business. 기출

그녀는 자신의 새로운 사업에 모든 돈을 **투자했다**.

+ investment 명 투자

□ 0902

rent 명 집세, 방세 동 빌리다, 빌려주다

[rent]

How much do you pay for **rent** every month?

너는 매달 **집세**로 얼마나 지불하니?

□ 0903

fund 명 기금, 자금 동 자금을 제공하다

[fʌnd]

She raised **funds** to support orphans.

그녀는 고아들을 지원하기 위해 **기금**을 모았다.

+ raise fund 기금[자금]을 모으다

□ 0904

loss 명 1. (금전적) 손해, 손실 반 gain 이득 2. 분실

[lɔːs]

The company's **losses** were much greater than expected.

회사의 **손해**는 예상했던 것보다 훨씬 더 컸다.

□ 0905

credit

명 신용, 신뢰 동 믿다, 신용하다

[krédit]

The **credit** limit on Sam's card is 400 dollars.
Sam의 카드에 대한 **신용** 한도는 400달러이다.

Plus +

credit card
credit card는 '신용'이라는 뜻의 credit과 '카드'를 의미하는 card가 합쳐져서 만들어진 단어로, 일상생활에서 흔하게 사용하는 '신용 카드'를 의미한답니다.

□ 0906

fake

형 위조의, 가짜의 반 genuine 진짜의 명 가짜, 모조품

[feik]

The law was made to punish the making of **fake** bills.
위조지폐를 만드는 것을 처벌하기 위해 법이 만들어졌다.

□ 0907

debt

명 빚, 부채

[det]

Jack couldn't pay his **debt**. 기출
Jack은 자신의 **빚**을 갚을 수 없었다.

□ 0908

burden

명 부담, 짐 동 부담을 지우다

[bə́:rdn]

As a student, paying for the rent is a big **burden**.
학생으로서, 집세를 지불하는 것은 큰 **부담**이다.

□ 0909

target

명 1. 목표, 대상 유 goal 2. 표적, 과녁

[tá:rgit]

The organization raised funds to reach its **target** of two million dollars.
단체가 자금을 모아 이백만 달러의 **목표**를 달성했다.

□ 0910

budget

명 예산, 경비

[bʌ́dʒit]

The public organization set its yearly **budget**.
공공 단체가 연간 **예산**을 책정했다.

□ 0911

worth

형 ~의 가치가 있는 명 가치

[wəːrθ]

The company is **worth** over 500 million dollars. 기출
그 회사는 5억 달러 이상**의 가치가 있다**.

+ worthless 형 가치 없는

□ 0912

demand

명 1. 수요 2. 요구 유 request 동 요구하다

[dimǽnd]

Increased **demand** makes prices higher. 기출
증가된 **수요**는 가격을 더 높게 만든다.

□ 0913

supply

명 공급 반 demand 수요 동 공급하다 유 provide

[səplái]

The rice **supply** in Southeast Asia is unstable.
동남아시아에서의 쌀 **공급**이 불안정하다.

□ 0914

decline

동 1. 감소하다, 하락하다 유 decrease 2. 거절하다

[dikláin]

India's rubber production **declined** in 2010. 기출
인도의 고무 생산량은 2010년에 **감소했다**.

□ 0915

capital

명 1. 자본, 자금 2. 수도 3. 대문자

[kǽpətl]

To start my own business, I need more **capital**.
내 자신의 사업을 시작하기 위해, 나는 더 많은 **자본**이 필요하다.

□ 0916

fortune

명 1. 재산, 부 2. 운, 운세 유 luck

[fɔ́:rtʃən]

Ted made a large **fortune** from his business.
Ted는 그의 사업을 통해 큰 **재산**을 모았다.

+ fortunate 형 운 좋은

Plus +

fortune teller

fortune teller는 '운세'를 뜻하는 fortune과 '말해주는 사람'을 의미하는 teller가 합쳐져서 만들어진 단어로, '점술가'를 의미한답니다.

□ 0917

property

명 1. 재산, 소유물 유 possessions 2. 부동산

[prɑ́:pərti]

A **property** tax will be raised from next month.
다음 달부터 **재산**세가 인상될 것이다.

□ 0918

allowance

명 1. 용돈, 수당 2. 허용

[əláuəns]

I get a monthly **allowance**, but I never have enough. 교과서
나는 매달 **용돈**을 받지만, 결코 충분하지 않다.

□ 0919

economic

형 경제의, 경제학의 유 financial

[ì:kənɑ́:mik]

In African countries, more and more women are engaged in **economic** activities. 기출
아프리카 국가들에서, 점점 더 많은 여성들이 **경제** 활동에 종사하고 있다.

+ economy 명 경제

□ 0920

cut down

줄이다, 낮추다

The company **cut down** the total output of electric cars.
회사가 전기 자동차의 총생산량을 **줄였다**.

ADVANCED 심화 어휘

□ 0921

afford 동 (시간적·금전적으로) 여유가 있다

[əfɔ́:rd]

The country **affords** to pay foreign debts now.
그 나라는 지금 외국 부채를 갚을 **여유가 있다**.

+ afford to ~할 여유가 있다

□ 0922

account 명 1. 계좌 2. 설명, 기술 동 (~이라고) 생각하다, 여기다

[əkáunt]

To check your **account** balance, please press 1. 기출
당신의 **계좌** 잔고를 확인하시려면, 1번을 눌러 주세요.

□ 0923

estimate 명 추정(치), 견적 동 추정하다, 어림하다

[éstəmèit]

The company's loss **estimates** are about one million dollars.
회사의 손실 **추정치**는 약 백만 달러이다.

□ 0924

guarantee 동 보장하다, 보증하다 유 ensure 명 보장, 보증

[gæ̀rəntí:]

The man was **guaranteed** certain investment benefits.
남자는 일정한 투자 이익을 **보장받았다**.

□ 0925

finance 명 1. 재정, 재무 2. 자금, 재원

[fáinæns]

The university's bad management of **finances** caused a lack of money.
대학교의 서투른 **재정** 경영이 자금의 부족을 초래했다.

+ financial 형 재정의, 금융의

☐ 0926

currency

명 1. 통화, 화폐 2. 유통, 통용

[kə́ːrənsi]

Lots of foreign **currency** was brought into China.
많은 외국 **통화**가 중국으로 유입되었다.

➕ current 형 유통되는, 지금의

☐ 0927

priceless

형 아주 귀중한, 값을 매길 수 없는 유 valuable

[práislis]

The **priceless** painting is believed to be worth 1.5 million dollars.
아주 귀중한 그 그림은 150만 달러의 가치가 있는 것으로 여겨진다.

Plus +

priceless의 반전 있는 뜻

priceless는 price(가치)에 '~이 없는'을 뜻하는 접미사 less가 붙어 '가치가 없는'을 뜻할 것 같지만, 반대로 '아주 귀중한'이라는 뜻으로 쓰인답니다. less가 붙으면서 너무 가치가 높아서 값을 헤아릴 수 없다는 뜻을 가지게 되었기 때문이에요!

☐ 0928

possess

동 소유하다, 가지다 유 own

[pəzés]

A lady purchased the land that I used to **possess**.
한 여성이 내가 **소유했던** 땅을 매입했다.

☐ 0929

pay off

갚다, 청산하다

The company **paid off** all debts last month.
그 회사는 지난달에 모든 빚을 **갚았다**.

☐ 0930

figure out

1. 산출하다, 계산하다 2. 알아내다, 이해하다

First, the employee **figured out** the necessary budget.
우선, 직원은 필요한 예산을 **산출했다**.

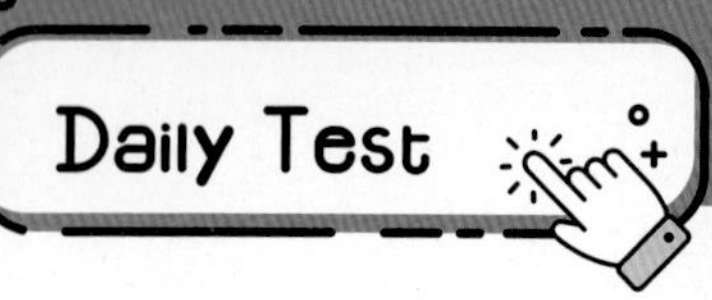

[01~05] 단어와 뜻을 알맞은 것끼리 연결하세요.

01 capital • • ⓐ 계좌, 설명, (~이라고) 생각하다

02 burden • • ⓑ 줄이다

03 property • • ⓒ 재산, 부동산

04 account • • ⓓ 자본, 수도, 대문자

05 cut down • • ⓔ 부담, 부담을 지우다

[06~10] 괄호 안에 주어진 지시에 맞게 빈칸을 채우세요.

06 fortune 운 → (유의어) ____________

07 currency 유통 → (형용사형) ____________

08 possess 소유하다 → (유의어) ____________

09 loss 손해 → (반의어) ____________

10 demand 요구 → (유의어) ____________

[11~20] 우리말과 같은 뜻이 되도록 빈칸에 알맞은 단어를 쓰세요.

11 높은 집세 a high ____________

12 빚을 갚다 ____________ a debt

13 낮은 신용 low ____________

14 충분히 큰 예산 a large enough ____________

15 그들은 새로운 기술에 투자할 계획이다.
They plan to ____________ in new technology.

16 그는 재무에 전문가이다. He is an expert in ____________.

17 나는 그 지폐가 가짜라고 생각했다. I thought that the bill was ____________.

18 매출은 약 10퍼센트 감소할 것이다. The sales will ____________ by about 10%.

19 그 회사는 제품의 안정성을 확실히 보장한다.
The company is sure to ____________ the safeness of its products.

20 어떤 사람들은 돈이 가장 귀중한 것이라고 생각한다.
Some think that money is the most ____________ thing.

Picture Review

사진과 함께 오늘 배운 단어를 다시 기억해보세요.

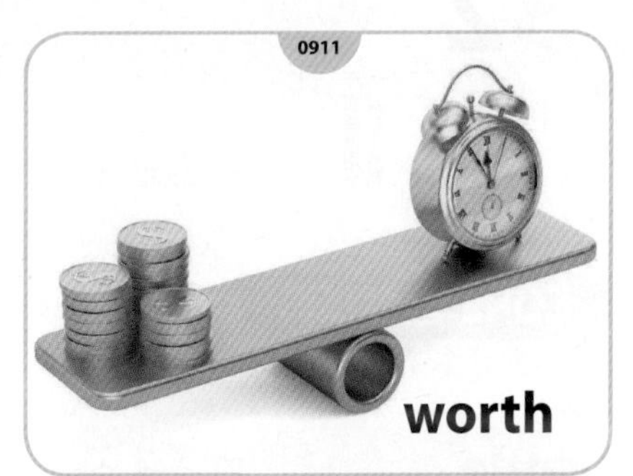

Industry

Aim을 정하는 것이 모든 일의 시작이에요.

CORE 핵심 어휘

□ 0931

cattle 명 소떼, 소

[kǽtl]

Cattle are used in the farming industry.
소떼는 농업에 이용된다.

□ 0932

herd 명 (가축의) 떼, 무리 유 flock

[həːrd]

A farm raising a **herd** of dairy cows produces milk and supplies it to the market.
젖소 **떼**를 기르는 농장은 우유를 생산해서 그것을 시장에 공급한다.

□ 0933

seed 명 씨, 종자 동 씨를 뿌리다

[siːd]

The farmer changed the method of sowing **seeds** to increase productivity.
농부는 생산성을 증가시키기 위해 **씨**를 뿌리는 방식을 바꿨다.

□ 0934

trade 동 거래하다, 교역하다 명 거래, 교역, 무역

[treid]

In the Netherlands, around 20 million flowers are **traded.** 교과서
네덜란드에서는, 약 2천만 송이의 꽃들이 **거래된다**.

□ 0935

import

[impɔ́:rt]

동 수입하다 명 수입

Korea **imports** a lot of oil from other countries.

한국은 다른 나라들로부터 많은 양의 석유를 **수입한다**.

□ 0936

export

[ikspɔ́:rt]

동 수출하다 명 수출 반 import 수입하다; 수입

The amount of rice **exported** to Thailand in 2013 was reduced. 기출

2013년에 태국으로 **수출된** 쌀의 양이 감소했다.

Plus +

export에서 '바깥쪽'을 나타내는 접두사 ex는 port(항구) 앞에 붙어, '수출하다'의 뜻을 나타내요. 접두사 ex와 반대로, '안쪽'을 의미하는 접두사 im을 port 앞에 붙이면 '수입하다'라는 뜻의 import가 된답니다.

□ 0937

crane

[krein]

명 크레인, 기중기

A **crane** is lifting up the cargo.

크레인이 화물을 들어올리고 있다.

□ 0938

offer

[ɔ́:fər]

동 제공하다, 제안하다 명 제공, 제안

Tourism **offered** the city the opportunity to grow economically.

관광업이 그 도시에 경제적으로 성장할 기회를 **제공했다**.

□ 0939

earn

[ə:rn]

동 1. (돈을) 벌다 2. 얻다 유 gain

The multinational company **earned** about a billion dollars in 2019.

다국적 기업이 2019년에 약 십억 달러를 **벌었다**.

□ 0940

business

명 1. 사업, 장사 2. 일, 업무

[bíznis]

Pallas and Charlotte started their **business** in the clothing industry. 기출

Pallas와 Charlotte은 의류업으로 그들의 **사업**을 시작했다.

Plus +

none of your business

none of your business에서 business는 '일'의 뜻으로 쓰였어요. '아무(것)도 ~않다'를 뜻하는 대명사 none과 함께 쓰여서 '네가 상관할 일이 아니다', '(나의 일에) 신경 쓰지 말아줘'의 뜻을 나타낸답니다.

□ 0941

pasture

명 초원, 목초지 유 grassland

[pǽstʃər]

A stockman let the cows graze on the **pasture**.

목축업자는 소들이 **초원**에서 풀을 뜯도록 했다.

□ 0942

construct

동 1. 건설하다 유 build 2. 구성하다

[kənstrʌ́kt]

Constructing more factories will eventually bring more workers to this area.

더 많은 공장을 **건설하는** 것은 결국 이 지역에 더 많은 노동자들을 데려올 것이다.

+ construction 명 건설, 구조

□ 0943

concrete

명 콘크리트 형 구체적인 반 abstract 추상적인

[kɑ́:nkri:t]

The use of **concrete** revolutionized the building industry.

콘크리트의 사용은 건설 산업에 혁신을 가져왔다.

□ 0944

double

동 두 배가 되다 형 두 배의

[dʌ́bl]

Crop losses from pest damage have **doubled** in the past 50 years. 기출

해충 피해로 인한 농작물 손실은 지난 50년 동안 **두 배가 되었다**.

□ 0945

mine

명 광산 동 채굴하다

[main]

Tons of iron and steel were found in the **mine**.
수 톤의 철과 강철이 **광산**에서 발견되었다.

□ 0946

industry

명 산업, 공업

[índəstri]

Voice recognition systems are welcomed in the computer **industry**. 기출
음성 인식 시스템은 컴퓨터 **산업**에서 환영받는다.

+ industrial 형 산업의

□ 0947

agriculture

명 농업 유 farming

[ǽgrikʌ̀ltʃər]

Many people in Turkey are employed in **agriculture**.
터키의 많은 사람들이 **농업**에 종사한다.

□ 0948

provide

동 제공하다, 공급하다 유 supply

[prəváid]

The center **provides** physical and mental health care to local residents.
그 시설은 신체적이고 정신적인 의료 서비스를 지역 주민들에게 **제공한다**.

Plus +

provide가 사용된 표현

- provide A with B　A에게 B를 제공하다
  He **provided** Lizzy **with** an opportunity.　그가 Lizzy**에게** 기회**를 제공했다**.
- provide B to/for A　B를 A에게 제공하다
  He **provided** an opportunity **to/for** Lizzy.　그가 기회**를** Lizzy**에게 제공했다**.

□ 0949

mechanical

형 기계의, 기계로 작동되는

[məkǽnikəl]

The steel production suddenly stopped because of the **mechanical** failure.
기계 고장 때문에 강철 생산이 갑자기 중단되었다.

□ 0950

capable of ~할 수 있는

The clothing factory is **capable of** producing 1,000 T-shirts per day.
그 의류 공장은 하루에 1,000장의 티셔츠를 생산**할 수 있다**.

ADVANCED 심화 어휘

□ 0951

aim 동 목표하다 명 목표, 목적 ㊌ goal

[eim]

The factory **aims** to export 18 million tons of steel.
그 공장은 1천8백만 톤의 강철을 수출하는 것을 **목표한다**.

+ aim to ~하는 것을 목표로 하다, 겨냥하다

□ 0952

strategy 명 전략, 계획 ㊌ plan

[strǽtədʒi]

To attract consumers, many companies are using a **strategy** known as "buzz marketing." 기출
고객들을 끌기 위해, 많은 회사들이 "버즈 마케팅"으로 알려진 **전략**을 사용하고 있다.

□ 0953

crisis 명 위기 ㊌ emergency 복 crises

[kráisis]

The fishing industry is faced with an economic **crisis**.
수산업은 경제 **위기**에 직면했다.

□ 0954

constant 형 1. 끊임없는 ㊌ continuous 2. 변함없는

[kɑ́:nstənt]

The production of cheese is possible thanks to the **constant** milk supply.
치즈의 생산은 **끊임없는** 우유 공급 덕분에 가능하다.

□ 0955

commerce 명 상거래, 상업, 교역

[ká:mə:rs]

Maybe the fastest-growing part of the Internet is the online **commerce.** 기출

아마도 인터넷에서 가장 빠르게 성장하는 분야는 온라인 **상거래**일 것이다.

□ 0956

assemble 동 1. 모이다, 모으다 유 gather 2. 조립하다

[əsémbl]

Several food companies **assembled** to organize a cartel.

몇몇 식품 회사들이 기업 연합을 조직하기 위해 **모였다**.

□ 0957

cultivate 동 1. 가꾸다, 재배하다 유 grow 2. 경작하다

[kʌ́ltiveit]

Some farmers started to **cultivate** flowers near the city.

몇몇 농부들이 도시 근처에 꽃을 **가꾸기** 시작했다.

□ 0958

manufacture 동 생산하다, 제조하다 유 produce 명 생산, 제조

[mæ̀njufǽktʃər]

The hybrid cars were **manufactured** in the factory in Mexico.

하이브리드 차들이 멕시코에 있는 공장에서 **생산되었다**.

□ 0959

make up for ~을 메우다, 보충하다

The company **made up for** the financial loss.

회사가 재정적 손실을 **메웠다**.

□ 0960

regardless of ~에 상관없이

Our company can produce any mattress, **regardless of** size.

우리 회사는 크기**에 상관없이** 어떤 매트리스든 생산할 수 있다.

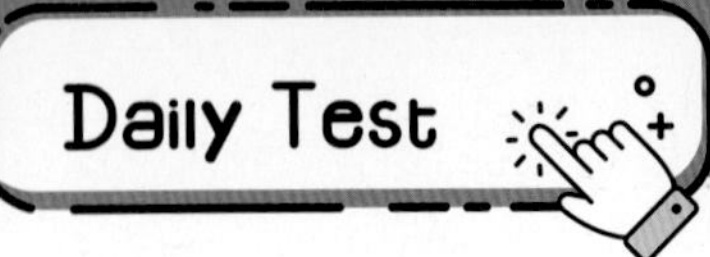

[01~10] 우리말과 같은 뜻이 되도록 빈칸에 알맞은 단어를 쓰세요.

01 금 광산 a gold ______________

02 서비스 산업 the service ______________

03 이익이 두 배가 되다 ______________ the profit

04 사업을 확장하다 expand the ______________

05 푸른 초원 the green ______________

06 기계 기술자 a(n) ______________ engineer

07 치밀한 전략 an organized ______________

08 국제 교역 international ______________

09 부족한 금액을 보충하다 ______________ the shortage

10 투자 수익을 제공하다 ______________ investment returns

[11~15] 빈칸에 알맞은 단어를 <보기>에서 골라 한 번씩 쓰세요.

<보기>	aims	is capable of	crisis	imports	trade

11 The farmer is faced with a serious ______________ with cultivating potatoes.

12 The factory ______________ producing bags and shoes now.

13 The company ______________ to increase the sales of its TV by 20% next year.

14 We don't ______________ with that business anymore after the incident.

15 Korea ______________ raw materials from many countries to make complete products.

[16~20] 괄호 안에 주어진 지시에 맞게 빈칸을 채우세요.

16 provide 공급하다 → (유의어) ______________

17 export 수출하다 → (반의어) ______________

18 manufacture 생산하다 → (유의어) ______________

19 agriculture 농업 → (유의어) ______________

20 construct 건설하다 → (명사형) ______________

Picture Review

사진과 함께 오늘 배운 단어를 다시 기억해보세요.

DAY 33 Politics

오늘 할 일을 내일로 postpone하지 않기로 해요.

CORE 핵심 어휘

□ 0961

mayor 명 시장

[méiər]

Simon was finally elected as a **mayor**.
Simon은 마침내 **시장**으로 선출되었다.

□ 0962

official 명 공무원, 임원 형 공식적인, 공무상의

[əfíʃəl]

The city **officials** say they have succeeded in keeping streets clean. 기출
시 **공무원들**은 그들이 거리를 깨끗하게 유지하는 것에 성공했다고 말한다.

+ officially 부 공식적으로, 정식으로

□ 0963

policy 명 정책, 방침

[pá:ləsi]

The economic **policy** turned out to be unrealistic.
그 경제 **정책**은 비현실적인 것으로 밝혀졌다.

□ 0964

minister 명 1. 장관 2. 성직자, 목사

[mínəstər]

The **minister** of education announced a new education policy.
교육부 **장관**은 새로운 교육 정책을 발표했다.

□ 0965

election

명 선거, 당선

[ilékʃən]

The presidential **election** is coming up soon. 교과서
대통령 **선거**가 곧 다가온다.

➕ elect 동 선출하다

□ 0966

government

명 1. 정부, 정권 2. 통치, 행정

[gʌ́vərnmənt]

The Korean **government** asked the French **government** to return 297 books of Uigwe. 교과서
한국 **정부**는 프랑스 **정부**에 의궤 297권을 반환하도록 요청했다.

Plus +

명사 접미사 ment

접미사 ment는 동사 뒤에 붙어서 명사를 만들어요.
govern 통치하다 + ment ▸ government 통치
announce 발표하다 + ment ▸ announcement 발표
appoint 정하다 + ment ▸ appointment 약속
advertise 광고하다 + ment ▸ advertisement 광고

□ 0967

union

명 1. 연합, 연방 2. 조합, 협회

[júːnjən]

Today, the European **Union** consists of 27 countries.
오늘날, 유럽 **연합**은 27개 나라들로 구성된다.

□ 0968

republic

명 공화국

[ripʌ́blik]

The US is a federal **republic**.
미국은 연방 **공화국**이다.

□ 0969

council

명 1. (지방) 의회 유 assembly 2. 회의, 협의

[káunsəl]

The city **council** launched a new campaign.
시**의회**는 새로운 캠페인을 시작했다.

□ 0970

candidate 명 후보자, 지원자

[kǽndidèit]

A few members of the party tell John that he is the strongest **candidate** for mayor. 기출

정당의 몇몇 당원들은 John에게 그가 가장 강력한 시장 **후보자**라고 말한다.

□ 0971

committee 명 위원회

[kəmíti]

The **committee** decided to elect a new leader.

위원회는 새로운 지도자를 선출하기로 결정했다.

□ 0972

appeal 동 1. 애원하다 2. 상소하다 명 1. 애원 2. 상소

[əpíːl]

The politician **appealed** to the citizens to support him.

그 정치인은 시민들에게 자신을 지지해달라고 **애원했다**.

□ 0973

unify 동 통합하다, 통일하다 ㊒ unite

[júːnəfai]

The disagreements about the issue of **unifying** Europe are Europe's typical disunity. 기출

유럽을 **통합하는** 문제에 대한 의견 차이는 유럽의 대표적인 분열이다.

□ 0974

declare 동 1. 선언하다 ㊒ announce 2. 표명하다

[dikléər]

The UN **declared** 2010 to be The International Year of Biodiversity.

유엔은 2010년을 세계 생물 다양성의 해로 **선언했다**.

□ 0975

deed 명 1. 업적, 위업 2. 행위 ㊒ action

[diːd]

Politicians should be strictly judged by their **deeds**.

정치인들은 그들의 **업적**에 의해 엄격히 평가받아야 한다.

□ 0976

oppose [əpóuz]

동 반대하다, 대항하다 반 support 지지하다

The residents **oppose** the city's plan for new road developments.
주민들은 새로운 도로 개발에 대한 시의 계획에 **반대한다**.

+ opposite 형 반대의 명 정반대의 것

□ 0977

authority [əθɔ́:rəti]

명 1. 권한 유 power 2. 권위 3. (-s) 당국

The president has the ultimate **authority** to approve the government's economic policy.
대통령은 정부의 경제 정책을 승인할 최종 **권한**을 가진다.

□ 0978

insist [insíst]

동 1. 주장하다, 고집하다 2. 강요하다 유 demand

Civil groups are **insisting** that the government should increase social welfare.
시민 단체들은 정부가 사회 복지를 확대해야 한다고 **주장하고** 있다.

□ 0979

civil [sívəl]

형 1. 시민의 2. 국내의 유 domestic

Martin Luther King Jr. was involved in the **Civil** Rights Movement during the 1950s. 기출
마틴 루터 킹 주니어는 1950년대에 **시민**권 운동에 관여했다.

+ civilization 명 문명

□ 0980

result in

~을 초래하다, 야기하다 유 cause

The political decay **resulted in** low participation in politics.
정치 부패는 저조한 정치 참여를 **초래했다**.

ADVANCED 심화 어휘

□ 0981

democracy 명 1. 민주주의 2. 민주 국가

[dimá:krəsi]

In a world ruled by powerful kings, the Greeks eventually developed the idea of **democracy**. 기출

강력한 왕들에 의해 통치되는 세계에서, 그리스인들은 결국 **민주주의**의 개념을 발전시켰다.

□ 0982

permit 동 허가하다, 허용하다 유 allow 반 forbid 금지하다

[pərmít]

The trade law **permits** importing diamonds from abroad.

무역법이 해외로부터 다이아몬드를 수입하는 것을 **허가한다**.

□ 0983

approve 동 1. 승인하다 2. 찬성하다

[əprú:v]

The city council **approved** the construction of a new community center.

시의회가 새로운 지역 주민 회관의 건설을 **승인했다**.

□ 0984

assume 동 추측하다, 가정하다 유 suppose

[əsú:m]

Most citizens **assume** that the candidate will win the election.

대부분의 시민들은 그 후보가 선거에서 이길 것으로 **추측한다**.

□ 0985

convince 동 설득하다, 납득시키다 유 persuade

[kənvíns]

South Korea is trying to **convince** North Korea to give up their nuclear weapons.

남한은 북한이 핵무기를 포기하도록 **설득하기** 위해 애쓰고 있다.

□ 0986

command

[kəmǽnd]

명 명령 유 order 동 1. 명령하다 2. 지휘하다, 통솔하다

The members of the society followed the leader's **commands**.
사회 구성원들은 지도자의 **명령**을 따랐다.

□ 0987

conservative

[kənsə́ːrvətiv]

형 보수의, 보수적인 명 보수주의자

Swedish law requires that both liberal and **conservative** newspapers should be published in every town. 기출
스웨덴의 법률은 모든 도시에서 진보 신문과 **보수** 신문이 모두 발행되어야 함을 요구한다.

□ 0988

postpone

[poustpóun]

동 미루다, 연기하다 유 put off, delay

The political meeting has been **postponed** until next Thursday.
정치 회합이 다음 주 목요일까지로 **미뤄졌다**.

Plus +

postpone vs. delay

postpone은 의도를 가지고 일을 연기해야 할 때, delay는 상황에 의해 어쩔 수 없이 일을 연기해야 할 때 사용한답니다.

Can we **postpone** this appointment? 우리 이 약속을 **미룰** 수 있을까요?
The flight was **delayed** one hour due to weather conditions.
날씨 상황 때문에 비행편이 한 시간 **지연되었다**.

□ 0989

be known as

~으로 알려져 있다

He **is known as** the best president of the 20th century.
그는 20세기 최고의 대통령**으로 알려져 있다**.

□ 0990

make a decision

결정하다 유 decide

The government **made a decision** to move its capital.
정부는 수도를 옮기기로 **결정했다**.

Daily Test

[01~05] 단어와 뜻을 알맞은 것끼리 연결하세요.

01 candidate • • ⓐ ~으로 알려져 있다

02 policy • • ⓑ ~을 초래하다

03 deed • • ⓒ 후보자

04 result in • • ⓓ 정책

05 be known as • • ⓔ 업적, 행위

[06~10] 우리말과 같은 뜻이 되도록 빈칸에 알맞은 단어를 쓰세요.

06 민주주의에 대한 신념 belief in ______________

07 남아프리카 공화국 the ______________ of South Africa

08 대법원에 상소하다 ______________ to the Supreme Court

09 보수 정당 a(n) ______________ party

10 명령을 하다 give a(n) ______________

[11~15] 괄호 안에 주어진 지시에 맞게 빈칸을 채우세요.

11 unify 통합하다 → (유의어) ______________

12 declare 선언하다 → (유의어) ______________

13 government 통치 → (동사형) ______________

14 oppose 반대하다 → (반의어) ______________

15 assume 가정하다 → (유의어) ______________

[16~20] 영영 풀이에 알맞은 단어를 <보기>에서 골라 쓰세요.

<보기>	authority	mayor	minister	permit	postpone

16 ______________ : the person who runs the government of the town or city

17 ______________ : the official power to do something

18 ______________ : the person who represents the department of a government

19 ______________ : to allow someone to do something

20 ______________ : to delay an event until a later time

Picture Review

사진과 함께 오늘 배운 단어를 다시 기억해보세요.

DAY 34

Law & Order

자신의 실수나 잘못을 인정하고 먼저 apologize하는 사람이 진정으로 용기 있는 사람이에요.

CORE 핵심 어휘

□ 0991

law 명 법, 법률

[lɔː]

In 1920, the US **law** finally gave women the right to vote. 기출

1920년에, 미국 **법**은 마침내 여성들에게 투표할 권리를 주었다.

□ 0992

trial 명 1. 재판 2. 시도, 시험

[tráiəl]

The police sent the criminals to the **trial.**

경찰은 범죄자들을 **재판**에 보냈다.

+ trial and error 명 시행착오

□ 0993

murder 명 살인, 살해 동 살해하다 유 kill

[mə́ːrdər]

Ted was accused of **murder.**

Ted는 **살인**으로 기소되었다.

+ murderer 명 살인자

□ 0994

obey 동 (명령·법 등을) 지키다, 복종하다 반 disobey 불복종하다

[oubéi]

If we **obey** the law, we will never get into trouble. 기출

우리가 법을 **지키면**, 우리는 결코 곤경에 빠지지 않을 것이다.

☐ 0995

commit

동 1. (죄를) 범하다 2. 위임하다, 맡기다

[kəmít]

The man has never **committed** a crime. 기출

그 남자는 결코 죄를 **범한** 적이 없다.

☐ 0996

apologize

동 사과하다

[əpɑ́:lədʒaiz]

The minister **apologized** for breaking laws and paid a fine of 1,000 dollars.

장관은 법을 위반한 것에 대해 **사과했고** 1,000달러의 벌금을 냈다.

+ apology 명 사과, 사죄

Plus +

단어의 뜻은 '사과하다'로 똑같지만, 미국에서는 apologize를 사용하고, 영국에서는 apologise를 사용해요. 그 이유는 영국에서는 일반적으로 접미사 ize를 ise로 쓰기 때문이에요. 뜻은 같지만 철자법이 다른 단어들을 더 알아볼까요?

- emphasize(미) - emphasise(영) 강조하다
- organize(미) - organise(영) 구성하다
- recognize(미) - recognise(영) 알아보다

☐ 0997

guilty

형 1. 유죄의 2. 죄책감을 느끼는

[gílti]

The prisoner did not admit that he was **guilty**.

수감자는 자신이 **유죄라는** 것을 인정하지 않았다.

☐ 0998

innocent

형 1. 결백한, 죄 없는 반 guilty 유죄의 2. 순진한

[ínəsənt]

The woman denied the crime and kept insisting she was **innocent**. 기출

그 여자는 범죄를 부인했고 계속해서 자신이 **결백하다고** 주장했다.

☐ 0999

clue

명 단서, 실마리

[kluː]

The police found **clues**, and they solved the case.
경찰이 **단서들**을 발견했고, 그들은 그 사건을 해결했다.

☐ 1000

illegal

형 불법의, 비합법적인 반 legal 합법적인

[ilíːgəl]

It is **illegal** to discriminate against people in society.
사회에서 사람들을 차별하는 것은 **불법이다**.

☐ 1001

accuse

동 1. 고발하다, 기소하다 2. 비난하다

[əkjúːz]

Jack called the police and **accused** a man of attacking him. 교과서
Jack은 경찰을 불러 자신을 폭행한 죄로 한 남자를 **고발했다**.

+ accuse A of B A를 B의 죄로 고발하다

☐ 1002

evidence

명 증거, 흔적 유 proof

[évidəns]

Between 1989 and 2007, about 200 prisoners in the US were proven innocent on the basis of DNA **evidence**. 기출
1989년과 2007년 사이에, 미국에서 약 200명의 죄수들이 DNA **증거**에 기반하여 무죄로 입증되었다.

☐ 1003

witness

명 증인, 목격자 동 목격하다

[wítnəs]

Paul was asked to testify on the **witness** stand.
Paul은 **증인**석에서 증언할 것을 요청받았다.

Plus +

witness와 관련된 표현

- testimony 증언
- a witness stand 증인석
- testify 증언하다
- guilty as charged 기소된 대로 유죄인

□ 1004

victim

명 피해자, 희생자

[víktim]

The **victim** of the car accident attended the trial.
자동차 사고의 **피해자**가 재판에 참석했다.

□ 1005

jury

명 1. 배심원단 2. 심사위원단

[dʒúəri]

The **jury** finally found the man guilty.
배심원단은 마침내 그 남자를 유죄로 평결했다.

□ 1006

robbery

명 강도 사건, 강탈

[rɑ́:bəri]

The man was arrested for **robbery**.
남자가 **강도 사건**으로 체포되었다.

□ 1007

prevent

동 막다, 예방하다 유 stop

[privént]

The US needs stronger laws to **prevent** gun crime.
미국은 총기 범죄를 **막기** 위해 더 강력한 법이 필요하다.

+ prevention 명 예방, 방지

□ 1008

suspect

동 의심하다 유 doubt 명 [sʌ́spekt] 용의자, 혐의자

[səspékt]

The police **suspected** the strange man in the supermarket of theft.
경찰은 슈퍼마켓에 있는 수상한 남자를 절도죄로 **의심했다**.

+ suspect A of B A를 B로 의심하다

□ 1009

sentence

명 1. 형, 형벌, 선고 2. 문장 동 선고하다, 판결하다

[séntəns]

The judge gave the murderer a **sentence** of 30 years.
판사는 살인범에게 30년 **형**을 내렸다.

□ 1010

stand for ~을 나타내다, 상징하다

Scales usually **stand for** the equity of law.
천칭은 보통 법의 공정성을 **나타낸다**.

ADVANCED 심화 어휘

□ 1011

identify 동 1. 식별하다, 확인하다 유 recognize 2. 동일시하다

[aidéntifai]

Like fingerprints, handwriting can be used to **identify** suspects. 기출
지문처럼, 필체는 용의자를 **식별하는** 데 사용될 수 있다.

□ 1012

violate 동 1. 위반하다, 어기다 유 break 2. 침해하다

[váiəleit]

The composer **violated** copyright law again.
작곡가는 또다시 저작권 법을 **위반했다**.

+ violation 명 위반, 침해

□ 1013

sue 동 고소하다, 소송을 제기하다 유 accuse

[suː]

The actress **sued** the newspaper for damaging her reputation.
여배우가 자신의 평판을 훼손한 것으로 신문사를 **고소했다**.

□ 1014

deceive 동 속이다, 기만하다 유 cheat

[disíːv]

Some bad people **deceive** others to earn money.
어떤 나쁜 사람들은 돈을 벌기 위해 다른 사람들을 **속인다**.

□ 1015

confess

동 1. 자백하다, 고백하다 2. 인정하다

[kənfés]

The journalists **confessed** that they made up the fake news so that they could draw public attention. 교과서

기자들은 대중의 관심을 끌기 위해 가짜 뉴스를 만들었다고 **자백했다**.

+ confession 명 자백, 인정

□ 1016

restrict

동 통제하다, 제한하다 유 limit

[ristríkt]

Access to the crime scene is **restricted** by law.

범죄 현장으로의 접근은 법으로 **통제된다**.

□ 1017

regulate

동 1. 규제하다, 통제하다 유 control 2. (기계를) 조절하다

[régjuleit]

Excessive competition among companies must be **regulated** by the government.

기업들 간의 지나친 경쟁은 정부에 의해 **규제되어야** 한다.

□ 1018

forbid

동 금지하다, 금하다 (forbade-forbidden) 유 prohibit

[fərbíd]

Many countries have passed laws that **forbid** the fishing of endangered species. 기출

많은 국가들이 멸종위기종의 어획을 **금지하는** 법을 통과시켰다.

□ 1019

sooner or later

조만간, 머지않아

Sooner or later, the law will be revised.

조만간, 법이 개정될 것이다.

□ 1020

look up

1. (정보를) 찾아보다 2. 올려다보다

The lawyer **looked up** a copyright law on the Internet.

변호사가 인터넷에서 저작권법을 **찾아보았다**.

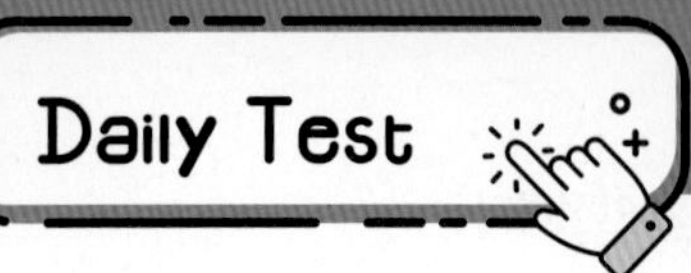

[01~05] 단어와 뜻을 알맞은 것끼리 연결하세요.

01 deceive	•	• ⓐ 살인, 살해하다
02 murder	•	• ⓑ 속이다
03 look up	•	• ⓒ (정보를) 찾아보다, 올려다보다
04 commit	•	• ⓓ (죄를) 범하다, 위임하다
05 stand for	•	• ⓔ ~을 나타내다

[06~15] 우리말과 같은 뜻이 되도록 빈칸에 알맞은 단어를 쓰세요.

06 공정한 형벌 a fair ____________

07 명백한 증거 clear ____________

08 법을 위반하다 ____________ the law

09 교통을 통제하다 ____________ traffic

10 불법 이민자 a(n) ____________ immigrant

11 범죄를 예방하다 ____________ the crime

12 용의자를 고발하다 ____________ the suspect

13 절도 사건의 목격자 a(n) ____________ to the theft

14 강도 사건의 피해자 the ____________ of the robbery

15 사회의 규칙을 지키다 ____________ the rules of society

[16~20] 빈칸에 알맞은 단어를 <보기>에서 한 번씩 골라 쓰세요.

<보기>	confessed	guilty	innocent	jury	sooner or later

16 The man insists that he is ____________ due to a lack of evidence.

17 The ____________ has the power to decide guilt in the court.

18 The new law on tobacco will take effect ____________.

19 Tom was arrested because he ____________ that he stole clothes from the store.

20 The man doesn't seem ____________, although people point their fingers at him.

Picture Review

사진과 함께 오늘 배운 단어를 다시 기억해보세요.

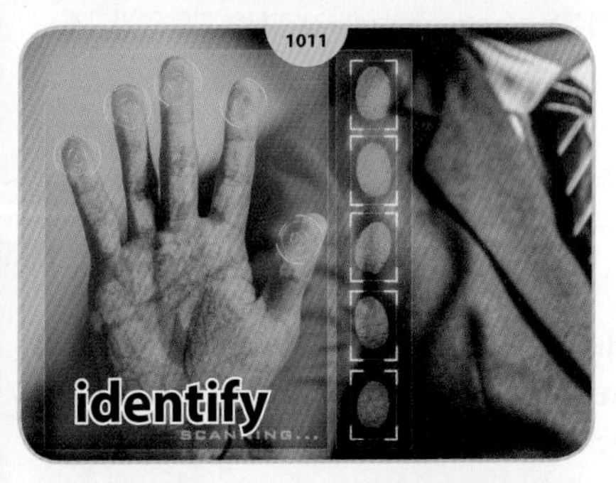

DAY 35

History

꾸준히 노력해서 gradual한 발전을 이루는 것이 당장의 결과보다 중요하답니다.

CORE 핵심 어휘

□ 1021

myth 명 1. 신화 2. (근거 없는) 통념, 허구

[miθ]

In the Mayan creation **myth**, Huracán is the weather god of wind, storms, and fire. 교과서

마야 창조 **신화**에서, 우라칸은 바람, 폭풍, 그리고 불과 관련된 날씨의 신이다.

□ 1022

legend 명 전설

[lédʒənd]

A **legend** from the island of Kauai explains how the naupaka flower got its uncommon shape. 기출

카우아이 섬에서 생겨난 **전설**은 naupaka 꽃이 어떻게 희한한 모양을 가지게 되었는지를 설명한다.

□ 1023

empire 명 제국

[émpaiər]

Hammurabi made his **empire** more stable by settling some disagreements. 기출

함무라비는 일부 의견 충돌을 해결함으로써 그의 **제국**을 더 안정되게 했다.

□ 1024

decade 명 십 년, 십 년간

[dékeid]

The French people didn't give up their free will, even in the dark **decades** of the Industrial Revolution. 기출

프랑스 사람들은 산업 혁명의 어두운 **수십 년** 속에서도, 그들의 자유 의지를 포기하지 않았다.

□ 1025

dynasty

명 1. 왕조, 왕가 2. (왕조의) 지배, 통치 기간

[dáinəsti]

Children in the Joseon **dynasty** learned the importance of harmony in family and society. 교과서

조선 **왕조**의 어린이들은 가족과 사회에서 조화의 중요성을 배웠다.

Plus +

역사 속의 dynasty

우리나라의 역사 속에서도 왕이 존재했던 시대가 있었죠? 우리나라의 왕조를 아래와 같이 표현할 수 있어요. 왕조 이름은 고유 명사이기 때문에, dynasty의 첫 글자를 항상 대문자로 쓴다는 점을 기억해두세요!

• Joseon **Dynasty** 조선 **왕조**
• Goryeo **Dynasty** 고려 **왕조**

□ 1026

origin

명 유래, 기원 유 source

[ɔ́:rədʒin]

The **origin** of the first hamburger has not been found clearly. 교과서

최초의 햄버거의 **유래**는 명확하게 밝혀지지 않았다.

+ original 형 원래의 originate 동 유래하다

□ 1027

able

형 1. 유능한, 재능 있는 2. ~할 수 있는 유 capable

[éibl]

King Sejong was an **able** leader of the Joseon dynasty.

세종대왕은 조선 왕조의 **유능한** 지도자였다.

□ 1028

custom

명 1. 풍습, 관습 유 tradition 2. (-s) 관세, 세관

[kʌ́stəm]

Celebrating Chuseok is an old Korean **custom**.

추석을 기념하는 것은 오래된 한국 **풍습**이다.

□ 1029

ancient

형 1. 고대의 반 modern 현대의 2. 아주 오래된

[éinʃənt]

Many **ancient** Egyptians lived around the Nile.

많은 **고대** 이집트인들은 나일강 주변에 살았다.

□ 1030

minority 명 1. 소수 민족 2. 소수 반 majority 다수

[mainɔ́ːrəti]

Some Chinese **minorities** have been treated badly.
일부 중국 **소수 민족들**은 나쁘게 대우받아왔다.

□ 1031

previous 형 이전의, 앞의 유 former

[príːviəs]

King Jeongjo reformed the political system established by the **previous** king.
정조 왕은 **이전** 왕에 의해 확립된 정치 체계를 개혁했다.

□ 1032

remains 명 1. 유적 2. (죽은 사람·동물의) 유해 3. 나머지

[riméinz]

Attila and the Huns caused massive destruction to the **remains** of the Roman Empire. 기출
아틸라와 훈족들은 로마 제국의 **유적**에 엄청난 파괴를 일으켰다.

+ remain 동 남다, 잔존하다

□ 1033

ruin 명 1. (-s) 유적, 폐허 2. 파괴 동 1. 파괴하다 2. 망치다

[rúːin]

Some Korean **ruins** were destroyed during the Japanese Invasion of Korea.
일본의 한국 침략 동안에 일부 한국의 **유적들**이 파괴되었다.

□ 1034

prior 형 1. 사전의, 앞의 유 previous 2. 우선하는, 중요한

[práiər]

It is hard to understand a culture without **prior** knowledge. 기출
사전 지식 없이 문화를 이해하는 것은 어렵다.

+ prior to ~에 앞서

☐ 1035

rid

동 없애다, 제거하다 (rid-rid)

[rid]

The dictator **rid** his people of political freedom.
독재자가 사람들에게서 정치적 자유를 **없앴다**.

+ get rid of ~을 없애다

☐ 1036

revolution

명 혁명

[rèvəlú:ʃən]

The Russian **Revolution** began in 1917. 기출
러시아 **혁명**은 1917년에 시작되었다.

☐ 1037

separate

동 분리하다 반 combine 통합하다 형 [sépərət] 분리된

[sépəreit]

Pakistan, which had been **separated** from India, became a Muslim country. 기출
인도로부터 **분리되어** 있었던 파키스탄은 이슬람 국가가 되었다.

☐ 1038

conserve

동 보존하다, 보호하다 유 save, preserve

[kənsə́:rv]

We have to **conserve** our historical heritage.
우리는 역사적인 유산을 **보존해야** 한다.

+ conservation 명 보존, 보호

☐ 1039

civilization

명 문명 유 culture

[sìvəlaizéiʃən]

The ancient Greek **civilization** was advanced. 기출
고대 그리스 **문명**은 진보적이었다.

☐ 1040

look for

~을 찾다, 구하다

I'm **looking for** a few books about the Joseon dynasty.
나는 조선 왕조에 관한 몇 권의 책들을 **찾고** 있다.

ADVANCED 심화 어휘

□ 1041

modern 형 근대의, 현대의

[mɑ́:dərn]

He was the first **modern** European to reach the cities of West Africa. 기출

그는 서아프리카의 도시들에 다다른 최초의 **근대** 유럽인이었다.

□ 1042

sacred 형 1. 신성한, 성스러운 2. 종교적인 유 religious

[séikrid]

In Hinduism, cows are considered **sacred** animals.

힌두교에서, 소들은 **신성한** 동물로 여겨진다.

□ 1043

antique 형 골동품인, 고미술의 명 골동품, 고미술품

[æntí:k]

The **antique** ceramics are from ancient China.

그 **골동품** 도자기들은 고대 중국에서 왔다.

□ 1044

consider 동 1. 여기다, 생각하다 2. 숙고하다, 고려하다

[kənsídər]

General MacArthur is **considered** a World War II hero.

맥아더 장군은 제2차 세계 대전의 영웅으로 **여겨진다**.

□ 1045

generation 명 1. 세대, 동시대의 사람들 2. 발생

[dʒènəréiʃən]

My **generation** has not experienced an invasion by foreign countries.

나의 **세대**는 외국에 의한 침략을 경험한 적이 없다.

□ 1046

settle

동 1. 정착하다 2. 해결하다, 합의를 보다

[sétl]

After the war, Edith **settled** in France and finished writing *The Age of Innocence* there. 기출

전쟁 이후, Edith는 프랑스에 **정착했고** 그곳에서 「순수의 시대」를 집필하는 것을 끝마쳤다.

□ 1047

evaluate

동 평가하다 유 assess

[ivǽljueit]

The historical meaning of the Korean War has been newly **evaluated.**

한국 전쟁의 역사적 의미가 새롭게 **평가되었다.**

+ evaluation 명 평가

□ 1048

gradual

형 점진적인, 점차적인 반 sudden 갑작스러운

[grǽdʒuəl]

Historically, there was a **gradual** improvement of human rights.

역사적으로, 인권의 **점진적인** 향상이 있었다.

□ 1049

end up

결국 ~하게 되다

Korea **ended up** becoming independent from Japan in 1945.

한국은 1945년에 **결국** 일본으로부터 독립**하게 되었다.**

□ 1050

go by

1. (시간이) 지나다 2. (옆을) 지나가다

As time **goes by**, it's easier to forget history.

시간이 **지나면**, 역사를 잊는 것이 더 쉽다.

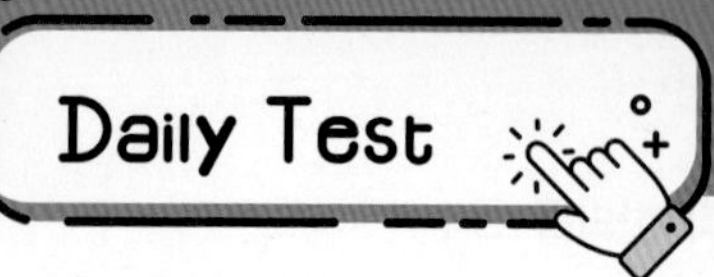

[01~05] 단어와 뜻을 알맞은 것끼리 연결하세요.

01 minority • • ⓐ 유능한, ~할 수 있는
02 sacred • • ⓑ 신성한, 종교적인
03 prior • • ⓒ 사전의, 우선하는
04 able • • ⓓ 점진적인
05 gradual • • ⓔ 소수 민족, 소수

[06~11] 우리말과 같은 뜻이 되도록 빈칸에 알맞은 단어를 쓰세요.

06 로마의 유적들 the ____________ of Rome
07 세대 차이 the ____________ gap
08 서양 문명 Western ____________
09 전통을 보존하다 ____________ tradition
10 시지프스 신화 the ____________ of Sisyphus
11 인간의 기원을 연구하다 study the ____________ of man

[12~15] 빈칸에 알맞은 단어를 주어진 철자로 시작하여 쓰세요.

12 Rome was once the center of the Roman E____________.
13 These days, I am studying m____________ American history.
14 North and South Korea have been s____________ for about 67 years.
15 As time g____________, people are likely to forget the lessons of history.

[16~20] 영영 풀이에 알맞은 단어를 <보기>에서 골라 쓰세요.

<보기> decade rid look for consider evaluate

16 ____________ : to have an opinion about someone or something
17 ____________ : to make a judgment about something
18 ____________ : for ten years
19 ____________ : to remove something
20 ____________ : to try to find or earn something

Picture Review

사진과 함께 오늘 배운 단어를 다시 기억해보세요.

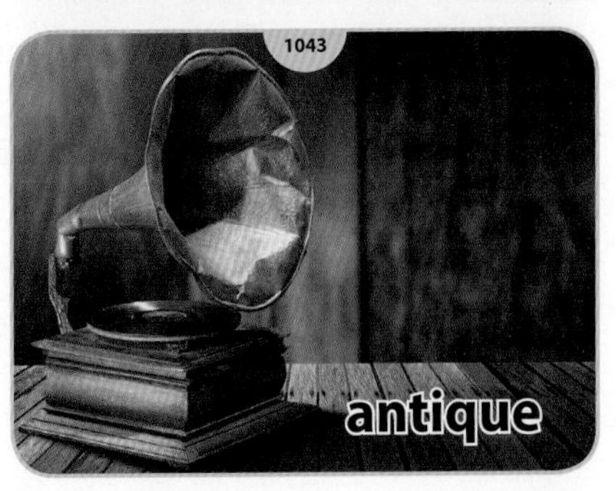

DAY 36

Religion

상대방에 대한 sincere한 마음은 언젠가 통하는 법이에요.

CORE 핵심 어휘

□ 1051

religion 명 종교

[rilídʒən]

In 1620, the pilgrims traveled from England to the United States to keep their **religion**. 기출

1620년에, 순례자들이 그들의 **종교**를 지키기 위해 영국에서 미국으로 이동했다.

➕ religious 형 종교의, 독실한

Plus +

religion의 종류

- Christianity 기독교
- Catholic 천주교
- Buddhism 불교
- Hinduism 힌두교
- Islam 이슬람교

□ 1052

priest 명 사제, 성직자

[priːst]

The **priest** devoted his life to religion.

사제는 종교에 그의 삶을 헌신했다.

□ 1053

heaven 명 천국 유 paradise 반 hell 지옥

[hévən]

Some religions say there's a **heaven** where people go after death.

일부 종교들은 사람들이 죽음 이후에 가는 **천국**이 있다고 말한다.

☐ 1054

bless | 동 축복하다, 신의 가호를 빌다

[bles]

Bless people around you, and blessings will come back to you. 기출

네 주위의 사람들을 **축복해라**, 그러면 축복이 네게 돌아올 것이다.

☐ 1055

pray | 동 기도하다, 빌다

[prei]

Wherever they are, Muslims face the direction of Mecca when they **pray**.

그들이 어디에 있든지, 이슬람교도들은 **기도할** 때 메카의 방향을 바라본다.

Plus +

pray vs. prey

pray와 prey는 철자가 비슷하기 때문에 혼동하지 않도록 주의해야 해요. prey는 '먹이', '희생자'를 뜻하는 명사예요.

I **pray** for Korea. 나는 한국을 위해 **기도한다**.

A tiger is looking for its **prey**. 호랑이가 자신의 **먹이**를 찾고 있다.

☐ 1056

wing | 명 날개

[wiŋ]

Angels are believed to have **wings**.

천사들은 **날개**를 가지고 있다고 믿어진다.

☐ 1057

devil | 명 악마, 마귀

[dévl]

Some people believe that there's a **devil** that punishes bad people.

어떤 사람들은 나쁜 사람들을 벌하는 **악마**가 있다고 믿는다.

☐ 1058

miracle | 명 1. 기적 2. 불가사의한 일, 경이 ㊌ wonder

[mírəkl]

The Bible tells us the **miracles** of Jesus Christ.

성경은 우리에게 예수 그리스도의 **기적들**을 말해준다.

□ 1059

holy [hóuli]

형 1. 신성한 2. 경건한, 독실한

Churches and temples are considered to be **holy** places.
교회와 절은 **신성한** 장소들로 여겨진다.

□ 1060

cross [krɔːs]

명 십자가 동 건너다, 횡단하다

Some people believe Jesus Christ died on the **cross** to save people.
어떤 사람들은 예수 그리스도가 사람들을 구하기 위해 **십자가** 위에서 죽었다고 믿는다.

□ 1061

wisdom [wízdəm]

명 지혜, 현명함

I was moved by the pastor's kindness and learned from his **wisdom**. 교과서
나는 목사님의 친절함에 감동했고 그의 **지혜**로부터 배웠다.

Plus +

명사 접미사 dom

접미사 dom은 형용사나 동사 뒤에 붙어서 추상 명사를 만들어요.
wis(e) 지혜로운 + dom ▸ wisdom 지혜
free 자유로운 + dom ▸ freedom 자유
bore 지루하게 하다 + dom ▸ boredom 지루함

□ 1062

warmth [wɔːrmθ]

명 1. (마음·태도 등이) 따뜻함, 온정 2. 온기 유 heat

The man was touched by the **warmth** of the church.
남자는 교회의 **따뜻함**에 감동받았다.

□ 1063

ghost [goust]

명 귀신, 유령

Some believe that people become **ghosts** after death.
어떤 이들은 사람들이 죽은 뒤에 **귀신**이 된다고 생각한다.

☐ 1064

forgive | 동 용서하다 (forgave-forgiven)

[fərgív]

Religions typically teach people to **forgive** their enemies.
종교는 일반적으로 사람들에게 그들의 적을 **용서하라고** 가르친다.

+ forgiveness 명 용서

☐ 1065

generous | 형 1. (인심이) 후한 반 mean 인색한 2. 관대한

[dʒénərəs]

The pope required people to give **generous** donations to the church.
교황이 사람들에게 성당에 **후한** 기부를 할 것을 요청했다.

☐ 1066

mercy | 명 1. (신의) 은총 2. 자비, 연민

[mə́ːrsi]

I'm always grateful for God's **mercy**.
나는 언제나 신의 **은총**에 감사한다.

+ merciful 형 자비로운

☐ 1067

limit | 명 제한, 한계 동 제한하다 유 restrict

[límit]

A few religions place **limits** on what people can eat.
몇몇 종교들은 사람들이 먹을 수 있는 것에 **제한**을 둔다.

☐ 1068

personal | 형 개인적인, 개인의 유 individual

[pə́rsənl]

Each person's religion is their own **personal** choice.
각 사람의 종교는 그들 자신의 **개인적인** 선택이다.

☐ 1069

sincere | 형 진심 어린, 진실된 반 false 거짓된

[sinsíər]

The woman expressed **sincere** appreciation to God.
여자는 신에게 **진심 어린** 감사를 표현했다.

□ 1070

again and again 되풀이해서, 몇 번이고

Ted prayed **again and again.**
Ted는 **되풀이해서** 기도했다.

ADVANCED 심화 어휘

□ 1071

worship 동 예배하다, 숭배하다 유 admire 명 예배, 숭배

[wə́:rʃip]

Religious people **worship** at a church or temple.
종교인들은 교회나 사원에서 **예배한다**.

□ 1072

toward 전 1. ~을 향하여, ~쪽으로 2. ~에 대하여

[tɔ:rd]

The people went **toward** the temple.
사람들이 사원을 **향해** 갔다.

□ 1073

meaning 명 1. 뜻, 의미 2. 의의, 중요성

[mí:niŋ]

The monk tried to understand the **meaning** of the Buddha's teachings.
수도승은 부처의 가르침의 **뜻**을 이해하기 위해 노력했다.

+ meaningful 형 의미 있는

□ 1074

responsible 형 책임이 있는, 책임지고 있는 반 irresponsible 무책임한

[rispɑ́:nsəbl]

I feel **responsible** for praying for my family.
나는 내 가족을 위해 기도할 **책임이 있다고** 느낀다.

+ responsibility 명 책임 be responsible for ~에 책임이 있다

☐ 1075

sacrifice 명 1. 제물 2. 희생 동 1. 제물로 바치다 2. 희생하다

[sǽkrəfais]

In ancient Greece, people offered **sacrifices** to their gods.
고대 그리스에서, 사람들은 그들의 신에게 **제물들**을 바쳤다.

☐ 1076

virtue 명 선행, 선 유 goodness

[və́:rtʃu:]

Buddhists believe that their **virtues** will lead them to paradise.
불교도들은 **선행**이 자신들을 극락으로 인도할 것이라고 믿는다.

☐ 1077

missionary 명 선교사

[míʃəneri]

In 1885, two **missionaries** came to Korea to spread the gospel.
1885년에, 두 명의 **선교사들**이 복음을 전파하기 위해 한국에 왔다.

☐ 1078

accept 동 1. 받아들이다 반 refuse 거절하다 2. 인정하다

[əksépt]

The priest **accepted** God's will without question.
사제가 의문 없이 신의 뜻을 **받아들였다**.

☐ 1079

in place 제자리에, 적소에

She put the candles **in place** after the prayer.
그녀는 기도가 끝난 후 양초들을 **제자리에** 놓았다.

☐ 1080

as long as ~하는 한

They believe that they'll find the answers **as long as** they keep praying.
그들은 자신들이 기도하기를 계속**하는 한** 답을 발견할 것이라고 믿는다.

Daily Test

[01~10] 우리말과 같은 뜻이 되도록 빈칸에 알맞은 단어를 쓰세요.

01 신성한 교회 a(n) ______________ church

02 성직자의 지혜 a priest's ______________

03 기적을 믿다 believe in a(n) ______________

04 제물을 바치다 offer a(n) ______________

05 관대한 수도승 a(n) ______________ monk

06 삶의 의미 ______________ of life

07 친구들을 축복하다 ______________ friends

08 외국인 선교사 a foreign ______________

09 적을 용서하다 ______________ an enemy

10 몇 번이고 절하다 bow ______________

[11~15] 빈칸에 알맞은 단어를 <보기>에서 한 번씩 골라 쓰세요

<보기>	devil	mercy	religion	in place	toward

11 I rely on my ______________ a lot.

12 When people think of the ______________, they usually feel scared.

13 Jenny always gives thanks for God's ______________ in her life.

14 The woman put the cross ______________.

15 Jack walked ______________ the church.

[16~20] 괄호 안에 주어진 지시에 맞게 빈칸을 채우세요.

16 sincere 진실된 → (반의어) ______________

17 limit 제한하다 → (유의어) ______________

18 accept 받아들이다 → (반의어) ______________

19 virtue 선행, 선 → (유의어) ______________

20 responsible 책임이 있는 → (반의어) ______________

Picture Review

사진과 함께 오늘 배운 단어를 다시 기억해보세요.

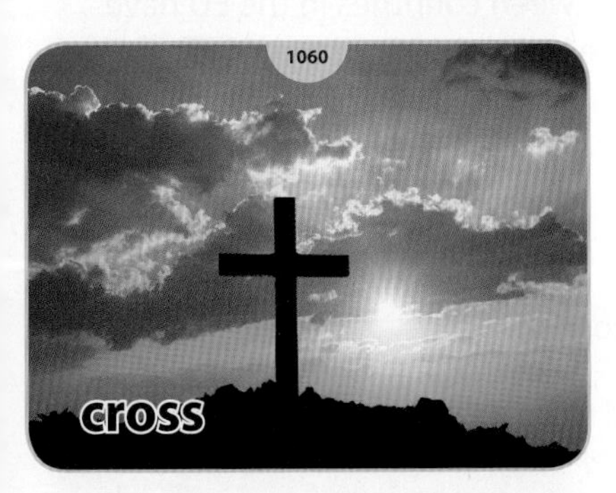

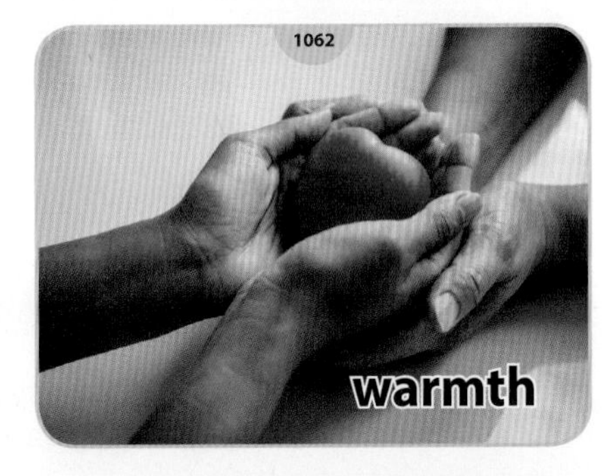

DAY 37

Nations

이 세상은 혼자 살아갈 수 없어요. 다른 사람들과 cooperate하며 사는 법을 배워보아요.

CORE 핵심 어휘

□ 1081

nation 명 1. 국가, 국민 ㊌ country 2. 민족

[néiʃən]

India became a **nation** free from British rule in 1947. 기출

인도는 1947년에 영국의 통치에서 벗어난 **국가**가 되었다.

+ national 형 국가의

□ 1082

border 명 국경, 경계 ㊌ boundary 동 (국경·경계를) 접하다

[bɔ́:rdər]

Softer **borders** between countries in the EU have increased passage by car, bus, and train. 기출

유럽 연합 국가들 사이의 더 유연한 **국경들**은 차, 버스, 그리고 기차를 통한 통행을 증가시켰다.

□ 1083

colony 명 식민지 ㊌ territory

[kɑ́:ləni]

Hong Kong used to be a British **colony** in the past.

홍콩은 과거에 영국의 **식민지**였다.

□ 1084

international 형 국제의, 국제적인 ㊌ global

[ìntərnǽʃənəl]

The UN is an **international** organization.

유엔은 **국제** 기구이다.

☐ 1085

relation 명 관계

[riléiʃən]

Diplomatic **relations** between the two countries are getting better.
두 국가들 사이의 외교 **관계**가 점점 더 좋아지고 있다.

☐ 1086

local 형 지역의, 현지의 유 regional 명 주민, 현지인

[lóukəl]

Local public health agencies provide basic healthcare service.
지역의 보건소들은 기본적인 건강 관리 서비스를 제공한다.

☐ 1087

harbor 명 항구, 항만 유 port

[há:rbər]

Boston **Harbor** is a main hub of trade.
보스턴 **항구**는 무역의 주된 중심지이다.

☐ 1088

inner 형 1. 내부의 유 internal 2. 내면의

[ínər]

Traffic is usually serious in the **inner** parts of cities.
교통량은 보통 도시의 **내부** 지역들에서 심각하다.

☐ 1089

battle 명 싸움, 전투 유 fight, conflict 동 싸우다

[bǽtl]

The protest led to a **battle** with the police.
시위가 경찰과의 **싸움**으로 이어졌다.

☐ 1090

population 명 1. 인구 2. (일정 지역의) 주민

[pɑ̀:pjuléiʃən]

Uppsala, the fourth largest city of Sweden, has a **population** of less than 150,000. 기출
스웨덴에서 네 번째로 큰 도시인 웁살라는 15만명 미만의 **인구**를 가지고 있다.

□ 1091

emigrate

동 (타국으로) 이주하다, 이주시키다

[émigreit]

John **emigrated** from Korea to Canada for a new job.
John은 새 직장을 위해 한국에서 캐나다로 **이주했다**.

□ 1092

immigrate

동 (타국에서) 이주해 오다, 이주시키다

[ímigreit]

The man **immigrated** to the US.
남자는 미국에서 **이주해 왔다**.

+ immigrant 명 이민자

□ 1093

equal

형 1. 동일한 2. 공평한 유 fair

[í:kwəl]

African exports and imports were **equal** in 1999. 기출
1999년에 아프리카의 수출량과 수입량은 **동일했다**.

□ 1094

general

형 전반적인, 일반적인 반 specific 특정한

[dʒénərəl]

There has been a **general** decrease in the unemployment rate.
실업률에 **전반적인** 감소가 있어 왔다.

+ generally 부 전반적으로, 일반적으로

□ 1095

mutual

형 1. 상호적인 2. 공동의 유 common

[mjú:tʃuəl]

To improve relationships between the government and the people, **mutual** trust is needed.
정부와 국민 사이의 관계를 개선하기 위해, **상호적인** 신뢰가 필요하다.

□ 1096

independence

명 독립, 자립 반 dependence 의존

[ìndipéndəns]

Korea achieved **independence** from Japan in 1945.
한국은 1945년에 일본으로부터 **독립**을 이루었다.

☐ 1097

peaceful

형 1. 평화적인 2. 평온한

[píːsfəl]

There was an international meeting to promote the **peaceful** use of nuclear energy.
핵에너지의 **평화적인** 이용을 촉구하기 위한 국제적인 회의가 있었다.

Plus +

형용사 접미사 ful

접미사 ful은 명사 뒤에 붙어서 '~이 가득한, 많은'의 의미를 더해요.

peace 평화 + ful ▸ peaceful 평화로운
care 주의 + ful ▸ careful 주의 깊은
wonder 경이 + ful ▸ wonderful 경이로운
color 색깔 + ful ▸ colorful 다채로운

☐ 1098

occasion

명 1. (특정한) 경우, 때 2. 특별한 일, 행사

[əkéiʒən]

It's a special **occasion** that both countries signed the free trade agreement.
두 국가 모두가 자유 무역 협정에 서명한 것은 특별한 **경우**이다.

+ occasional 형 가끔의

☐ 1099

represent

동 1. 대표하다, 대리하다 2. 나타내다, 상징하다

[rèprizént]

Ambassadors **represent** the countries they work for.
대사들은 그들이 일하는 국가를 **대표한다**.

+ representative 형 대표하는 명 대표

☐ 1100

have ~ in common

~을 공통적으로 가지다

Koreans **have** the duty to pay taxes **in common.**
한국의 국민들은 세금을 낼 의무를 **공통적으로 가진다**.

ADVANCED 심화 어휘

☐ 1101

domestic 형 1. 국내의 2. 가정의

[dəméstik]

It's important to establish fair **domestic** housing policies.
공정한 **국내** 주택 공급 정책을 수립하는 것이 중요하다.

☐ 1102

resist 동 1. 저항하다 2. (열·힘·유혹 등을) 견디다

[rizíst]

The protestors **resisted** the police.
시위자들이 경찰에 **저항했다**.

+ resistance 명 저항

☐ 1103

temporary 형 일시적인, 임시의 반 permanent 영구적인

[témpəreri]

The economic policy had a **temporary** effect on the employment rate.
경제 정책은 취업률에 **일시적인** 영향을 미쳤다.

☐ 1104

attempt 명 시도 동 시도하다 유 try

[ətémpt]

There have been **attempts** to move the capital to another city.
수도를 다른 도시로 옮기려는 **시도들**이 있어 왔다.

☐ 1105

racial 형 인종의, 민족의 유 ethnic

[réiʃəl]

Martin worked hard for **racial** equality in South Africa.
Martin은 남아프리카에서 **인종** 평등을 위해 열심히 일했다.

+ race 명 인종

□ 1106

barrier

명 장벽, 장애물 유 obstacle

[bǽriər]

The trade **barriers** between two countries were removed through the agreement.
두 국가 사이의 무역 **장벽들**이 협정을 통해 제거되었다.

Plus + 언어와 문화가 다른 국가로 이민을 가면, 새로운 국가에 적응하는 과정에서 많은 이민자들이 cultural barrier(문화 장벽)와 language barrier(언어 장벽)에 부딪힐 수 있어요.

□ 1107

dominate

동 1. 지배하다 유 rule 2. 우세하다

[dá:məneit]

Great Britain **dominated** a few European countries.
대영 제국은 몇몇 유럽 국가들을 **지배했다**.

□ 1108

cooperate

동 협력하다, 협동하다

[kouá:pəreit]

Each department **cooperated** with each other to overcome the political crisis.
각 부서는 정치적 위기를 극복하기 위해 서로 **협력했다**.

+ cooperation 명 협력, 협동

□ 1109

according to

~에 따르면

According to the report, the total population of the country increased.
보고서**에 따르면**, 그 나라의 총인구가 증가했다.

□ 1110

make sure

반드시 ~ 하다, 확인하다

A nation should **make sure** to protect its people.
국가는 자국민을 **반드시** 보호해야 **한다**.

Daily Test

[01~05] 단어와 뜻을 알맞은 것끼리 연결하세요.

01 independence • • ⓐ 지배하다, 우세하다
02 population • • ⓑ 인구, 주민
03 mutual • • ⓒ 독립
04 represent • • ⓓ 대표하다, 나타내다
05 dominate • • ⓔ 상호적인, 공동의

[06~10] 우리말과 같은 뜻이 되도록 빈칸에 알맞은 단어를 쓰세요.

06 미국의 이전 식민지 America's previous ____________
07 국제 회의 a(n) ____________ meeting
08 영국으로 이주하다 ____________ to England
09 정치적 관계 a political ____________
10 국내 정치 ____________ politics

[11~15] 괄호 안에 주어진 지시에 맞게 빈칸을 채우세요.

11 nation 국가 → (형용사형) ____________
12 local 지역의 → (유의어) ____________
13 general 일반적인 → (반의어) ____________
14 temporary 일시적인 → (반의어) ____________
15 attempt 시도하다 → (유의어) ____________

[16~20] 영영 풀이에 알맞은 단어를 <보기>에서 골라 쓰세요.

<보기>	equal	immigrate	inner	make sure	occasion

16 ____________ : to make something happen certainly
17 ____________ : a certain time when an event takes place
18 ____________ : being inside something
19 ____________ : being the same as something
20 ____________ : to come to a certain country from another country to live or work

Picture Review

사진과 함께 오늘 배운 단어를 다시 기억해보세요.

DAY 38 War & Peace

조금 지칠 때는 for a while 휴식을 취해보세요!

CORE 핵심 어휘

□ 1111

bomb 명 폭탄 동 폭격하다

[bɑːm]

Bombs started to fall on the battleground.
폭탄들이 전쟁터에 떨어지기 시작했다.

□ 1112

gun 명 총, 대포

[gʌn]

The sound of **guns** signaled the beginning of the war.
총소리가 전쟁의 시작을 알렸다.

□ 1113

arrow 명 화살

[ǽrou]

Around 200 B.C., the emperor Qin Shi Huang conquered China using **arrows**.
기원전 200년경에, 진시황제가 **화살**을 사용해 중국을 정복했다.

□ 1114

bullet 명 총알

[búlit]

James was killed by a **bullet** in the war.
James는 전쟁에서 **총알**에 맞아 전사했다.

□ 1115

flag 명 기, 깃발 동 (중요한 정보에) 표시하다

[flæg]

The blue color in Rwanda's national **flag** symbolizes peace.

르완다 국**기**의 파란색은 평화를 상징한다.

□ 1116

risk 명 위험 유 hazard 동 위태롭게 하다

[risk]

The general used a clever strategy to reduce **risks** during the battle.

장군은 전투 중에 **위험**을 줄이기 위해 현명한 전략을 썼다.

□ 1117

military 형 군의, 군사의 명 군대, 군인들 유 army

[míliteri]

A Hungarian **military** patrol was caught by a big snowstorm in the Alps. 기출

헝가리 **군의** 정찰대가 알프스에서 거센 눈보라에 갇혔다.

□ 1118

arm 동 무장시키다, 무장하다 명 팔

[ɑːrm]

The soldiers were **armed** with their weapons.

군인들이 그들의 무기로 **무장되었다**.

□ 1119

death 명 1. 죽음, 사망 2. 종말

[deθ]

Wars result in **death** and destruction.

전쟁은 **죽음**과 파괴를 초래한다.

Plus +

명사 접미사 th

접미사 th는 형용사 뒤에 붙어서 추상 명사를 만들어요.

dea(d) 죽은 + th ▶ death 죽음
warm 따뜻한 + th ▶ warmth 따뜻함
wid(e) 넓은 + th ▶ width 넓이

DAY 38

해커스 보카 중학 고난도

□ 1120

grave

명 무덤, 묘 ㊍ tomb 형 심각한, 중대한

[greiv]

Dead warriors were buried in **graves** in the cemetery.
죽은 전사들은 공동묘지의 **무덤**에 묻혔다.

□ 1121

hate

명 증오, 혐오 동 증오하다, 혐오하다 ㊍ dislike

[heit]

Hate between countries often causes conflicts or wars.
국가들 사이의 **증오**는 종종 갈등이나 전쟁을 일으킨다.

□ 1122

kill

동 1. 죽이다 2. 없애다

[kil]

Many people were **killed** during the war.
전쟁 중에 많은 사람들이 **죽임을 당했다**.

□ 1123

hide

동 1. 숨다, 잠복하다 2. 가리다 (hid-hidden)

[haid]

The army **hid** in the forests to make a surprise attack.
군대가 기습 공격을 하기 위해 숲에 **숨었다**.

Plus +

hide and seek

어렸을 때 하던 놀이 '숨바꼭질'을 영어로 hide and seek이라고 해요. '숨다'를 의미하는 hide와 '찾다'를 의미하는 seek을 결합해서 숨고 찾는 놀이의 특징을 따서 만든 이름이에요.

□ 1124

warn

동 경고하다, 주의를 주다

[wɔːrn]

Some military experts **warn** about World War III.
일부 군사 전문가들은 제3차 세계대전에 대해 **경고한다**.

+ warning 명 경고

□ 1125

silence 명 1. 정적, 고요함 2. 침묵

[sáiləns]

Sudden sirens broke the **silence** on the battlefield at night.
야간에 전장에서 갑작스러운 사이렌이 **정적**을 깼다.

□ 1126

continue 동 계속되다, 계속하다 반 cease 중단하다

[kəntínju:]

The civil war has **continued** in Sudan.
수단에 내전이 **계속되어** 왔다.

+ continuous 형 계속되는

□ 1127

survive 동 살아남다, 생존하다

[sərváiv]

Luckily, the man **survived** the war.
운이 좋게도, 그 남자는 전쟁에서 **살아남았다**.

+ survival 명 생존 형 생존을 위한 survivor 명 생존자

□ 1128

divide 동 1. 나누다, 분할하다 2. 분배하다, 할당하다

[diváid]

The Korean War **divided** Korea into two countries.
한국 전쟁은 한국을 두 개의 국가로 **나누었다**.

□ 1129

force 명 1. 군대, 군사력 2. 폭력 동 강요하다

[fɔ:rs]

Napoleon's **forces** retreated at Waterloo.
나폴레옹의 **군대**는 워털루에서 후퇴했다.

□ 1130

for a while 잠시 동안, 잠깐

They stopped the war **for a while**.
그들은 **잠시 동안** 전쟁을 중단했다.

ADVANCED 심화 어휘

□ 1131

explode 동 (폭탄이) 폭발하다, 폭발시키다 유 erupt

[ikspló́ud]

Hundreds of bombs **exploded** on the battleground.
수백 개의 폭탄들이 전장에서 **폭발했다**.

+ explosion 명 폭발

□ 1132

rescue 동 구조하다 유 save 명 구조

[réskjuː]

Every soldier was **rescued** before the helicopter exploded. 기출
모든 군인이 헬리콥터가 폭발하기 전에 **구조되었다**.

□ 1133

drown 동 1. 익사하다 2. 잠기게 하다

[draun]

The warship was turned over, so lots of soldiers **drowned**.
군함이 뒤집혀서, 많은 군인들이 **익사했다**.

□ 1134

retreat 동 후퇴하다, 철수하다 명 후퇴, 철수

[ritríːt]

The enemies were forced to **retreat**.
적군들은 **후퇴할** 수밖에 없었다.

□ 1135

external 형 외부의, 밖의 반 internal 내부의, 안의

[ikstə́ːrnl]

The country has suffered several attacks from **external** forces.
국가가 **외부** 세력들로부터 몇 차례 공격을 받았다.

□ 1136

conquer

동 1. 정복하다 2. 극복하다

[kɑ́:ŋkər]

Korea was once **conquered** by Japan in the Joseon period.

한국은 조선 시대에 일본에 의해 한때 **정복되었다**.

□ 1137

struggle

동 투쟁하다, 싸우다 명 투쟁

[strʌ́gl]

Hong Kong is **struggling** for independence from China.

홍콩은 중국으로부터의 독립을 위해 **투쟁하고** 있다.

+ struggle to ~하려고 애쓰다

□ 1138

treatment

명 1. 치료, 처치 유 therapy 2. 대우, 처리

[trí:tmənt]

The wounded naval officer received **treatment** from the medical team.

부상을 입은 해군 장교는 의료팀으로부터 **치료**를 받았다.

+ treat 동 치료하다, 다루다 명 대접

□ 1139

belong to

~에 속하다

France and Germany **belong to** the European Continent.

프랑스와 독일은 유럽 대륙**에 속한다**.

□ 1140

break out

(전쟁·질병 등이) 발발하다, 일어나다

World War I **broke out** in 1914.

제1차 세계대전은 1914년에 **발발했다**.

Daily Test

[01~10] 우리말과 같은 뜻이 되도록 빈칸에 알맞은 단어를 쓰세요.

01 갈등을 혐오하다 ______________ conflict

02 숲에 잠복하다 ______________ in the forest

03 군인의 죽음 the ______________ of a soldier

04 전쟁에서 살아남다 ______________ the war

05 적을 죽이다 ______________ an enemy

06 바다에서 익사하다 ______________ in the sea

07 원자 폭탄 an atomic ______________

08 세계를 정복하다 ______________ the world

09 전장의 고요함 ______________ on the battlefield

10 잠시 동안 휴전하다 stop the war ______________

[11~15] 빈칸에 알맞은 단어를 <보기>에서 한 번씩 골라 쓰세요.

<보기>	graves	retreated	struggles	flag	treatment

11 The soldier saw the ______________ of the enemy.

12 I visited the ______________ of the soldiers who died in the Korean war.

13 The army ______________ because of a food shortage during the battle last night.

14 The air force ______________ with enemies in the sky.

15 Fortunately, the wounded soldier received ______________.

[16~20] 괄호 안에 주어진 지시에 맞게 빈칸을 채우세요.

16 military 군대 → (유의어) ______________

17 continue 계속하다 → (반의어) ______________

18 risk 위험 → (유의어) ______________

19 warn 경고하다 → (명사형) ______________

20 external 외부의, 밖의 → (반의어) ______________

Picture Review

사진과 함께 오늘 배운 단어를 다시 기억해보세요.

Knowledge & Study

단어를 효과적으로 memorize하는 여러분만의 방법이 있나요?

CORE 핵심 어휘

□ 1141

knowledge

명 지식

[ná:lidʒ]

If our **knowledge** is broad but shallow, it's like we really know nothing. 기출

만약 우리의 **지식**이 넓지만 얕다면, 그것은 실제로는 우리가 아무것도 모르는 것과 같다.

+ knowledgeable 형 지식이 있는, 총명한

□ 1142

concept

명 개념, 생각 유 idea

[kánsept]

The Diderot effect is the **concept** that purchasing a new item often causes more unplanned purchases. 교과서

디드로 효과는 새로운 물품을 구매하는 것이 종종 더 많은 계획되지 않은 구매를 야기한다는 **개념**이다.

□ 1143

theory

명 1. 이론 2. 학설

[θí:əri]

Wormholes may be the things that exist only in **theory**.

웜홀은 **이론**에만 존재하는 것일 수 있다.

□ 1144

method

명 1. 방법, 방식 유 means 2. 체계, 절차

[méθəd]

My parents have always thought about the best **method** to educate children.

나의 부모님은 아이들을 교육하는 가장 좋은 **방법**에 대해 항상 고민해왔다.

□ 1145

effort

명 노력, 수고

[éfərt]

His **efforts** at studying resulted in a high grade on the test. 기출

공부에 대한 그의 **노력들**은 시험에서 높은 점수로 이어졌다.

+ take effort 노력이 들다

□ 1146

degree

명 1. 학위 2. 정도 ㊒ level 3. (온도·각도계의) 도

[digrí:]

After earning a **degree** from Harvard, Peter returned to his hometown. 기출

하버드 대학에서 **학위**를 받은 후, Peter는 그의 고향으로 돌아갔다.

□ 1147

logic

명 1. 논리 2. 타당성

[lά:dʒik]

There was no **logic** in his opinion.

그의 의견에는 **논리**가 없었다.

□ 1148

solve

동 1. (문제를) 풀다, 해석하다 ㊒ answer 2. 해결하다

[sɑ:lv]

Dr. Kim asked students to **solve** math questions. 기출

Dr. Kim은 학생들에게 수학 문제들을 **풀** 것을 요청했다.

□ 1149

academic

형 1. 학업의, 학교의 2. 학문의

[æ̀kədémik]

Amy was satisfied with her **academic** performance. 기출

Amy는 그녀의 **학업** 성과에 만족했다.

□ 1150

improve

동 1. 향상시키다 ㊌ worsen 악화시키다 2. 나아지다

[imprú:v]

Being exposed to nature can **improve** the concentration of children with ADHD. 기출

자연에 노출되는 것은 주의력결핍 과잉행동장애(ADHD)를 가진 아이들의 집중력을 **향상시킬** 수 있다.

□ 1151

principle

명 1. 원리, 원칙 ㊖ law 2. 주의, 신념

[prínsəpl]

Students applied math **principles** to solving questions.
학생들은 수학 **원리들**을 문제를 푸는 것에 적용시켰다.

Plus +

principle vs. principal

principle과 principal은 철자가 비슷하기 때문에 혼동하지 않도록 주의해야 해요. principal은 명사로는 '장, 교장 선생님', 형용사로는 '주요한'의 뜻으로 쓰이는 단어예요.

There is the **principle** of equality before the law.
모든 사람이 법 앞에 평등하다는 **원칙**이 있다.
I saw the **principal** in front of the school.
나는 학교 앞에서 **교장 선생님**을 봤다.

□ 1152

notice

동 1. 알아차리다 2. 주목하다 명 1. 주목 2. 공고

[nóutis]

The teacher **noticed** that Ben was an intelligent student but received low grades. 기출
선생님은 Ben이 똑똑한 학생이지만 낮은 점수를 받은 것을 **알아차렸다**.

□ 1153

spell

동 철자를 말하다, 철자에 맞게 쓰다

[spel]

English isn't an easy language to **spell** in because the letters hardly match the sounds. 기출
영어는 **철자를 말하기** 쉬운 언어가 아닌데 이는 글자들이 소리와 거의 일치하지 않기 때문이다.

+ spelling 명 철자법

□ 1154

motivate

동 동기를 부여하다 ㊖ inspire

[móutiveit]

Find what **motivates** you, and you will enjoy learning more. 교과서
너에게 **동기를 부여하는** 것을 찾아라, 그러면 너는 배우는 것을 더욱 즐기게 될 것이다.

+ motive 명 동기, 이유

□ 1155

memorize

동 암기하다, 기억하다 ㊌ remember

[méməraiz]

It can be hard to **memorize** lots of English words at one time.
한 번에 많은 영어 단어들을 **암기하는** 것은 힘들 수 있다.

Plus +

동사 접미사 ize

접미사 ize는 명사 뒤에 붙어서 동사를 만들어요.
memor(y) 기억 + ize ▸ memorize 기억하다
apolog(y) 사과 + ize ▸ apologize 사과하다
symbol 상징 + ize ▸ symbolize 상징하다

□ 1156

instance

명 예시, 경우, 보기 ㊌ example

[ínstəns]

You can refer to this to find good **instances** of essays.
너는 에세이의 좋은 **예시들**을 찾기 위해 이것을 참고해도 된다.

+ for instance 예를 들어

□ 1157

insight

명 통찰력, 식견

[ínsait]

James has great **insight** on the future of education.
James는 교육의 미래에 대해 뛰어난 **통찰력**을 갖고 있다.

□ 1158

intelligence

명 지능, 이해력

[intélədʒəns]

Intelligence is the ability to reason, and to solve a problem by using previous experiences. 기출
지능은 추론하는 능력이며, 이전의 경험들을 활용해 문제를 해결하는 능력이다.

□ 1159

conclude

동 1. 결론을 내리다 2. 끝내다 ㊌ finish

[kənklú:d]

The professor **concluded** that humans became much better able to think. 기출
그 교수는 인간이 훨씬 더 잘 생각할 수 있게 되었다고 **결론을 내렸다**.

□ 1160

after all 마침내, 결국

I finished my thesis on Korean politics **after all**.
나는 **마침내** 한국 정치에 대한 나의 학위 논문을 끝냈다.

ADVANCED 심화 어휘

□ 1161

define 동 1. 정의하다, 뜻을 명확히 하다 2. 규정하다

[difáin]

Emma tried to **define** the term "love" in her own perspective.
Emma는 그녀 자신의 관점에서 "사랑"이라는 용어를 **정의하려고** 했다.

□ 1162

refer 동 1. 참고하다, 참조하다 2. 가리키다 3. 언급하다

[rifə́:r]

Students were asked to **refer** to the study guide for homework.
학생들은 숙제를 위해 학습 안내서를 **참고할** 것을 요청받았다.

+ reference 명 참고, 참조, 언급 refer to ~을 나타내다

□ 1163

intellectual 형 지적인, 지능의 명 지식인

[ìntəléktʃuəl]

Too much use of digital devices can have a negative effect on **intellectual** abilities.
디지털 기기의 지나친 사용은 **지적** 능력에 부정적인 영향을 줄 수 있다.

□ 1164

accomplish 동 성취하다, 이루다 유 achieve

[əkɑ́:mpliʃ]

The best way to **accomplish** a difficult goal is to stop thinking that it's impossible. 기출
어려운 목표를 **성취하는** 최고의 방법은 그것이 불가능하다고 생각하는 것을 멈추는 것이다.

□ 1165

calculate

[kǽlkjuleit]

동 1. 계산하다, 산출하다 2. 추정하다

The man **calculated** the volume of the object.
남자는 그 물체의 부피를 **계산했다**.

+ calculation 명 계산, 산출, 추정

□ 1166

anticipate

[æntísəpeit]

동 기대하다, 예상하다 유 expect

The study is **anticipated** to contribute to the progress of biology.
그 연구는 생물학의 진보에 기여할 것으로 **기대된다**.

□ 1167

philosophy

[filɑ́:səfi]

명 철학

Susan finished a **philosophy** paper an hour before class. 기출
Susan이 수업 한 시간 전에 **철학** 과제물을 끝냈다.

□ 1168

acquire

[əkwáiər]

동 1. 습득하다, 배우다 2. 얻다 유 obtain

Language skills can be **acquired** only through practice. 기출
언어 능력은 오직 연습을 통해서만 **습득될** 수 있다.

□ 1169

bring back

1. 상기시키다 2. 돌려주다

The book **brings back** knowledge I learned in school.
그 책은 내가 학교에서 배운 지식을 **상기시킨다**.

□ 1170

by chance

우연히

Penicillin was discovered by a biologist **by chance**.
페니실린은 한 생물학자에 의해 **우연히** 발견되었다.

Daily Test

[01~10] 우리말과 같은 뜻이 되도록 빈칸에 알맞은 단어를 쓰세요.

01 탄탄한 논리 sound ______________

02 법학 학위 a law ______________

03 이론을 증명하다 prove the ______________

04 학업 성적 ______________ performance

05 연구 방법 a(n) ______________ of research

06 철학을 전공하다 major in ______________

07 높은 지적 능력 high ______________ capacity

08 경제학에 대한 지식 ______________ on economics

09 인생에 대한 뛰어난 통찰력 a great ______________ on life

10 많은 책을 읽고자 하는 노력 a(n) ______________ to read many books

[11~15] 괄호 안에 주어진 지시에 맞게 빈칸을 채우세요.

11 anticipate 기대하다 → (유의어) ______________

12 improve 향상시키다 → (반의어) ______________

13 instance 예시 → (유의어) ______________

14 concept 생각 → (유의어) ______________

15 motivate 동기를 부여하다 → (유의어) ______________

[16~20] 영영 풀이에 알맞은 단어를 <보기>에서 골라 쓰세요.

<보기>	by chance	acquire	bring back	define	notice

16 ______________ : to become aware of something

17 ______________ : to cause someone to remember something again

18 ______________ : to learn something such as a skill

19 ______________ : to explain a word's meaning

20 ______________ : happening in an uncoordinated way

Picture Review

사진과 함께 오늘 배운 단어를 다시 기억해보세요.

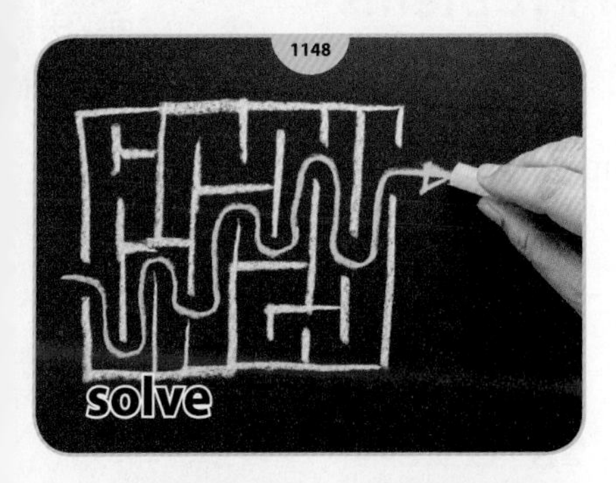

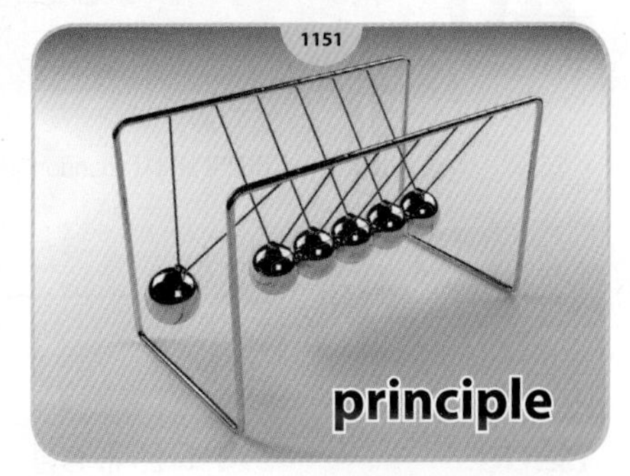

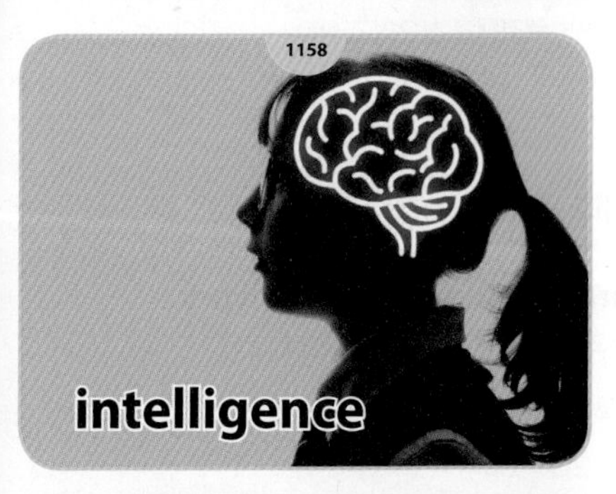

DAY 40 Social Problems

마지막 날까지 abandon하지 않고 달려오느라 수고했어요. :)

CORE 핵심 어휘

□ 1171

issue [íʃuː]

명 1. 문제, 쟁점 2. 발행 동 발행하다

It is necessary for medical centers to fight the growing health-security **issue**. 기출

의료 센터들이 커지는 의료 보장 **문제**와 투쟁하는 것은 필수적이다.

□ 1172

solution [səlúːʃən]

명 해결책, 해법

When we are faced with a social problem, we seek to find a **solution**. 기출

우리는 사회 문제에 직면하면, **해결책**을 찾으려고 한다.

□ 1173

harm [haːrm]

동 해치다, 손상시키다 유 hurt 명 피해, 손해

Data spill can **harm** people's right to privacy.

개인 정보 유출은 사람들의 사생활 권리를 **해칠** 수 있다.

+ harmful 형 해로운 harmless 형 무해한

□ 1174

damage [dǽmidʒ]

명 피해, 손상 유 injury 동 피해를 끼치다

A climber is worried about the **damage** to the world's mountains from both climate change and waste. 기출

한 등반가는 기후 변화와 쓰레기로 인한 세계의 산이 입는 **피해**를 걱정한다.

□ 1175

pollution 명 공해, 오염

[pəlúːʃən]

Light **pollution** can have serious effects on humans and wildlife. 교과서

빛 **공해**가 인간과 야생에 심각한 영향을 미칠 수 있다.

Plus +

pollution의 종류

- air **pollution** 대기 **오염**
- soil **pollution** 토양 **오염**
- light **pollution** 빛 **공해**
- water **pollution** 수질 **오염**
- noise **pollution** 소음 **공해**

□ 1176

homeless 형 집이 없는, 노숙자의 명 노숙자

[hóumlis]

The government created a plan to reduce the number of **homeless** people.

정부는 **집이 없는** 사람들의 수를 줄이기 위한 계획을 세웠다.

□ 1177

poverty 명 1. 빈곤, 가난 반 wealth 부 2. 부족

[páːvərti]

One of the keys to reducing **poverty** in developing nations is improving educational opportunities. 기출

개발 도상국에서 **빈곤**을 줄이는 해결책들 중 하나는 교육의 기회를 증진하는 것이다.

□ 1178

violent 형 1. 폭력적인 2. 격렬한 유 fierce

[váiələnt]

Violent crimes have been increasing in the city.

도시에서 **폭력적인** 범죄들이 증가하고 있다.

+ violence 명 폭력

□ 1179

preserve 동 보호하다, 보존하다 유 conserve

[prizə́ːrv]

We should try to **preserve** nature and our natural resources.

우리는 자연과 천연자원들을 **보호하기** 위해 노력해야 한다.

☐ 1180

panic

명 공황 동 공황 상태에 빠지다 (panicked-panicked)

[pǽnik]

COVID-19 caused an international **panic.**

코로나 19는 국제적인 **공황**을 야기했다.

☐ 1181

importance

명 중요성

[impɔ́ːrtəns]

The **importance** of using less plastic is being emphasized.

플라스틱을 덜 사용하는 것의 **중요성**이 강조되고 있다.

☐ 1182

individual

형 개인의, 개인적인 명 개인 반 group 집단

[ìndəvídʒuəl]

The invasion of **individual** privacy is becoming an issue.

개인 사생활의 침해가 문제가 되고 있다.

☐ 1183

security

명 1. 보안, 안전 2. 보장 형 안전의

[sikjúərəti]

As the danger of terrorism increased, airport **security** was tightened.

테러의 위험이 증가해서, 공항 **보안**이 강화되었다.

☐ 1184

dislike

동 싫어하다 유 hate 명 싫음

[disláik]

I **dislike** people who smoke in streets because they can damage others.

나는 길에서 흡연하는 사람들을 **싫어하는데** 이는 그들이 다른 사람들에게 피해를 끼칠 수 있기 때문이다.

Plus +

like의 반대말은?

like의 반대말은 like의 의미에 따라 형태가 달라요. like가 '좋아하다'라는 뜻의 동사로 쓰이면, 반대말은 '좋아하지 않다'라는 뜻의 dislike예요. 하지만, like가 '~와 같은'이라는 뜻의 전치사로 쓰이면 반대말은 '~과 달리'라는 뜻의 unlike랍니다.

□ 1185

properly 부 1. 적절히, 제대로 2. 올바르게

[prá:pərli]

We have to use natural resources **properly** for the next generation.
우리는 다음 세대를 위해 천연자원을 **적절히** 사용해야 한다.

+ proper 형 적절한, 올바른

□ 1186

aspect 명 1. 측면, 관점 2. 외관 유 appearance

[ǽspekt]

One of the **aspects** of detergents is that they harm the environment.
세제의 **측면들** 중 한 가지는 환경을 손상시킨다는 것이다.

□ 1187

haste 명 서두름, 급함 유 hurry

[heist]

We should make **haste** to stop global warming.
우리는 지구 온난화를 멈추기 위해서 **서둘러야** 한다.

+ make haste 서두르다

□ 1188

obstacle 명 장애물, 장애 유 barrier

[á:bstəkl]

Societies should help the disabled overcome their **obstacles** to getting a job.
사회는 장애인들이 일자리를 얻는 데 있어서 **장애물**을 극복하도록 도와야 한다.

□ 1189

extinct 형 1. 멸종된, 사라진 2. 활동을 멈춘

[ikstíŋkt]

As the sea level rises, more and more plants and animals will become **extinct**. 기출
해수면이 상승하면서, 점점 더 많은 식물들과 동물들이 **멸종될** 것이다.

□ 1190

work out 1. 찾아내다, 해결하다 2. 운동하다

The world should **work out** a solution to poverty together.
세계는 빈곤에 대한 해결책을 함께 **찾아내야** 한다.

ADVANCED 심화 어휘

□ 1191

greenhouse 명 온실

[grí:nhàus]

Car engines are the chief cause of air pollution and the **greenhouse** effect. 기출
자동차 엔진은 대기 오염과 **온실** 효과의 주요 원인이다.

□ 1192

avoid 동 1. 방지하다 ㊌ prevent 2. 피하다

[əvɔ́id]

To **avoid** water pollution, we should use detergents less.
수질 오염을 **방지하기** 위해서, 우리는 세제를 덜 사용해야 한다.

□ 1193

occur 동 발생하다, 일어나다 ㊌ happen

[əkə́:r]

Car accidents are more likely to **occur** when drinking and driving.
음주 운전할 때 차 사고가 **발생할** 가능성이 더 크다.

➕ occurrence 명 발생

□ 1194

isolate 동 1. 고립시키다, 격리하다 2. 분리하다 ㊌ separate

[áisəleit]

According to the report, more and more elderly people are being **isolated** from society.
보고서에 따르면, 점점 더 많은 노인들이 사회로부터 **고립되고** 있다.

□ 1195

abandon

[əbǽndən]

동 1. 버리다, 유기하다 2. 포기하다 유 give up

Lots of pets are **abandoned** by their owners.
수많은 반려동물들이 그들의 주인에 의해 **버려진다**.

□ 1196

prejudice

[prédʒudis]

명 편견, 선입견 유 bias

Prejudices against certain races should be removed.
특정 인종에 대한 **편견들**은 없어져야 한다.

□ 1197

seek

[si:k]

동 찾다, 구하다 (sought-sought)

About 370,000 unemployed youths are **seeking** jobs.
약 37만명의 청년 실업자들이 일자리를 **찾고** 있다.

□ 1198

interrupt

[ìntərʌ́pt]

동 1. 중단시키다 2. 방해하다 유 disturb

The environmental campaign was **interrupted** by the government's development project.
환경 캠페인이 정부의 개발 사업에 의해 **중단되었다**.

□ 1199

in balance

균형이 잡혀, 조화하여

Urban development and the protection of nature should be **in balance**.
도시 개발과 자연의 보호는 **균형이 잡혀야** 한다.

□ 1200

lead to

~으로 이어지다

Unresolved social conflicts may **lead to** serious social problems.
해결되지 않은 사회적 갈등들이 심각한 사회적 문제들**로 이어질** 수 있다.

Daily Test

[01~05] 단어와 뜻을 알맞은 것끼리 연결하세요.

01 isolate	•	• ⓐ 균형이 잡혀
02 in balance	•	• ⓑ 문제, 발행, 발행하다
03 aspect	•	• ⓒ 고립시키다, 분리하다
04 work out	•	• ⓓ 측면, 외관
05 issue	•	• ⓔ 찾아내다, 운동하다

[06~15] 우리말과 같은 뜻이 되도록 빈칸에 알맞은 단어를 쓰세요.

06 흡연을 싫어하다 ________________ smoking

07 온실 효과 the ________________ effect

08 상대적 빈곤 relative ________________

09 대기 오염을 방지하다 ________________ air pollution

10 멸종된 동식물들 ________________ animals and plants

11 동물들을 해치다 ________________ the animals

12 에너지 절약의 중요성 the ________________ of saving energy

13 쓰레기 문제에 대한 해결책 a(n) ________________ to the garbage problem

14 환경 보호의 장애물 a(n) ________________ to the protection of the environment

15 지구 온난화에 대한 조언을 구하다 ________________ advice on global warming

[16~20] 괄호 안에 주어진 지시에 맞게 빈칸을 채우세요.

16 interrupt 방해하다 → (유의어) ________________

17 violent 격렬한 → (유의어) ________________

18 occur 발생하다 → (유의어) ________________

19 abandon 포기하다 → (유의어) ________________

20 individual 개인 → (반의어) ________________

Picture Review

사진과 함께 오늘 배운 단어를 다시 기억해보세요.

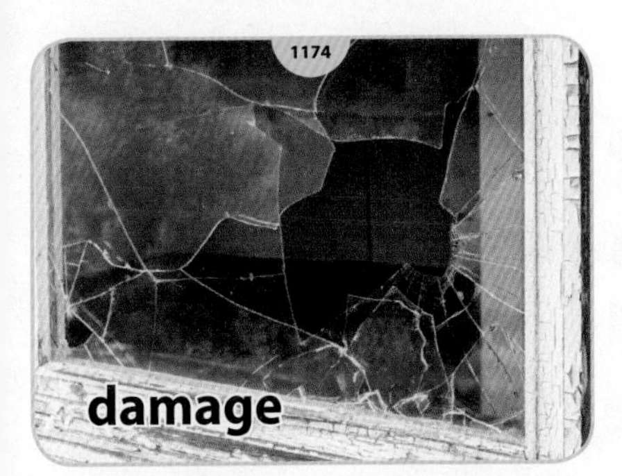

ANSWER KEYS

| 해커스 보카 중학 고난도 |

SECTION 1 People

DAY 01

p. 16

01 valuable	02 niece	03 anniversary	04 go out with	05 relationship
06 mature	07 belong	08 relative	09 fate	10 devote
11 senior	12 distrust	13 raise	14 oppose	15 dependent
16 ⓒ	17 ⓔ	18 ⓓ	19 ⓑ	20 ⓐ

11 연상의, 나이가 든
12 불신, 불신하다
13 기르다
14 반대하다
15 의존하는
16 여자 형제나 남자 형제의 아들
17 어떤 면에서 비슷한 사람들의 무리
18 무언가에 고마워하다
19 법에 의한 결혼의 종료
20 사람들이 하는 것이나 일어나는 일에 영향을 주다

DAY 02

p. 24

01 ⓑ	02 ⓒ	03 ⓐ	04 ⓓ	05 ⓔ
06 성실한, 근면한	07 잔인한, 잔혹한	08 strict	09 typical	10 ambitious
11 impression	12 careless	13 personality	14 creative	15 humble
16 In fact	17 as well as	18 patient	19 capable	20 passive

16 사실은, 그녀는 정직하고 믿음직하다.
17 나의 남편은 친절할 뿐만 아니라 똑똑하다.
18 참을성을 가지고 조금만 더 기다려라.
19 Ms. Smith는 유능한 의사이다.
20 수줍음이 많은 그 소년은 반에서 매우 조용하고 소극적이다.

DAY 03

p. 32

01 ⓓ	02 ⓒ	03 ⓔ	04 ⓐ	05 ⓑ
06 visual	07 shine	08 natural	09 appearance	10 weight
11 charming	12 tidy	13 style	14 proportions	15 stand out
16 beauty	17 similar	18 show off	19 profile	20 wrist

16 매력적인 상태
17 거의 동일한 특징들을 가진
18 당신이 자랑스러워하는 것에 사람들이 주목하게 만들다
19 누군가 옆에서 당신을 볼 때 당신의 얼굴 모습
20 손과 팔의 사이에 있는 신체 일부

DAY 04

p. 40

01 ⓑ 02 ⓓ 03 ⓔ 04 ⓐ 05 ⓒ
06 ⓕ 07 float 08 clap 09 slow down 10 direct
11 hike 12 squeeze 13 day and night 14 bury 15 pursuit
16 spread 17 slippery 18 stop 19 breath 20 rarely

15 추구
16 펼쳤다
17 미끄러운
18 멈추다
19 호흡
20 좀처럼 ~ 않다

DAY 05

p. 48

01 즐거운, 기분이 좋은 02 예민한, 민감한, 감수성이 있는
03 후회하다, 유감으로 생각하다, 후회, 유감 04 pride 05 put up with
06 tension 07 grateful 08 before long 09 keep in mind 10 aware
11 anxiety 12 upset 13 scare 14 envious 15 attraction
16 ⓔ 17 ⓓ 18 ⓐ 19 ⓑ 20 ⓒ

11 염려
12 속상하게 만들다
13 겁주다
14 질투하는
15 매력
16 어떤 것을 하고 싶거나 무언가를 받고 싶은
17 누군가나 무언가를 성가시게 하다
18 사람들을 기쁘게 하다
19 즐겁고 행복한
20 행복, 사랑, 두려움, 또는 분노와 같은 기분

DAY 06

p. 56

01 ⓒ 02 ⓐ 03 ⓔ 04 ⓑ 05 ⓓ
06 admit 07 call on 08 chat 09 communication
10 inquire 11 look 12 stress 13 frank 14 decide
15 convince 16 debate 17 promise 18 distinguish 19 focus
20 keep in touch

11 보다
12 강조하다
13 솔직한

14 결정하나
15 설득하다
16 오늘 토론의 주제가 뭐니?
17 Ellie는 거짓말을 하지 않겠다는 그녀의 약속을 지켰다.
18 현실과 환상을 구별하는 것은 필수적이다.
19 나는 현재에 집중하는 법을 배웠다.
20 Dan과 Fred는 이메일로 연락하고 지낸다.

SECTION 2 Daily Life

DAY 07

p. 66

01 가구	02 닦다, 훔치다	03 appliance	04 set up	05 mop
06 electric	07 basement	08 tool	09 discard	10 broom
11 pack	12 trim	13 shelf	14 condition	15 ask for
16 resident	17 ceiling	18 comb	19 leak	20 household

16 특정한 장소에 거주하는 사람
17 방 안의 맨 윗부분
18 모발을 정돈하기 위해 사용하는 도구
19 액체나 기체가 어디에선가 흘러나오다
20 함께 사는 사회적 집단

DAY 08

p. 74

01 ⓕ	02 ⓐ	03 ⓔ	04 ⓑ	05 ⓓ
06 ⓒ	07 tray	08 leftovers	09 edible	10 spill
11 stir	12 get used to	13 by himself	14 rotten	15 hunger
16 feeds	17 paste	18 wrap	19 ②	20 ③

13 Adam은 혼자 파스타를 요리했다.
14 나는 어젯밤에 상한 치킨을 먹어서, 배탈이 났다.
15 소년은 배고픔을 참을 수 없어서, 빵을 급하게 먹었다.
16 Mary는 일정한 시간에 그녀의 아기에게 우유를 먹인다.
17 나는 머핀 반죽을 만들기 위해 밀가루와 계란들을 섞었다.
18 우리는 샌드위치를 좀 포장해서 공원에 가는 게 어때?
19 cuisine은 명사이고 나머지는 모두 동사이다.
20 roast는 동사이고 나머지는 모두 명사이다.

DAY 09

p. 82

01 needle	02 casual	03 cotton	04 fashionable	05 suit
06 detergent	07 thread	08 stripe	09 for myself	10 medium
11 trend	12 fancy	13 pants	14 tight	15 mark
16 ⓐ	17 ⓔ	18 ⓑ	19 ⓒ	20 ⓓ

11 유행
12 화려한
13 바지
14 꽉 끼는
15 얼룩
16 세탁되어야 하는 옷, 수건과 어떤 다른 것들
17 물건에 붙여져 그것에 대한 정보를 주는 것
18 무언가를 끝내다
19 짧은 시간 동안 사람들 사이에서 유명하거나 널리 받아들여지는 것
20 사람들이 공연이나 특별한 행사를 위해 입는 옷

DAY 10

p. 90

01 ⓓ	02 ⓔ	03 ⓒ	04 ⓑ	05 ⓐ
06 session	07 contents	08 behavior	09 turn in	10 institution
11 dormitory	12 peer	13 oral	14 apply	15 educate
16 graduate	17 went over	18 term	19 kindergarten	20 fluent

16 그 여자는 내년에 대학교를 졸업할 것이다.
17 내 담임 선생님은 어제 기후 변화에 대한 내 에세이를 검토했다.
18 이번 봄학기는 언제 끝나니?
19 Becky의 딸은 다음 달에 유치원에 입학할 예정이다.
20 Tom은 일본어와 영어에 유창하다.

DAY 11

p. 98

01 ⓔ	02 ⓒ	03 ⓑ	04 ⓐ	05 ⓓ
06 profession	07 retire	08 superior	09 detail	10 succeed
11 document	12 career	13 firm	14 expert	15 agency
16 manage	17 obtain	18 labor	19 hire	20 purpose

16 사업이나 조직을 돌보다
17 무언가를 얻다
18 일하는 행위
19 당신을 위해 특정한 일을 하도록 누군가에게 돈을 지불하다
20 당신이 달성하기를 원하는 것

DAY 12

p. 106

01 ⓓ	02 ⓑ	03 ⓔ	04 ⓐ	05 ⓒ
06 distance	07 convenient	08 extend	09 structure	10 crosswalk
11 license	12 be afraid of	13 aboard	14 facility	15 destination
16 link	17 ridden	18 simple	19 move	20 far

16 연결하다
17 태워진
18 간단한
19 이동하다
20 (거리가) 먼

DAY 13

p. 114

01 ⓒ	02 ⓐ	03 ⓑ	04 ⓓ	05 ⓔ
06 die of	07 drugstore	08 infection	09 little by little	10 bruise
11 get better	12 backbone	13 addiction	14 crisis	15 immunity
16 ⓐ	17 ⓒ	18 ⓔ	19 ⓑ	20 ⓓ

11 회복하다
12 척추
13 중독
14 위기
15 면역
16 치아와 관련된
17 여성의 몸 안에 아기 또는 아기들이 있는
18 사람의 정신 상태와 관련된
19 아픈 상태
20 당신이 무언가를 누를 때 발생하는 힘

DAY 14

p. 122

01 ⓒ	02 ⓓ	03 ⓐ	04 ⓑ	05 ⓔ
06 urgent	07 awake	08 severe	09 disaster	10 pay attention
11 threat	12 (S)afety	13 (w)aterproof	14 (w)ound	15 (c)oncern
16 float	17 immediate	18 condition	19 accidental	20 decrease

12 공사장에서 안전이 최우선이다.
13 너의 휴대폰은 방수니? 그것은 몇 시간의 물놀이 후에도 괜찮아 보이네.
14 아이들과 놀 때 그들에게 상처를 입히지 않도록 조심해라.
15 특히 여름에, 식중독에 대한 우려가 있다.
16 뜨다
17 즉각적인

18 상태
19 사고의, 우연한
20 줄이다

SECTION 3 Leisure & Culture

DAY 15

p. 132

01 ⓑ	02 ⓒ	03 ⓔ	04 ⓕ	05 ⓐ
06 ⓓ	07 voyage	08 crowded	09 transport	10 baggage
11 foreigner	12 souvenir	13 check out	14 depart	15 reserve
16 aisle	17 passport	18 highway	19 tip	20 landscape

17 입국하거나 출국할 때 보여줘야 하는 공식적인 문서
18 주로 마을이나 도시들을 연결하는 주요한 공공 도로
19 호텔에서와 같이, 어떤 사람들의 서비스에 감사를 표하기 위해 주는 돈
20 한 지역을 둘러볼 때 당신이 볼 수 있는 모든 것

DAY 16

p. 140

01 금액, 총계, 총계를 내다		02 생필품, 필수품, 필요		03 reasonable
04 satisfy	05 quality	06 quantity	07 decision	08 exchange
09 claim	10 retail	11 hang out	12 value	13 (r)efund
14 (a)dvertised	15 (r)an out of	16 (m)erchandise	17 (c)onsumers	18 ③
19 ⑤	20 ①			

13 신발이 나에게 맞지 않기 때문에 나는 그것들을 환불할 것이다.
14 회사가 온라인으로 광고한 후에 판매량이 증가했다.
15 모든 제품이 떨어졌기 때문에 우리는 가게를 닫았다.
16 가게에서 가장 인기 있는 상품이 무엇이니?
17 기업들은 항상 모든 소비자들의 요구를 만족시키려고 노력한다.
18 steady는 형용사이고 나머지는 모두 명사이다.
19 exclude는 동사이고 나머지는 모두 명사이다.
20 browse는 동사이고 나머지는 모두 명사이다.

DAY 17

p. 148

01 ⓔ	02 ⓓ	03 ⓑ	04 ⓒ	05 ⓐ
06 score	07 foul	08 rank	09 put effort into	10 stadium
11 captain	12 league	13 unfair	14 amateur	15 overcome
16 irregular	17 game	18 rival	19 take part in	20 moderate

16 불규칙적인
17 경기
18 경쟁 상대
19 참가하다
20 적당한

DAY 18

p. 156

01 version	02 abstract	03 copyright	04 focus on	05 involve
06 (i)mitate	07 (t)alent	08 (d)isplay	09 (d)irector	10 (t)itle
11 fiction	12 melody	13 basic	14 exhibit	15 fame
16 ⓐ	17 ⓒ	18 ⓑ	19 ⓓ	20 ⓔ

06 누구도 피카소의 작품을 흉내낼 수 없다.
07 그 대가는 자신이 어렸을 때 예술에 재능을 발견했다.
08 몇몇 사진작가들은 다음 달에 그들의 사진들을 미술관에 전시할 것이다.
09 봉준호는 유명한 영화 감독이다.
10 내가 어제 본 영화의 제목은 「인셉션」이었다.
11 허구
12 선율
13 기본적인
14 전시하다
15 명성
16 예술 작품의 중요한 주제
17 진지하고 슬픈 유형의 이야기
18 매우 뛰어난 예술 작품
19 음악을 만들어내는 물체
20 무언가를 매우 원하다

DAY 19

p. 164

01 ⓓ	02 ⓑ	03 ⓐ	04 ⓒ	05 ⓔ
06 ⓕ	07 prize	08 unusual	09 get together	10 organize
11 explore	12 answer	13 unfortunately	14 festival	15 arrangement
16 huge	17 preparation	18 ⑤	19 ③	20 ①

07 Peter는 대회에서 일등상을 받았다.
08 그 행사에 주최자로서 참석하는 것은 흔치 않은 경험이었다.
09 크리스마스 파티에 얼마나 많은 사람들이 모일 것이니?
10 나는 내 여동생을 위한 생일 파티를 준비할 것이다.
11 Julie와 Sunny는 내년 여름에 정글을 탐험할 것이다.
12 대답
13 불행히도

14 축제
15 준비, 정리
16 웅장한
17 준비, 대비
18 annual은 형용사이고 나머지는 모두 명사이다.
19 ahead는 부사이고 나머지는 모두 동사이다.
20 decorate는 동사이고 나머지는 모두 명사이다.

DAY 20

p. 172

01 saying	02 native	03 manners	04 look into	05 famine
06 translate	07 maintain	08 tradition	09 ethnic	10 nod
11 hesitate	12 regard	13 celebrate	14 accent	15 is based on
16 ⓑ	17 ⓐ	18 ⓔ	19 ⓒ	20 ⓓ

11 Jay는 다른 나라로 여행하는 것을 주저하지 않는다.
12 대부분의 문화들은 예절을 중요한 것으로 여긴다.
13 한국인들은 보통 새해를 그들의 가족들과 함께 기념한다.
14 Patrick은 영국 악센트에 익숙하지 않다.
15 중국의 문화는 유교 사상에 기초한다.
16 무언가에 대해 서로에게 화를 내며 말하다
17 특정한 문화와 관련된
18 세계의 모든 사람과 모든 사물과 관련된
19 그 사물이 무엇인지 또는 그 사람이 누구인지 알다
20 한 지역이나 국가의 동쪽에 또는 동쪽으로부터

DAY 21

p. 180

01 ⓐ	02 ⓒ	03 ⓑ	04 ⓔ	05 ⓓ
06 incident	07 observe	08 mass	09 online	10 in detail
11 poll	12 directly	13 communicate	14 instead of	15 unknown
16 lose	17 at once	18 praise	19 expression	20 hide

16 잃다
17 즉시
18 칭찬하다
19 표현
20 숨기다

DAY 22

p. 188

01 fable	02 essay	03 biography	04 narrator	05 release
06 poet	07 volume	08 category	09 predict	10 context
11 people	12 writer	13 reality	14 translate	15 characteristic
16 ⓑ	17 ⓐ	18 ⓓ	19 ⓒ	20 ⓔ

11 사람들
12 작가
13 현실
14 통역하다
15 특징
16 바로 얼마 전에 발생한
17 판매를 목적으로 책의 사본들을 인쇄하다
18 무언가의 모든 부분들을 포함하는
19 때때로, 가끔
20 반복적으로, 여러 번

SECTION 4 Things & Conditions

DAY 23

p. 198

01 ⓑ	02 ⓐ	03 ⓒ	04 ⓔ	05 ⓓ
06 distinct	07 fall off	08 broad	09 artificial	10 faint
11 rapid	12 object	13 enormous	14 short	15 location
16 tidy	17 stiff	18 specific	19 ②	20 ④

14 짧은
15 장소
16 정돈된
17 뻣뻣한
18 특정한
19 mild는 형용사이고 나머지는 모두 동사이다.
20 exactly는 부사이고 나머지는 모두 형용사이다.

DAY 24

p. 206

01 ⓑ	02 ⓒ	03 ⓓ	04 ⓔ	05 ⓐ
06 badly	07 situation	08 valid	09 useless	10 realistic
11 potential	12 sudden	13 up close	14 nearly	15 mostly
16 further	17 quick	18 alternative	19 moderate	20 fantastic

16 추가적인
17 빠른 속도로 움직이거나 무언가를 하는
18 무언가를 대신해서 사용되는
19 극단적이지 않은
20 아주 좋고 훌륭한

SECTION 5 Nature & Science

DAY 25

p. 216

01 ⓑ	02 ⓓ	03 ⓒ	04 ⓐ	05 ⓕ
06 ⓔ	07 coal	08 fuel	09 disappear	10 thorn
11 temperature	12 arctic	13 moisture	14 shade	15 resource
16 depth	17 drought	18 predict	19 eruption	20 destroy

17 가뭄
18 예측하다
19 폭발, 분출
20 파괴하다

DAY 26

p. 224

01 cliff	02 metal	03 northern	04 pole	05 horizon
06 access	07 remote	08 peninsula	09 swamp	10 environment
11 steep	12 geography	13 set off	14 southern	15 substances
16 ⓑ	17 ⓒ	18 ⓓ	19 ⓔ	20 ⓐ

11 우리는 가파른 산을 올랐고, 그래서 우리는 지쳤다.
12 내가 가장 좋아하는 과목은 지리학이다.
13 지리학자들이 해안 동굴을 탐험하러 출발했다.
14 제주도는 한국의 남쪽 지역에 위치해 있다.
15 이 더러운 강에서 오염 물질들이 발견되었다.
16 멈추지 않고 장소를 빠르게 지나가다
17 산의 가장 높은 부분
18 다른 물질을 제거해서 무언가를 순수하게 만들다
19 특정한 나라의 지배를 받는 땅
20 일련의 산들

DAY 27

p. 232

01 액체, 액체의	02 생물학	03 이루어져 있다, 존재하다		04 chemistry
05 give up	06 mineral	07 oxygen	08 laboratory	09 Nuclear
10 thin	11 mankind	12 mammal	13 solid	14 mixture
15 reproduce	16 smell	17 combination	18 effect	19 discard
20 mental				

16 냄새
17 결합
18 영향
19 버리다
20 정신의

DAY 28

p. 240

01 위성, 인공위성, 위성의		02 효율, 능률	03 과학의, 과학적인	04 benefit
05 now that	06 progress	07 impossible	08 ease	09 invent
10 technique	11 effect	12 (f)unctions	13 (c)atch up	14 (s)pecific
15 (A)dvances	16 ⓐ	17 ⓔ	18 ⓑ	19 ⓒ
20 ⓓ				

12 슈퍼컴퓨터는 다양한 기능들을 가지고 있다.
13 새로운 기술들을 따라잡는 것은 쉽지 않다.
14 그 애플리케이션은 그것이 인터넷에 접속해서 위치 정보를 사용할 수 있는, 특정한 상황에서만 작동한다.
15 기술의 진보들은 우리의 일상생활을 더 편하게 만들었다.
16 멈추고 더 이상 계속되지 않다
17 어떤 것을 또 다른 것으로 바꾸다
18 무언가를 땅으로 떨어지게 하는 힘
19 오차 없이 정확한
20 점점 더 빨라지다

DAY 29

p. 248

01 ⓐ	02 ⓑ	03 ⓕ	04 ⓔ	05 ⓒ
06 ⓓ	07 (t)ake advantage of		08 (a)nalyze	09 (l)ayer
10 (e)nables	11 (r)esearch	12 (o)utline	13 (c)ertain	14 poisonous
15 accurate	16 equip	17 component	18 ③	19 ②
20 ①				

07 나는 박테리아를 관찰하기 위해 새로운 현미경을 이용할 것이다.
08 너는 자료를 분석했니? 결과가 어땠니?
09 나는 오존층을 연구했다.
10 지식은 보통 우리가 사회를 깊이 탐구할 수 있게 한다.

11 영양과 식습관에 관한 그 연구는 사람들이 영양적으로 균형 잡힌 음식에 관심을 갖게 만들었다.
12 나는 다음 학기의 실험을 계획한 후에, 교수님에게 개요를 제출했다.
13 실험이 성공했다는 것은 확실했다.
14 독이 있는
15 정확한
16 장비를 갖추다
17 요소
18 electronic은 형용사이고 나머지는 모두 명사이다.
19 besides는 전치사이고 나머지는 모두 명사이다.
20 factor는 명사이고 나머지는 모두 동사이다.

SECTION 6 World & Society

DAY 30

p. 258

01 status	02 social	03 organization	04 require	05 tend
06 ethic	07 standard	08 contribute	09 liberty	10 moral
11 deserve	12 dropped out	13 prospect	14 arise	15 significant
16 condition	17 appropriate	18 vary	19 mean	20 chance

11 너는 국가에 대한 헌신을 칭찬받아 마땅하다.
12 내 할머니는 가난 때문에 중학교를 중퇴했다.
13 당분간 경제 발전의 가망은 없다.
14 지역 사회의 구성원들 간에 갈등들이 종종 발생한다.
15 대통령이 중대한 정책 변경을 발표했다.
[16~20] <보기>의 단어들은 유의어 관계이다.
16 상황 - 상황
17 적절한 - 적절한
18 다르다 - 다르다
19 의도하다 - 의도하다
20 기회 - 기회

DAY 31

p. 266

01 ⓓ	02 ⓔ	03 ⓒ	04 ⓐ	05 ⓑ
06 luck	07 current	08 own	09 gain	10 request
11 rent	12 pay off	13 credit	14 budget	15 invest
16 finance	17 fake	18 decline	19 guarantee	20 priceless

06 행운
07 유통되는

08 소유하다
09 이득
10 요구

DAY 32

p. 274

01 mine	02 industry	03 double	04 business	05 pasture
06 mechanical	07 strategy	08 commerce	09 make up for	10 offer
11 crisis	12 is capable of	13 aims	14 trade	15 imports
16 supply	17 import	18 produce	19 farming	20 construction

11 농부는 감자 재배의 심각한 위기에 직면해 있다.
12 그 공장은 이제 가방과 신발을 생산할 수 있다.
13 그 회사는 내년에 자사 TV의 판매량을 20퍼센트 늘리는 것을 목표로 한다.
14 우리는 그 사건 이후로 더 이상 그 회사와 거래하지 않는다.
15 한국은 완제품을 만들기 위해 많은 나라들로부터 원자재를 수입한다.
16 공급하다
17 수입하다
18 생산하다
19 농업
20 건설

DAY 33

p. 282

01 ⓒ	02 ⓓ	03 ⓔ	04 ⓑ	05 ⓐ
06 democracy	07 Republic	08 appeal	09 conservative	10 command
11 unite	12 announce	13 govern	14 support	15 suppose
16 mayor	17 authority	18 minister	19 permit	20 postpone

11 통합하다
12 선언하다
13 통치하다
14 지지하다
15 가정하다
16 마을이나 도시의 정부를 운영하는 사람
17 무언가를 할 수 있는 공식적인 힘
18 정부의 부서를 대표하는 사람
19 누군가가 무언가를 할 수 있도록 허락하다
20 일을 나중까지 미루다

DAY 34

p. 290

01 ⓑ 02 ⓐ 03 ⓒ 04 ⓓ 05 ⓔ
06 sentence 07 evidence 08 violate 09 regulate 10 illegal
11 prevent 12 accuse 13 witness 14 victim 15 obey
16 innocent 17 jury 18 sooner or later 19 confessed
20 guilty

16 그 남자는 증거가 부족하기 때문에 자신이 결백하다고 주장한다.
17 배심원단은 법정에서 유죄 판결을 내릴 힘이 있다.
18 담배에 관한 새로운 법이 조만간 시행될 것이다.
19 Tom은 체포되었는데 이는 그가 가게에서 옷을 훔쳤다고 자백했기 때문이다.
20 그 남자는 사람들이 그에게 손가락질을 해도 죄책감을 느끼는 것처럼 보이지 않는다.

DAY 35

p. 298

01 ⓔ 02 ⓑ 03 ⓒ 04 ⓐ 05 ⓓ
06 ruins 07 generation 08 civilization 09 conserve 10 myth
11 origin 12 (E)mpire 13 (m)odern 14 (s)eparated 15 (g)oes by
16 consider 17 evaluate 18 decade 19 rid 20 look for

12 로마는 한때 로마 제국의 중심이었다.
13 요즘, 나는 현대 미국 역사를 공부하고 있다.
14 북한과 남한은 약 67년 동안 분리되어 있었다.
15 시간이 지남에 따라, 사람들은 역사의 교훈을 잊어버리기 쉽다.
16 누군가나 무언가에 대한 의견을 가지다
17 무언가에 대한 판단을 내리다
18 십 년간
19 무언가를 제거하다
20 무언가를 찾거나 얻기 위해 노력하다

DAY 36

p. 306

01 holy 02 wisdom 03 miracle 04 sacrifice 05 generous
06 meaning 07 bless 08 missionary 09 forgive 10 again and again
11 religion 12 devil 13 mercy 14 in place 15 toward
16 false 17 restrict 18 refuse 19 goodness 20 irresponsible

11 나는 내 종교에 많이 의지한다.
12 사람들은 악마를 떠올릴 때, 보통 두려움을 느낀다.
13 Jenny는 그녀의 삶에 있는 신의 은총에 항상 감사해한다.
14 여자는 십자가를 제자리에 두었다.
15 Jack은 교회를 향해 걸어갔다.
16 거짓된

17 제한하다
18 거절하다
19 선
20 무책임한

DAY 37

p. 314

01 ⓒ	02 ⓑ	03 ⓔ	04 ⓓ	05 ⓐ
06 colony	07 international	08 emigrate	09 relation	10 domestic
11 national	12 regional	13 specific	14 permanent	15 try
16 make sure	17 occasion	18 inner	19 equal	20 immigrate

11 국가의
12 지역의
13 특정한
14 영구적인
15 시도하다
16 확실하게 무슨 일이 일어나게 하다
17 일이 발생하는 특정한 때
18 무언가의 안쪽에 있는
19 무언가와 동일한
20 거주하거나 일하기 위해 다른 국가에서 특정한 국가에 오다

DAY 38

p. 322

01 hate	02 hide	03 death	04 survive	05 kill
06 drown	07 bomb	08 conquer	09 silence	10 for a while
11 flag	12 graves	13 retreated	14 struggles	15 treatment
16 army	17 cease	18 hazard	19 warning	20 internal

11 병사가 적군의 깃발을 보았다.
12 나는 한국 전쟁에서 전사한 군인들의 묘들을 방문했다.
13 군대는 지난밤 전투 도중에 식량 부족 때문에 후퇴했다.
14 공군은 하늘에서 적군들과 싸운다.
15 다행히도, 다친 군인은 치료를 받았다.
16 군대
17 중단하다
18 위험
19 경고
20 내부의, 안의

DAY 39

p. 330

01 logic	02 degree	03 theory	04 academic	05 method
06 philosophy	07 intellectual	08 knowledge	09 insight	10 effort
11 expect	12 worsen	13 example	14 idea	15 inspire
16 notice	17 bring back	18 acquire	19 define	20 by chance

11 기대하다
12 악화시키다
13 예시
14 생각
15 격려하다
16 무언가를 알아차리다
17 누군가가 무언가를 다시 기억하게 하다
18 기술과 같은 무언가를 배우다
19 단어의 뜻을 설명하다
20 통제되지 않은 방식으로 발생하는

DAY 40

p. 338

01 ⓒ	02 ⓐ	03 ⓓ	04 ⓔ	05 ⓑ
06 dislike	07 greenhouse	08 poverty	09 avoid	10 extinct
11 harm	12 importance	13 solution	14 obstacle	15 seek
16 disturb	17 fierce	18 happen	19 give up	20 group

16 방해하다
17 격렬한
18 발생하다
19 포기하다
20 집단

www.HackersBook.com

INDEX

A

B

D

E

F

G

J

K

L

M

N

O

Q

R

S

T

Y

Z

MEMO

MEMO

교과서 및 교육부 권장 어휘 완벽 반영

해커스 보카

중학 고난도

초판 7쇄 발행 2024년 7월 1일
초판 1쇄 발행 2020년 10월 21일

지은이	해커스 어학연구소
펴낸곳	(주)해커스 어학연구소
펴낸이	해커스 어학연구소 출판팀
주소	서울특별시 서초구 강남대로61길 23 (주)해커스 어학연구소
고객센터	02-537-5000
교재 관련 문의	publishing@hackers.com 해커스북 사이트(HackersBook.com) 고객센터 Q&A 게시판
동영상강의	star.Hackers.com
ISBN	본책: 978-89-6542-401-7 (54740) 세트: 978-89-6542-400-0 (54740)
Serial Number	01-07-01

해커스 보카

중학 고난도

누적 테스트북

해커스 보카

중학 고난도

누적 테스트북

누적 테스트 1일차

___ /20

정답 바로 듣기

1	relationship	D01	11	valuable	D01
2	divorce	D01	12	fate	D01
3	contact	D01	13	nephew	D01
4	mature	D01	14	relative	D01
5	respect	D01	15	resemble	D01
6	anniversary	D01	16	get along	D01
7	trust	D01	17	go out with	D01
8	funeral	D01	18	quarrel	D01
9	influence	D01	19	appreciate	D01
10	belong	D01	20	community	D01

누적 테스트 2일차

___ /20

정답 바로 듣기

1	careless	D02	11	ambitious	D02
2	depend	D01	12	B as well as A	D02
3	valuable	D01	13	fate	D01
4	in fact	D02	14	anniversary	D01
5	typical	D02	15	personality	D02
6	look after	D01	16	appreciate	D01
7	arrogant	D02	17	annoy	D02
8	funeral	D01	18	accompany	D01
9	trust	D01	19	support	D01
10	divorce	D01	20	care about	D02

누적 테스트 3일차

____/20

정답 바로 듣기

1	influence	D01	11	diligent	D02
2	niece	D01	12	forehead	D03
3	creative	D02	13	nurture	D01
4	odd	D02	14	rude	D02
5	a variety of	D03	15	stand out	D03
6	elder	D01	16	beauty	D03
7	patient	D02	17	in fact	D02
8	proportion	D03	18	balance	D03
9	wrinkle	D03	19	fate	D01
10	height	D03	20	relative	D01

누적 테스트 4일차

____/20

정답 바로 듣기

1	anniversary	D01	11	direct	D04
2	shut	D04	12	deliver	D04
3	in fact	D02	13	waist	D03
4	such	D03	14	scream	D04
5	ambitious	D02	15	twist	D04
6	careful	D02	16	aggressive	D02
7	tidy	D03	17	passive	D02
8	humble	D02	18	divorce	D01
9	breathe	D04	19	lay	D04
10	greedy	D02	20	seem	D02

누적 테스트 5일차

정답 바로 듣기 ____/20

1	squeeze	D04	11	devote	D01
2	clap	D04	12	funeral	D01
3	nurture	D01	13	skin	D03
4	ignorant	D02	14	care about	D02
5	odd	D02	15	style	D03
6	regret	D05	16	get along	D01
7	arrogant	D02	17	put up with	D05
8	engage	D01	18	bury	D04
9	recommend	D03	19	patient	D02
10	relationship	D01	20	aware	D05

누적 테스트 6일차

정답 바로 듣기 ____/20

1	cruel	D02	11	dig	D04
2	conversation	D06	12	regret	D05
3	remove	D04	13	capable	D02
4	call on	D06	14	slow down	D04
5	reply	D06	15	pride	D05
6	ambitious	D02	16	excuse	D06
7	frighten	D05	17	clap	D04
8	remind	D06	18	go out with	D01
9	ashamed	D05	19	impression	D02
10	skin	D03	20	inquire	D06

누적 테스트 7일차

____ /20

정답 바로 듣기

1	attractive	D02
2	greedy	D02
3	devote	D01
4	patient	D02
5	alike	D03
6	enjoyable	D05
7	nephew	D01
8	tension	D05
9	admit	D06
10	wavy	D03
11	a variety of	D03
12	trim	D07
13	active	D02
14	wrist	D03
15	appreciate	D01
16	clap	D04
17	comfort	D05
18	bow	D04
19	humble	D02
20	niece	D01

누적 테스트 8일차

____ /20

정답 바로 듣기

1	faith	D01
2	emotion	D05
3	roast	D08
4	respect	D01
5	diligent	D02
6	pursue	D04
7	afraid	D05
8	valuable	D01
9	drag	D04
10	jewelry	D03
11	persuade	D06
12	admit	D06
13	shut	D04
14	show off	D03
15	natural	D03
16	rotten	D08
17	important	D06
18	cast	D04
19	hug	D04
20	comfort	D05

9일차 누적 테스트

___/20

정답 바로 듣기

1	debate	D06	11	trousers	D09
2	dairy	D08	12	important	D06
3	by oneself	D08	13	rotten	D08
4	ignorant	D02	14	excuse	D06
5	careful	D02	15	engage	D01
6	skin	D03	16	community	D01
7	costume	D09	17	kettle	D08
8	promise	D06	18	amuse	D05
9	distinguish	D06	19	float	D04
10	along with	D09	20	eager	D05

10일차 누적 테스트

___/20

정답 바로 듣기

1	recommend	D03	11	care about	D02
2	chore	D07	12	jewelry	D03
3	polish	D07	13	scold	D10
4	debate	D06	14	wavy	D03
5	shelf	D07	15	keep in mind	D05
6	fluent	D10	16	counsel	D10
7	tray	D08	17	fashion	D09
8	roast	D08	18	dormitory	D10
9	play a role in	D10	19	stand out	D03
10	afraid	D05	20	buckle	D09

누적 테스트 11일차

____ /20

정답 바로 듣기

1	peer	D10	11	pleasant	D05
2	cuisine	D08	12	content	D10
3	edible	D08	13	obtain	D11
4	cut off	D08	14	hug	D04
5	employ	D11	15	similar	D03
6	dismiss	D06	16	devote	D01
7	persuade	D06	17	promise	D06
8	emphasize	D06	18	perform	D11
9	household	D07	19	laundry	D09
10	appliance	D07	20	important	D06

누적 테스트 12일차

____ /20

정답 바로 듣기

1	paste	D08	11	elder	D01
2	alter	D09	12	needle	D09
3	float	D04	13	destination	D12
4	chore	D07	14	aboard	D12
5	appearance	D03	15	support	D01
6	pursue	D04	16	stand out	D03
7	melt	D08	17	proportion	D03
8	tool	D07	18	shut	D04
9	encourage	D05	19	persuade	D06
10	hire	D11	20	medium	D09

누적 테스트 13일차

정답 바로 듣기

____ /20

1	electric	D07	11	behavior	D10
2	for oneself	D09	12	shine	D03
3	be likely to	D12	13	promise	D06
4	cruel	D02	14	recover	D13
5	ignore	D06	15	discard	D07
6	gather	D07	16	license	D12
7	achieve	D11	17	traffic	D12
8	admit	D06	18	faucet	D07
9	determine	D06	19	bother	D05
10	die of	D13	20	desperate	D05

누적 테스트 14일차

정답 바로 듣기

____ /20

1	outfit	D09	11	hire	D11
2	attach	D11	12	institution	D10
3	capable	D02	13	facility	D12
4	mental	D13	14	conversation	D06
5	turn in	D10	15	bump	D14
6	casual	D09	16	illness	D13
7	term	D10	17	fashion	D09
8	profession	D11	18	emergency	D13
9	pregnant	D13	19	resemble	D01
10	sew	D09	20	quarrel	D01

누적 테스트 — 15일차

정답 바로 듣기

____ /20

1	ride	D12
2	downtown	D12
3	shelf	D07
4	balance	D03
5	manage	D11
6	little by little	D13
7	mature	D01
8	collar	D09
9	convenient	D12
10	landscape	D15
11	wavy	D03
12	charming	D03
13	prefer	D06
14	formal	D09
15	beverage	D08
16	advice	D10
17	attract	D05
18	complete	D09
19	crack	D14
20	hardly	D04

누적 테스트 — 16일차

정답 바로 듣기

____ /20

1	shelf	D07
2	pleasant	D05
3	mature	D01
4	convenient	D12
5	breathe	D04
6	grocery	D08
7	remain	D08
8	medical	D13
9	direction	D15
10	sanitary	D13
11	expert	D11
12	appearance	D03
13	agency	D11
14	underground	D15
15	detail	D11
16	condition	D07
17	basement	D07
18	relieve	D05
19	hire	D11
20	decision	D16

누적 테스트 17일차

____ /20

정답 바로 듣기

1	symptom	D13	11	figure	D03
2	melt	D08	12	charming	D03
3	claim	D16	13	abroad	D15
4	stripe	D09	14	intersection	D12
5	offend	D05	15	willing	D06
6	frankly	D06	16	auction	D16
7	dig	D04	17	rotten	D08
8	aisle	D15	18	foreigner	D15
9	wrap	D08	19	value	D16
10	merchandise	D16	20	concentrate	D10

누적 테스트 18일차

____ /20

정답 바로 듣기

1	masterpiece	D18	11	careless	D02
2	buckle	D09	12	necessity	D16
3	quality	D16	13	discard	D07
4	merchandise	D16	14	transfer	D12
5	doubt	D06	15	spread	D04
6	comment	D06	16	debate	D06
7	anxious	D05	17	brilliant	D02
8	compose	D18	18	get used to	D08
9	genius	D10	19	enjoyable	D05
10	cast	D04	20	tournament	D17

누적 테스트 19일차

정답 바로 듣기

____ /20

1	ashamed	D05	11	term	D10
2	faucet	D07	12	fundamental	D18
3	cuisine	D08	13	captain	D17
4	relieve	D05	14	ceremony	D19
5	chop	D08	15	career	D11
6	inquire	D06	16	elder	D01
7	lighthouse	D15	17	slow down	D04
8	be likely to	D12	18	depart	D15
9	respect	D01	19	conduct	D18
10	determine	D06	20	prescribe	D13

누적 테스트 20일차

정답 바로 듣기

____ /20

1	outfit	D09	11	stove	D08
2	put away	D14	12	destination	D12
3	detail	D11	13	furniture	D07
4	demonstrate	D10	14	purpose	D11
5	desperate	D05	15	appearance	D03
6	crowded	D15	16	genius	D10
7	starve	D08	17	depressed	D05
8	go over	D10	18	abstract	D18
9	compete	D17	19	advice	D10
10	casual	D09	20	mention	D06

누적 테스트 21일차

___ /20

정답 바로 듣기

1	confirm	D11	11	expose	D10
2	downtown	D12	12	refuse	D20
3	accident	D14	13	unknown	D21
4	muscle	D13	14	tidy	D03
5	confident	D17	15	sew	D09
6	belief	D20	16	advice	D10
7	allow	D15	17	odd	D02
8	flavor	D08	18	announce	D21
9	prescribe	D13	19	aggressive	D02
10	argue	D20	20	gallery	D18

누적 테스트 22일차

___ /20

정답 바로 듣기

1	influence	D01	11	biography	D22
2	theme	D18	12	consumer	D16
3	avenue	D12	13	tragedy	D18
4	direction	D15	14	dictionary	D22
5	desire	D18	15	immune	D13
6	claim	D16	16	chorus	D18
7	be worthy of	D22	17	referee	D17
8	fairy	D22	18	disease	D13
9	direct	D04	19	disabled	D13
10	stare	D06	20	protect	D14

누적 테스트 23일차

____ /20

정답 바로 듣기

1	dictionary	D22
2	cultural	D20
3	greedy	D02
4	amateur	D17
5	attention	D21
6	reality	D18
7	pride	D05
8	neat	D23
9	retail	D16
10	extreme	D17
11	highway	D15
12	impress	D06
13	object	D23
14	succeed	D11
15	laundry	D09
16	translation	D22
17	leftover	D08
18	score	D17
19	give off	D23
20	educate	D10

누적 테스트 24일차

____ /20

정답 바로 듣기

1	except	D14
2	frankly	D06
3	fantastic	D24
4	bring about	D12
5	hesitate	D20
6	educate	D10
7	connect	D12
8	potential	D24
9	tune	D18
10	narrator	D22
11	turn in	D10
12	reveal	D21
13	twist	D04
14	medicine	D13
15	succeed	D11
16	dairy	D08
17	infection	D13
18	chase	D04
19	particular	D23
20	in detail	D21

누적 테스트 25일차

____/20

정답 바로 듣기

1	convenient	D12	11	slip	D04
2	sink	D14	12	badly	D24
3	lean	D04	13	criticize	D21
4	prescribe	D13	14	employ	D11
5	wrap	D08	15	threat	D14
6	exclaim	D18	16	be about to	D04
7	recall	D19	17	kindergarten	D10
8	receipt	D16	18	hardly	D04
9	resource	D25	19	look into	D20
10	situation	D24	20	maintain	D20

누적 테스트 26일차

____/20

정답 바로 듣기

1	semester	D10	11	beauty	D03
2	flood	D25	12	northern	D26
3	unusual	D19	13	sanitary	D13
4	overseas	D15	14	distant	D12
5	obvious	D24	15	aggressive	D02
6	swamp	D26	16	remote	D26
7	horizon	D26	17	annual	D19
8	scale	D20	18	disabled	D13
9	safety	D14	19	waist	D03
10	accent	D20	20	wallet	D16

누적 테스트 27일차

정답 바로 듣기

___/20

1	plain	D09	11	focus on	D18
2	wound	D14	12	disaster	D14
3	appliance	D07	13	safety	D14
4	interior	D07	14	proportion	D03
5	get used to	D08	15	bury	D04
6	illness	D13	16	opponent	D17
7	weight	D03	17	awake	D14
8	accident	D14	18	interpret	D22
9	mixture	D27	19	nephew	D01
10	copyright	D18	20	outlet	D07

누적 테스트 28일차

정답 바로 듣기

___/20

1	exact	D24	11	typical	D02
2	buckle	D09	12	collar	D09
3	solid	D27	13	foreigner	D15
4	a variety of	D03	14	following	D24
5	technique	D28	15	nutrition	D08
6	career	D11	16	bring about	D12
7	auction	D16	17	voyage	D15
8	function	D28	18	forecast	D25
9	show off	D03	19	exclude	D16
10	sightseeing	D15	20	complex	D24

누적 테스트 29일차

____ /20

정답 바로 듣기

1	research	D29
2	talent	D18
3	turn out	D29
4	decision	D16
5	analyze	D29
6	nearly	D24
7	crack	D14
8	impossible	D28
9	paste	D08
10	reduce	D14
11	chase	D04
12	precise	D29
13	lighthouse	D15
14	exact	D24
15	swamp	D26
16	resident	D07
17	prize	D19
18	brilliant	D02
19	remind	D06
20	substance	D26

누적 테스트 30일차

____ /20

정답 바로 듣기

1	fairy	D22
2	wallet	D16
3	northern	D26
4	pronounce	D10
5	tend	D30
6	purify	D25
7	vital	D14
8	publish	D22
9	entertain	D05
10	passport	D15
11	transform	D28
12	gallery	D18
13	state	D14
14	trend	D09
15	ash	D26
16	predict	D22
17	range	D26
18	reduce	D14
19	nod	D20
20	ethnic	D20

누적 테스트 31일차

___ /20

정답 바로 듣기

1	on one's feet	D24
2	diligent	D02
3	sheet	D29
4	priceless	D31
5	precious	D23
6	remain	D08
7	cheerful	D02
8	profession	D11
9	theme	D18
10	league	D17
11	label	D09
12	advertise	D16
13	brief	D23
14	by oneself	D08
15	semester	D10
16	finance	D31
17	charming	D03
18	pulse	D13
19	faucet	D07
20	figure out	D31

누적 테스트 32일차

___ /20

정답 바로 듣기

1	combination	D19
2	necessity	D16
3	novel	D22
4	situation	D24
5	decorate	D19
6	fuel	D25
7	give up	D27
8	emergency	D13
9	substance	D26
10	organize	D19
11	quantity	D16
12	seed	D32
13	fortunately	D19
14	likely	D24
15	agriculture	D32
16	laundry	D09
17	vital	D14
18	attractive	D02
19	smooth	D23
20	vision	D13

누적 테스트 33일차

_____ /20

정답 바로 듣기

1	council	D33	11	enormous	D23
2	underground	D15	12	strict	D02
3	accurate	D28	13	phrase	D22
4	official	D33	14	bruise	D13
5	interior	D07	15	personality	D02
6	purify	D25	16	atmosphere	D25
7	rent	D31	17	grocery	D08
8	pass through	D26	18	authority	D33
9	costume	D09	19	stare	D06
10	roast	D08	20	attract	D05

누적 테스트 34일차

_____ /20

정답 바로 듣기

1	sentence	D34	11	pregnant	D13
2	take part in	D17	12	ethnic	D20
3	fiction	D22	13	essay	D22
4	significant	D30	14	be used to	D18
5	for oneself	D09	15	clue	D34
6	journalism	D22	16	necessity	D16
7	transport	D15	17	severe	D14
8	look after	D01	18	excellent	D19
9	appeal	D33	19	announce	D21
10	confirm	D11	20	cultural	D20

누적 테스트 35일차

정답 바로 듣기

____ /20

1	recreation	D15
2	monotonous	D23
3	comb	D07
4	chase	D04
5	merchandise	D16
6	penalty	D17
7	volcano	D26
8	plain	D09
9	mild	D23
10	district	D12
11	concentrate	D10
12	muscle	D13
13	outfit	D09
14	baggage	D15
15	fundamental	D18
16	intersection	D12
17	conversation	D06
18	show off	D03
19	stir	D08
20	common	D23

누적 테스트 36일차

정답 바로 듣기

____ /20

1	encourage	D05
2	concrete	D32
3	currency	D31
4	bless	D36
5	typical	D02
6	trend	D09
7	tool	D07
8	horizon	D26
9	cotton	D09
10	particular	D23
11	phrase	D22
12	moisture	D25
13	pay attention	D14
14	concentrate	D10
15	private	D20
16	rough	D23
17	eastern	D20
18	sacrifice	D36
19	illness	D13
20	suit	D09

누적 테스트 37일차

정답 바로 듣기 ____ /20

1	recreation	D15	11	general	D37
2	coach	D17	12	maintain	D20
3	dental	D13	13	examine	D10
4	suit	D09	14	pursue	D04
5	alter	D09	15	minister	D33
6	be likely to	D12	16	immigrate	D37
7	waist	D03	17	operate	D11
8	consist	D27	18	incident	D21
9	ashamed	D05	19	prevent	D34
10	cultural	D20	20	mutual	D37

누적 테스트 38일차

정답 바로 듣기 ____ /20

1	kettle	D08	11	native	D20
2	journey	D15	12	appoint	D11
3	manage	D11	13	interior	D07
4	response	D19	14	external	D38
5	polish	D07	15	total	D16
6	differ	D30	16	souvenir	D15
7	hate	D38	17	witness	D34
8	eastern	D20	18	separate	D35
9	illustrate	D11	19	wisdom	D36
10	instant	D14	20	accuse	D34

누적 테스트

39일차

정답 바로 듣기

____ /20

1	include	D24	11	peer	D10
2	besides	D29	12	express	D21
3	robbery	D34	13	accident	D14
4	quality	D16	14	mercy	D36
5	function	D28	15	figure	D03
6	get used to	D08	16	degree	D39
7	progress	D28	17	careful	D02
8	flexible	D23	18	highway	D15
9	at last	D19	19	identical	D27
10	analyze	D29	20	inner	D37

누적 테스트

40일차

정답 바로 듣기

____ /20

1	focus	D06	11	peak	D26
2	gap	D30	12	nation	D37
3	clue	D34	13	at last	D19
4	outstanding	D17	14	economic	D31
5	pressure	D13	15	empire	D35
6	careless	D02	16	be used to	D18
7	confirm	D11	17	work out	D40
8	desire	D18	18	profession	D11
9	severe	D14	19	ignore	D06
10	smooth	D23	20	budget	D31

정답 1일차

정답 바로 듣기

1	relationship	관계	D01
2	divorce	이혼; 이혼하다	D01
3	contact	연락, 접촉; 연락하다	D01
4	mature	어른스러운, 성숙한	D01
5	respect	존경, 경의; 존경하다	D01
6	anniversary	기념일	D01
7	trust	신뢰; 신뢰하다	D01
8	funeral	장례식	D01
9	influence	영향을 주다; 영향, 영향력	D01
10	belong	속하다, 소유물이다	D01
11	valuable	소중한, 값비싼	D01
12	fate	운명, 숙명	D01
13	nephew	(남자) 조카	D01
14	relative	친척, 인척; 상대적인	D01
15	resemble	닮다, 비슷하다	D01
16	get along	잘 지내다	D01
17	go out with	~와 데이트를 하다	D01
18	quarrel	말다툼, 싸움; 다투다, 언쟁을 벌이다	D01
19	appreciate	감사하다, 고마워하다, 진가를 알다	D01
20	community	공동체, 지역 사회, 집단, 주민	D01

정답 2일차

정답 바로 듣기

1	careless	부주의한, 조심성 없는	D02
2	depend	의존하다, 의지하다, 달려 있다	D01
3	valuable	소중한, 값비싼	D01
4	in fact	사실은	D02
5	typical	전형적인, 대표적인	D02
6	look after	~를 돌보다	D01
7	arrogant	오만한, 건방진	D02
8	funeral	장례식	D01
9	trust	신뢰; 신뢰하다	D01
10	divorce	이혼; 이혼하다	D01
11	ambitious	야심 있는, 야심 찬	D02
12	B as well as A	A 뿐만 아니라 B도	D02
13	fate	운명, 숙명	D01
14	anniversary	기념일	D01
15	personality	성격, 인격, 개성	D02
16	appreciate	감사하다, 고마워하다, 진가를 알다	D01
17	annoy	짜증나게 하다, 괴롭히다	D02
18	accompany	동행하다, 동반하다, 수반하다	D01
19	support	지지하다	D01
20	care about	~에 마음을 쓰다, 관심을 가지다	D02

정답

3일차

정답 바로 듣기

1	influence	영향을 주다; 영향, 영향력	D01
2	niece	(여자) 조카	D01
3	creative	창의적인, 창조적인	D02
4	odd	이상한, 특이한	D02
5	a variety of	다양한, 여러 가지의	D03
6	elder	나이가 더 많은; 어른들	D01
7	patient	참을성이 있는; 환자	D02
8	proportion	비율, 크기, 균형	D03
9	wrinkle	주름; 주름을 잡다, 주름지다	D03
10	height	키, 높이	D03
11	diligent	성실한, 근면한	D02
12	forehead	이마	D03
13	nurture	양육하다; 양육	D01
14	rude	무례한, 예의 없는	D02
15	stand out	눈에 띄다, 두드러지다	D03
16	beauty	아름다움, 미	D03
17	in fact	사실은	D02
18	balance	균형, 조화	D03
19	fate	운명, 숙명	D01
20	relative	친척, 인척; 상대적인	D01

정답

4일차

정답 바로 듣기

1	anniversary	기념일	D01
2	shut	닫다, 잠그다	D04
3	in fact	사실은	D02
4	such	그러한, 그와 같은	D03
5	ambitious	야심 있는, 야심 찬	D02
6	careful	조심하는, 조심성 있는	D02
7	tidy	단정한, 깔끔한; 정돈하다	D03
8	humble	겸손한, 하찮은	D02
9	breathe	호흡하다, 숨을 쉬다	D04
10	greedy	욕심 많은, 탐욕스러운	D02
11	direct	지도하다, 감독하다; 직접적인	D04
12	deliver	배달하다, 전하다, 넘겨주다, 출산하다	D04
13	waist	허리	D03
14	scream	비명을 지르다, 소리치다; 비명, 절규	D04
15	twist	꼬다, 비틀다, 구부리다; 꼬임, 비틀기	D04
16	aggressive	공격적인, 적극적인, 의욕적인	D02
17	passive	소극적인, 수동적인	D02
18	divorce	이혼; 이혼하다	D01
19	lay	놓다, 두다, 눕히다, (알을) 낳다	D04
20	seem	~인 것 같다, ~처럼 보이다	D02

정답

5일차

정답 바로 듣기

1	**squeeze**	짜다, 압착하다	D04
2	**clap**	박수를 치다; 박수	D04
3	**nurture**	양육하다; 양육	D01
4	**ignorant**	무지한, 무식한	D02
5	**odd**	이상한, 특이한	D02
6	**regret**	후회하다, 유감으로 생각하다; 후회, 유감	D05
7	**arrogant**	오만한, 건방진	D02
8	**engage**	약속하다, 계약하다, 종사하다, 약혼하다	D01
9	**recommend**	충고하다, 권하다, 추천하다	D03
10	**relationship**	관계	D01
11	**devote**	바치다, 헌신하다	D01
12	**funeral**	장례식	D01
13	**skin**	피부, 살갗, (동물의) 가죽	D03
14	**care about**	~에 마음을 쓰다, 관심을 가지다	D02
15	**style**	방법, 방식, (옷 등의) 스타일	D03
16	**get along**	잘 지내다	D01
17	**put up with**	~을 참다, 참고 견디다	D05
18	**bury**	묻다, 매장하다	D04
19	**patient**	참을성이 있는; 환자	D02
20	**aware**	알고 있는, 의식이 높은	D05

정답

6일차

정답 바로 듣기

1	**cruel**	잔인한, 잔혹한	D02
2	**conversation**	대화, 담화	D06
3	**remove**	제거하다, 옮기다	D04
4	**call on**	요청하다, 찾아가다	D06
5	**reply**	대답하다, 응답하다, 대응하다	D06
6	**ambitious**	야심 있는, 야심 찬	D02
7	**frighten**	겁먹게 하다, 놀라게 하다	D05
8	**remind**	상기시키다, 다시 한번 알려주다	D06
9	**ashamed**	부끄러운, 수치스러운	D05
10	**skin**	피부, 살갗, (동물의) 가죽	D03
11	**dig**	(구멍 등을) 파다	D04
12	**regret**	후회하다, 유감으로 생각하다; 후회, 유감	D05
13	**capable**	유능한, 할 수 있는	D02
14	**slow down**	(속도·진행을) 늦추다	D04
15	**pride**	자부심, 자랑스러움, 자만심	D05
16	**excuse**	핑계, 변명; 변명하다, 용서하다	D06
17	**clap**	박수를 치다; 박수	D04
18	**go out with**	~와 데이트를 하다	D01
19	**impression**	인상, 감명	D02
20	**inquire**	묻다, 알아보다	D06

정답

7일차

정답 바로 듣기

No.	Word	Meaning	Day
1	**attractive**	매력적인, 마음을 끄는	D02
2	**greedy**	욕심 많은, 탐욕스러운	D02
3	**devote**	바치다, 헌신하다	D01
4	**patient**	참을성이 있는; 환자	D02
5	**alike**	(아주) 비슷한, 같은; 같게, 마찬가지로	D03
6	**enjoyable**	즐거운	D05
7	**nephew**	(남자) 조카	D01
8	**tension**	긴장, 불안	D05
9	**admit**	인정하다, 허용하다	D06
10	**wavy**	웨이브가 있는, 물결 모양의	D03
11	**a variety of**	다양한, 여러 가지의	D03
12	**trim**	다듬다, 손질하다	D07
13	**active**	활동적인, 적극적인	D02
14	**wrist**	손목, 팔목	D03
15	**appreciate**	감사하다, 고마워하다, 진가를 알다	D01
16	**clap**	박수를 치다; 박수	D04
17	**comfort**	위로하다, 격려하다; 위로, 위안	D05
18	**bow**	(고개를) 숙이다; 인사, 절	D04
19	**humble**	겸손한, 하찮은	D02
20	**niece**	(여자) 조카	D01

정답

8일차

정답 바로 듣기

No.	Word	Meaning	Day
1	**faith**	믿음, 신뢰	D01
2	**emotion**	감정, 정서, 감동, 감격	D05
3	**roast**	(고기를) 굽다, (콩·원두를) 볶다	D08
4	**respect**	존경, 경의; 존경하다	D01
5	**diligent**	성실한, 근면한	D02
6	**pursue**	추구하다, 쫓다, 추적하다	D04
7	**afraid**	두려워하는, 걱정하는	D05
8	**valuable**	소중한, 값비싼	D01
9	**drag**	끌다	D04
10	**jewelry**	장신구, 보석류	D03
11	**persuade**	설득하다, 납득시키다	D06
12	**admit**	인정하다, 허용하다	D06
13	**shut**	닫다, 잠그다	D04
14	**show off**	과시하다, 자랑하다	D03
15	**natural**	자연의, 자연스러운	D03
16	**rotten**	부패한, 상한	D08
17	**important**	중요한	D06
18	**cast**	내던지다, 던지다	D04
19	**hug**	껴안다, 포옹하다	D04
20	**comfort**	위로하다, 격려하다; 위로, 위안	D05

정답

9일차

정답 바로 듣기

1	debate	토론; 토론하다	D06
2	dairy	유제품의, 낙농업의	D08
3	by oneself	홀로, 혼자, 혼자 힘으로	D08
4	ignorant	무지한, 무식한	D02
5	careful	조심하는, 조심성 있는	D02
6	skin	피부, 살갗, (동물의) 가죽	D03
7	costume	의상, 복장	D09
8	promise	약속; 약속하다	D06
9	distinguish	구별하다, 특징짓다	D06
10	along with	~과 함께, ~에 덧붙여	D09
11	trousers	바지	D09
12	important	중요한	D06
13	rotten	부패한, 상한	D08
14	excuse	핑계, 변명; 변명하다, 용서하다	D06
15	engage	약속하다, 계약하다, 종사하다, 약혼하다	D01
16	community	공동체, 지역 사회, 집단, 주민	D01
17	kettle	주전자	D08
18	amuse	즐겁게 하다, 웃기다	D05
19	float	(물위·공중에) 뜨다, 떠오르다	D04
20	eager	열망하는, 갈망하는, 열심인	D05

정답

10일차

정답 바로 듣기

1	recommend	충고하다, 권하다, 추천하다	D03
2	chore	(가정의) 잔심부름, 허드렛일	D07
3	polish	(윤이 나도록) 닦다	D07
4	debate	토론; 토론하다	D06
5	shelf	선반, 책꽂이	D07
6	fluent	유창한	D10
7	tray	쟁반	D08
8	roast	(고기를) 굽다, (콩·원두를) 볶다	D08
9	play a role in	~에서 역할을 하다	D10
10	afraid	두려워하는, 걱정하는	D05
11	care about	~에 마음을 쓰다, 관심을 가지다	D02
12	jewelry	장신구, 보석류	D03
13	scold	야단치다, 꾸짖다	D10
14	wavy	웨이브가 있는, 물결 모양의	D03
15	keep in mind	명심하다, 잊지 않고 기억하다	D05
16	counsel	조언, 상담; 조언하다	D10
17	fashion	유행, 패션	D09
18	dormitory	기숙사, 공동 침실	D10
19	stand out	눈에 띄다, 두드러지다	D03
20	buckle	버클, 잠금장치	D09

정답 11일차

정답 바로 듣기

No.	Word	Meaning	Day
1	**peer**	또래, 친구, 동료	D10
2	**cuisine**	요리, 요리법	D08
3	**edible**	먹을 수 있는	D08
4	**cut off**	잘라내다, 차단하다	D08
5	**employ**	고용하다, (물건·기술 등을) 사용하다	D11
6	**dismiss**	(의견을) 묵살하다, 해고하다	D06
7	**persuade**	설득하다, 납득시키다	D06
8	**emphasize**	강조하다	D06
9	**household**	가구, 가정, 집안일	D07
10	**appliance**	가전제품, (가정용) 기구	D07
11	**pleasant**	즐거운, 기분이 좋은	D05
12	**content**	내용, 목차	D10
13	**obtain**	얻다, 획득하다	D11
14	**hug**	껴안다, 포옹하다	D04
15	**similar**	비슷한, 유사한	D03
16	**devote**	바치다, 헌신하다	D01
17	**promise**	약속; 약속하다	D06
18	**perform**	수행하다, 실행하다, 공연하다	D11
19	**laundry**	세탁소, 세탁물	D09
20	**important**	중요한	D06

정답 12일차

정답 바로 듣기

No.	Word	Meaning	Day
1	**paste**	반죽	D08
2	**alter**	수선하다, 바꾸다	D09
3	**float**	(물위·공중에) 뜨다, 떠오르다	D04
4	**chore**	(가정의) 잔심부름, 허드렛일	D07
5	**appearance**	외모, 겉모습, 출연, 출현	D03
6	**pursue**	추구하다, 쫓다, 추적하다	D04
7	**melt**	녹다, 녹이다	D08
8	**tool**	연장, 도구	D07
9	**encourage**	용기를 북돋우다	D05
10	**hire**	고용하다	D11
11	**elder**	나이가 더 많은; 어른들	D01
12	**needle**	바늘	D09
13	**destination**	목적지, 행선지	D12
14	**aboard**	~을 타고, 탑승하여	D12
15	**support**	지지하다	D01
16	**stand out**	눈에 띄다, 두드러지다	D03
17	**proportion**	비율, 크기, 균형	D03
18	**shut**	닫다, 잠그다	D04
19	**persuade**	설득하다, 납득시키다	D06
20	**medium**	중간의, 보통의	D09

정답 13일차

정답 바로 듣기

1	electric	전기의	D07
2	for oneself	혼자 힘으로, 자신을 위해서	D09
3	be likely to	~할 가능성이 크다, ~할 것 같다	D12
4	cruel	잔인한, 잔혹한	D02
5	ignore	무시하다	D06
6	gather	모으다, 모이다	D07
7	achieve	달성하다, 이루다	D11
8	admit	인정하다, 허용하다	D06
9	determine	결정하다, 확정하다	D06
10	die of	~으로 죽다	D13
11	behavior	행동, 품행	D10
12	shine	빛나다, 반짝이다	D03
13	promise	약속; 약속하다	D06
14	recover	회복하다, 낫다, 되찾다	D13
15	discard	버리다	D07
16	license	면허(증), 허가(증)	D12
17	traffic	교통(량)	D12
18	faucet	수도꼭지	D07
19	bother	귀찮게 하다, 성가시게 하다	D05
20	desperate	필사적인, 절박한, 자포자기한	D05

정답 14일차

정답 바로 듣기

1	outfit	의복, 복장	D09
2	attach	첨부하다, 붙이다	D11
3	capable	유능한, 할 수 있는	D02
4	mental	정신의, 마음의	D13
5	turn in	제출하다	D10
6	casual	격식을 차리지 않은, 평상시의; 평상복	D09
7	term	학기, 용어	D10
8	profession	직업, 전문직	D11
9	pregnant	임신한	D13
10	sew	바느질하다, ~을 꿰매다	D09
11	hire	고용하다	D11
12	institution	기관, 단체, 제도	D10
13	facility	시설, 설비	D12
14	conversation	대화, 담화	D06
15	bump	충돌하다, 부딪치다	D14
16	illness	병, 아픔	D13
17	fashion	유행, 패션	D09
18	emergency	비상사태, 돌발 사태	D13
19	resemble	닮다, 비슷하다	D01
20	quarrel	말다툼, 싸움; 다투다, 언쟁을 벌이다	D01

정답 15일차

정답 바로 듣기

1	ride	타다, 몰다	D12
2	downtown	중심가, 도심; 중심가의; 중심가에	D12
3	shelf	선반, 책꽂이	D07
4	balance	균형, 조화	D03
5	manage	운영하다, 관리하다	D11
6	little by little	조금씩, 서서히	D13
7	mature	어른스러운, 성숙한	D01
8	collar	옷깃, 칼라	D09
9	convenient	편리한, 간편한	D12
10	landscape	풍경, 경치, 풍경화	D15
11	wavy	웨이브가 있는, 물결 모양의	D03
12	charming	매력적인, 멋진	D03
13	prefer	선호하다, 더 좋아하다	D06
14	formal	격식을 차린, 공식적인	D09
15	beverage	(물 이외의) 음료, 마실 것	D08
16	advice	조언, 충고	D10
17	attract	(주의·흥미를) 끌다, 끌어들이다	D05
18	complete	완성하다; 완전한	D09
19	crack	갈라지다, 금이 가다; 갈라진 금, 틈	D14
20	hardly	거의 ~ 않다	D04

정답 16일차

정답 바로 듣기

1	shelf	선반, 책꽂이	D07
2	pleasant	즐거운, 기분이 좋은	D05
3	mature	어른스러운, 성숙한	D01
4	convenient	편리한, 간편한	D12
5	breathe	호흡하다, 숨을 쉬다	D04
6	grocery	식료품, 식료품점	D08
7	remain	남다; 나머지, 남은 것	D08
8	medical	의학의, 의료의	D13
9	direction	방향, 위치, 지역	D15
10	sanitary	위생의, 위생적인, 깨끗한	D13
11	expert	전문가; 전문가의, 전문적인	D11
12	appearance	외모, 겉모습, 출연, 출현	D03
13	agency	대행사, 대리점, 기관, 단체	D11
14	underground	지하의; 지하에, 지하로	D15
15	detail	세부 사항; 열거하다	D11
16	condition	상태, 조건	D07
17	basement	지하실, 지하층	D07
18	relieve	(긴장·고통 등을) 풀어주다, 완화하다	D05
19	hire	고용하다	D11
20	decision	결정, 판단, 판결	D16

정답 17일차

정답 바로 듣기

1	symptom	증상, 조짐	D13
2	melt	녹다, 녹이다	D08
3	claim	요구하다, 주장하다; 요구, 주장	D16
4	stripe	줄무늬	D09
5	offend	기분을 상하게 하다, 화나게 하다	D05
6	frankly	솔직하게, 노골적으로	D06
7	dig	(구멍 등을) 파다	D04
8	aisle	통로, 복도	D15
9	wrap	싸다, 포장하다	D08
10	merchandise	상품, 제품; 판매하다	D16
11	figure	형상, 모습, 수치, 숫자	D03
12	charming	매력적인, 멋진	D03
13	abroad	해외에, 해외로, 널리	D15
14	intersection	교차로	D12
15	willing	기꺼이 ~하는, ~하기를 꺼리지 않는	D06
16	auction	경매	D16
17	rotten	부패한, 상한	D08
18	foreigner	외국인	D15
19	value	가치; (가치를) 평가하다	D16
20	concentrate	집중하다, 전념하다	D10

정답 18일차

정답 바로 듣기

1	masterpiece	명작, 걸작	D18
2	buckle	버클, 잠금장치	D09
3	quality	품질, 고급, 양질; 고급의	D16
4	merchandise	상품, 제품; 판매하다	D16
5	doubt	의심, 의문; 의심하다	D06
6	comment	의견, 논평; 의견을 말하다	D06
7	anxious	염려하는, 불안해하는	D05
8	compose	작곡하다, 작문하다, 구성하다	D18
9	genius	천재, 천재성, 특별한 재능	D10
10	cast	내던지다, 던지다	D04
11	careless	부주의한, 조심성 없는	D02
12	necessity	생필품, 필수품, 필요	D16
13	discard	버리다	D07
14	transfer	환승하다, 이동하다, 이동시키다	D12
15	spread	펼치다, 퍼지다, 퍼뜨리다	D04
16	debate	토론; 토론하다	D06
17	brilliant	뛰어난, 우수한, 훌륭한, 멋진	D02
18	get used to	~에 익숙해지다	D08
19	enjoyable	즐거운	D05
20	tournament	토너먼트, 승자 진출전	D17

정답

19일차

정답 바로 듣기

1	**ashamed**	부끄러운, 수치스러운	D05
2	**faucet**	수도꼭지	D07
3	**cuisine**	요리, 요리법	D08
4	**relieve**	(긴장·고통 등을) 풀어주다, 완화하다	D05
5	**chop**	다지다, 썰다	D08
6	**inquire**	묻다, 알아보다	D06
7	**lighthouse**	등대	D15
8	**be likely to**	~할 가능성이 크다, ~할 것 같다	D12
9	**respect**	존경, 경의; 존경하다	D01
10	**determine**	결정하다, 확정하다	D06
11	**term**	학기, 용어	D10
12	**fundamental**	기본의, 중요한; 기본	D18
13	**captain**	주장, 우두머리	D17
14	**ceremony**	식, 의식	D19
15	**career**	직업, 경력, 이력	D11
16	**elder**	나이가 더 많은; 어른들	D01
17	**slow down**	(속도·진행을) 늦추다	D04
18	**depart**	떠나다, 출발하다	D15
19	**conduct**	지휘하다, 행동하다; 지휘, 행동	D18
20	**prescribe**	처방하다, 명령하다, 지시하다	D13

정답

20일차

정답 바로 듣기

1	**outfit**	의복, 복장	D09
2	**put away**	치우다, 저축하다	D14
3	**detail**	세부 사항; 열거하다	D11
4	**demonstrate**	보여주다, 설명하다, 증명하다, 시위하다	D10
5	**desperate**	필사적인, 절박한, 자포자기한	D05
6	**crowded**	혼잡한, 붐비는	D15
7	**starve**	굶어 죽다, 굶주리다	D08
8	**go over**	검토하다, 조사하다, 건너가다	D10
9	**compete**	경쟁하다, 겨루다	D17
10	**casual**	격식을 차리지 않은, 평상시의; 평상복	D09
11	**stove**	가스레인지, (요리용) 화로	D08
12	**destination**	목적지, 행선지	D12
13	**furniture**	가구	D07
14	**purpose**	목적, 의도	D11
15	**appearance**	외모, 겉모습, 출연, 출현	D03
16	**genius**	천재, 천재성, 특별한 재능	D10
17	**depressed**	낙담한, 우울한, 침체된	D05
18	**abstract**	추상화, 추상물; 추상적인	D18
19	**advice**	조언, 충고	D10
20	**mention**	말하다, 언급하다	D06

정답 21일차

No.	Word	Meaning	Day
1	confirm	확인하다, 확정하다, 승인하다	D11
2	downtown	중심가, 도심; 중심가의; 중심가에	D12
3	accident	사고, 우연	D14
4	muscle	근육, 힘, 근력	D13
5	confident	확신하는, 자신 있는	D17
6	belief	믿음, 신념	D20
7	allow	허락하다, 허용하다	D15
8	flavor	맛, 풍미	D08
9	prescribe	처방하다, 명령하다, 지시하다	D13
10	argue	다투다, 논쟁하다, 주장하다	D20
11	expose	접하게 하다, 드러내다, 노출하다	D10
12	refuse	거부하다, 거절하다	D20
13	unknown	알려지지 않은, 유명하지 않은	D21
14	tidy	단정한, 깔끔한; 정돈하다	D03
15	sew	바느질하다, ~을 꿰매다	D09
16	advice	조언, 충고	D10
17	odd	이상한, 특이한	D02
18	announce	발표하다, 알리다	D21
19	aggressive	공격적인, 적극적인, 의욕적인	D02
20	gallery	미술관, 화랑	D18

정답 22일차

정답 바로 듣기

No.	Word	Meaning	Day
1	influence	영향을 주다; 영향, 영향력	D01
2	theme	주제, 테마	D18
3	avenue	거리, 대로	D12
4	direction	방향, 위치, 지역	D15
5	desire	원하다, 바라다; 욕구	D18
6	claim	요구하다, 주장하다; 요구, 주장	D16
7	be worthy of	~할 만하다, 가치가 있다	D22
8	fairy	요정	D22
9	direct	지도하다, 감독하다; 직접적인	D04
10	stare	응시하다, 유심히 쳐다보다	D06
11	biography	일대기, 전기	D22
12	consumer	소비자	D16
13	tragedy	비극 작품, 비극	D18
14	dictionary	사전	D22
15	immune	면역의, 영향을 받지 않는	D13
16	chorus	합창, 합창곡	D18
17	referee	심판; 심판하다	D17
18	disease	질병, 질환	D13
19	disabled	장애를 가진	D13
20	protect	보호하다, 지키다	D14

정답

23일차

정답 바로 듣기

No.	Word	Meaning	Day
1	**dictionary**	사전	D22
2	**cultural**	문화의, 문화적인	D20
3	**greedy**	욕심 많은, 탐욕스러운	D02
4	**amateur**	아마추어의, 비전문가의; 아마추어	D17
5	**attention**	주의, 주목, 관심, 흥미	D21
6	**reality**	현실, 사실	D18
7	**pride**	자부심, 자랑스러움, 자만심	D05
8	**neat**	정돈된, 단정한	D23
9	**retail**	소매; 소매의	D16
10	**extreme**	극한의, 극단적인	D17
11	**highway**	고속도로	D15
12	**impress**	깊은 인상을 주다, 감명을 주다	D06
13	**object**	물건, 목적, 목표; 반대하다	D23
14	**succeed**	성공하다, 잘 되다, 뒤를 잇다, 계승하다	D11
15	**laundry**	세탁소, 세탁물	D09
16	**translation**	번역, 통역	D22
17	**leftover**	남은 음식; 나머지의	D08
18	**score**	득점하다; 득점	D17
19	**give off**	(소리·빛 등을) 발산하다, 내다	D23
20	**educate**	가르치다, 교육하다	D10

정답

24일차

정답 바로 듣기

No.	Word	Meaning	Day
1	**except**	~을 제외하고, ~ 외에는	D14
2	**frankly**	솔직하게, 노골적으로	D06
3	**fantastic**	환상적인, 굉장한	D24
4	**bring about**	야기하다, 초래하다	D12
5	**hesitate**	망설이다, 주저하다	D20
6	**educate**	가르치다, 교육하다	D10
7	**connect**	연결하다, 연결되다	D12
8	**potential**	잠재적인, 가능성이 있는; 잠재력, 가능성	D24
9	**tune**	선율, 곡조; 조율하다	D18
10	**narrator**	서술자, 내레이터	D22
11	**turn in**	제출하다	D10
12	**reveal**	드러내다, 밝히다	D21
13	**twist**	꼬다, 비틀다, 구부리다; 꼬임, 비틀기	D04
14	**medicine**	약, 약물	D13
15	**succeed**	성공하다, 잘 되다, 뒤를 잇다, 계승하다	D11
16	**dairy**	유제품의, 낙농업의	D08
17	**infection**	감염, 전염, 전염병	D13
18	**chase**	뒤쫓다, (돈·성공 등을) 추구하다	D04
19	**particular**	특별한, 특정한	D23
20	**in detail**	자세하게, 상세하게	D21

정답 25일차

1	**convenient**	편리한, 간편한	D12
2	**sink**	가라앉다, (해·달이) 지다	D14
3	**lean**	(몸을) 기울이다, 숙이다, 기대다	D04
4	**prescribe**	처방하다, 명령하다, 지시하다	D13
5	**wrap**	싸다, 포장하다	D08
6	**exclaim**	(흥분·감동하여) 소리치다, 외치다	D18
7	**recall**	기억해내다, 상기하다	D19
8	**receipt**	영수증	D16
9	**resource**	자원, 재원	D25
10	**situation**	상황, 처지, 입장, 위치, 장소	D24
11	**slip**	미끄러지다; (작은) 실수	D04
12	**badly**	심하게, 몹시, 나쁘게, 안 좋게	D24
13	**criticize**	비판하다, 비난하다	D21
14	**employ**	고용하다, (물건·기술 등을) 사용하다	D11
15	**threat**	위협, 협박	D14
16	**be about to**	막 ~하려고 하다	D04
17	**kindergarten**	유치원	D10
18	**hardly**	거의 ~ 않다	D04
19	**look into**	~을 조사하다	D20
20	**maintain**	유지하다, 주장하다	D20

정답 26일차

정답 바로 듣기

1	**semester**	학기	D10
2	**flood**	홍수; 범람시키다, 침수되다	D25
3	**unusual**	흔치 않은, 드문, 이상한	D19
4	**overseas**	해외의, 해외에	D15
5	**obvious**	분명한, 명백한	D24
6	**swamp**	습지, 늪	D26
7	**horizon**	수평선, 지평선	D26
8	**scale**	규모, 정도, 저울	D20
9	**safety**	안전, 안전성	D14
10	**accent**	말투, 악센트, 강조	D20
11	**beauty**	아름다움, 미	D03
12	**northern**	북쪽의, 북쪽에 있는	D26
13	**sanitary**	위생의, 위생적인, 깨끗한	D13
14	**distant**	먼, 떨어진	D12
15	**aggressive**	공격적인, 적극적인, 의욕적인	D02
16	**remote**	(공간상) 먼, 외진, (시간상) 먼	D26
17	**annual**	연례의, 매년의	D19
18	**disabled**	장애를 가진	D13
19	**waist**	허리	D03
20	**wallet**	지갑	D16

정답 27일차

1	**plain**	무늬가 없는, 장식이 없는	D09
2	**wound**	상처를 입히다; 상처, 부상	D14
3	**appliance**	가전제품, (가정용) 기구	D07
4	**interior**	내부의; 내부	D07
5	**get used to**	~에 익숙해지다	D08
6	**illness**	병, 아픔	D13
7	**weight**	체중, 무게	D03
8	**accident**	사고, 우연	D14
9	**mixture**	혼합물, 혼합	D27
10	**copyright**	저작권, 판권; 저작권 보호를 받는	D18
11	**focus on**	~에 주력하다, 초점을 맞추다	D18
12	**disaster**	재난, 대참사	D14
13	**safety**	안전, 안전성	D14
14	**proportion**	비율, 크기, 균형	D03
15	**bury**	묻다, 매장하다	D04
16	**opponent**	상대, 적수	D17
17	**awake**	(잠에서) 깨우다, 깨다; 깨어 있는	D14
18	**interpret**	해석하다, 설명하다, 통역하다	D22
19	**nephew**	(남자) 조카	D01
20	**outlet**	콘센트, 배출구	D07

정답 28일차

정답 바로 듣기

1	**exact**	정확한, 정밀한, 꼼꼼한	D24
2	**buckle**	버클, 잠금장치	D09
3	**solid**	고체; 고체의, 단단한	D27
4	**a variety of**	다양한, 여러 가지의	D03
5	**technique**	기술, 기법	D28
6	**career**	직업, 경력, 이력	D11
7	**auction**	경매	D16
8	**function**	기능, 역할; 기능하다	D28
9	**show off**	과시하다, 자랑하다	D03
10	**sightseeing**	관광, 구경; 관광의	D15
11	**typical**	전형적인, 대표적인	D02
12	**collar**	옷깃, 칼라	D09
13	**foreigner**	외국인	D15
14	**following**	그다음의; 다음의 것	D24
15	**nutrition**	영양 섭취, 영양	D08
16	**bring about**	야기하다, 초래하다	D12
17	**voyage**	항해, 여행	D15
18	**forecast**	예측하다, 예보하다; 예보, 예측	D25
19	**exclude**	거부하다, 차단하다, 제외하다	D16
20	**complex**	복잡한, 복합적인	D24

정답 29일차

정답 바로 듣기

No.	Word	뜻	Day
1	**research**	연구, 조사; 연구하다, 조사하다	D29
2	**talent**	재능, 장기, 인재	D18
3	**turn out**	~인 것으로 드러나다, (결과적으로) ~이 되다	D29
4	**decision**	결정, 판단, 판결	D16
5	**analyze**	분석하다	D29
6	**nearly**	거의	D24
7	**crack**	갈라지다, 금이 가다; 갈라진 금, 틈	D14
8	**impossible**	불가능한, 있을 수 없는	D28
9	**paste**	반죽	D08
10	**reduce**	줄이다, 감소시키다	D14
11	**chase**	뒤쫓다, (돈·성공 등을) 추구하다	D04
12	**precise**	정밀한, 정확한	D29
13	**lighthouse**	등대	D15
14	**exact**	정확한, 정밀한, 꼼꼼한	D24
15	**swamp**	습지, 늪	D26
16	**resident**	주민, 거주자	D07
17	**prize**	상, 상품	D19
18	**brilliant**	뛰어난, 우수한, 훌륭한, 멋진	D02
19	**remind**	상기시키다, 다시 한번 알려주다	D06
20	**substance**	물질	D26

정답 30일차

정답 바로 듣기

No.	Word	뜻	Day
1	**fairy**	요정	D22
2	**wallet**	지갑	D16
3	**northern**	북쪽의, 북쪽에 있는	D26
4	**pronounce**	발음하다, 선언하다	D10
5	**tend**	경향이 있다, 하기 쉽다	D30
6	**purify**	정화하다, 깨끗이 하다	D25
7	**vital**	생명의, 생명 유지에 필요한, 활기 있는	D14
8	**publish**	발행하다, 출판하다, 게재하다	D22
9	**entertain**	즐겁게 하다, 대접하다	D05
10	**passport**	여권	D15
11	**transform**	바꾸다, 변형시키다	D28
12	**gallery**	미술관, 화랑	D18
13	**state**	상태, 국가; 진술하다	D14
14	**trend**	유행, 동향, 추세	D09
15	**ash**	화산재, 재	D26
16	**predict**	예측하다, 예견하다	D22
17	**range**	산맥, 범위	D26
18	**reduce**	줄이다, 감소시키다	D14
19	**nod**	끄덕임; 끄덕이다	D20
20	**ethnic**	인종의, 민족의, 민족 특유의	D20

정답

31일차

정답 바로 듣기

No.	Word	Meaning	Day
1	on one's feet	일어서서, 자립하여	D24
2	diligent	성실한, 근면한	D02
3	sheet	(종이) 한 장, (침대의) 시트	D29
4	priceless	아주 귀중한, 값을 매길 수 없는	D31
5	precious	귀중한, 값비싼	D23
6	remain	남다; 나머지, 남은 것	D08
7	cheerful	쾌활한, 명랑한	D02
8	profession	직업, 전문직	D11
9	theme	주제, 테마	D18
10	league	(스포츠 경기의) 리그, 연맹	D17
11	label	상표, 라벨; 라벨을 붙이다	D09
12	advertise	광고하다	D16
13	brief	짧은, 잠시 동안의, 간단한	D23
14	by oneself	홀로, 혼자, 혼자 힘으로	D08
15	semester	학기	D10
16	finance	재정, 재무, 자금, 재원	D31
17	charming	매력적인, 멋진	D03
18	pulse	맥박, 고동; 맥이 뛰다	D13
19	faucet	수도꼭지	D07
20	figure out	산출하다, 계산하다, 알아내다, 이해하다	D31

정답

32일차

정답 바로 듣기

No.	Word	Meaning	Day
1	combination	조합, 결합	D19
2	necessity	생필품, 필수품, 필요	D16
3	novel	소설; 새로운, 신기한	D22
4	situation	상황, 처지, 입장, 위치, 장소	D24
5	decorate	장식하다, 꾸미다	D19
6	fuel	연료; 연료를 공급하다	D25
7	give up	포기하다	D27
8	emergency	비상사태, 돌발 사태	D13
9	substance	물질	D26
10	organize	준비하다, 계획하다, 조직하다	D19
11	quantity	수량, 양	D16
12	seed	씨, 종자; 씨를 뿌리다	D32
13	fortunately	다행히도, 운 좋게도	D19
14	likely	~할 것 같은, 있음직한, 그럴듯한	D24
15	agriculture	농업	D32
16	laundry	세탁소, 세탁물	D09
17	vital	생명의, 생명 유지에 필요한, 활기 있는	D14
18	attractive	매력적인, 마음을 끄는	D02
19	smooth	매끈한, 부드러운, 잔잔한, 평온한	D23
20	vision	시력, 시야, 상상력	D13

정답 33일차

정답 바로 듣기

1	council	(지방) 의회, 회의, 협의	D33	11	enormous	거대한, 막대한	D23
2	underground	지하의; 지하에, 지하로	D15	12	strict	엄격한, 엄한	D02
3	accurate	정밀한, 정확한	D28	13	phrase	구, 구절, 관용구	D22
4	official	공무원, 임원; 공식적인, 공무상의	D33	14	bruise	멍들게 하다; 멍	D13
5	interior	내부의; 내부	D07	15	personality	성격, 인격, 개성	D02
6	purify	정화하다, 깨끗이 하다	D25	16	atmosphere	대기, 공기	D25
7	rent	집세, 방세; 빌리다, 빌려주다	D31	17	grocery	식료품, 식료품점	D08
8	pass through	~을 지나가다, 통과하다, 겪다	D26	18	authority	권한, 권위, 당국	D33
9	costume	의상, 복장	D09	19	stare	응시하다, 유심히 쳐다보다	D06
10	roast	(고기를) 굽다, (콩·원두를) 볶다	D08	20	attract	(주의·흥미를) 끌다, 끌어들이다	D05

정답 34일차

정답 바로 듣기

1	sentence	형, 형벌, 선고, 문장; 선고하다, 판결하다	D34	11	pregnant	임신한	D13
2	take part in	~에 참가하다, 참여하다	D17	12	ethnic	인종의, 민족의, 민족 특유의	D20
3	fiction	소설, 허구	D22	13	essay	에세이, 수필	D22
4	significant	중대한, 중요한, 상당한	D30	14	be used to	~에 익숙하다	D18
5	for oneself	혼자 힘으로, 자신을 위해서	D09	15	clue	단서, 실마리	D34
6	journalism	언론, 저널리즘	D22	16	necessity	생필품, 필수품, 필요	D16
7	transport	수송하다, 옮기다; 수송, 운송	D15	17	severe	심각한, 극심한	D14
8	look after	~를 돌보다	D01	18	excellent	훌륭한, 탁월한	D19
9	appeal	애원하다, 상소하다; 상소, 애원	D33	19	announce	발표하다, 알리다	D21
10	confirm	확인하다, 확정하다, 승인하다	D11	20	cultural	문화의, 문화적인	D20

정답 35일차

정답 바로 듣기

1	recreation	기분 전환, 휴양, 오락, 레크리에이션	D15	11	concentrate	집중하다, 전념하다	D10
2	monotonous	단조로운, 지루한	D23	12	muscle	근육, 힘, 근력	D13
3	comb	빗; 빗질하다	D07	13	outfit	의복, 복장	D09
4	chase	뒤쫓다, (돈·성공 등을) 추구하다	D04	14	baggage	수하물	D15
5	merchandise	상품, 제품; 판매하다	D16	15	fundamental	기본의, 중요한; 기본	D18
6	penalty	페널티, 반칙에 대한 벌, 처벌, 벌금	D17	16	intersection	교차로	D12
7	volcano	화산	D26	17	conversation	대화, 담화	D06
8	plain	무늬가 없는, 장식이 없는	D09	18	show off	과시하다, 자랑하다	D03
9	mild	(정도가) 가벼운, 약한, 온화한	D23	19	stir	젓다, 섞다	D08
10	district	구역, 지구	D12	20	common	흔한, 공동의, 공통의	D23

정답 36일차

정답 바로 듣기

1	encourage	용기를 북돋우다	D05	11	phrase	구, 구절, 관용구	D22
2	concrete	콘크리트; 구체적인	D32	12	moisture	수분, 습기	D25
3	currency	통화, 화폐, 유통, 통용	D31	13	pay attention	주의를 기울이다, 주목하다	D14
4	bless	축복하다, 신의 가호를 빌다	D36	14	concentrate	집중하다, 전념하다	D10
5	typical	전형적인, 대표적인	D02	15	private	사적인, 개인의	D20
6	trend	유행, 동향, 추세	D09	16	rough	거친, 고르지 않은, 대강의, 험준한	D23
7	tool	연장, 도구	D07	17	eastern	동양의, 동쪽의	D20
8	horizon	수평선, 지평선	D26	18	sacrifice	제물, 희생; 제물로 바치다, 희생하다	D36
9	cotton	면직물; 면의	D09	19	illness	병, 아픔	D13
10	particular	특별한, 특정한	D23	20	suit	정장, 슈트; 어울리다, 맞다	D09

정답 37일차

정답 바로 듣기

1	recreation	기분 전환, 휴양, 오락, 레크리에이션	D15
2	coach	(스포츠 팀의) 코치, 감독; 지도하다	D17
3	dental	치과의, 치아의	D13
4	suit	정장, 슈트; 어울리다, 맞다	D09
5	alter	수선하다, 바꾸다	D09
6	be likely to	~할 가능성이 크다, ~할 것 같다	D12
7	waist	허리	D03
8	consist	이루어져 있다, 존재하다	D27
9	ashamed	부끄러운, 수치스러운	D05
10	cultural	문화의, 문화적인	D20
11	general	전반적인, 일반적인	D37
12	maintain	유지하다, 주장하다	D20
13	examine	시험을 실시하다, 조사하다	D10
14	pursue	추구하다, 쫓다, 추적하다	D04
15	minister	장관, 성직자, 목사	D33
16	immigrate	(타국에서) 이주해 오다, 이주시키다	D37
17	operate	영업하다, 작동하다	D11
18	incident	사건, 일어난 일	D21
19	prevent	막다, 예방하다	D34
20	mutual	상호적인, 공동의	D37

정답 38일차

정답 바로 듣기

1	kettle	주전자	D08
2	journey	여행, 여정	D15
3	manage	운영하다, 관리하다	D11
4	response	회신, 응답, 대답, 반응	D19
5	polish	(윤이 나도록) 닦다	D07
6	differ	다르다	D30
7	hate	증오, 혐오; 증오하다, 혐오하다	D38
8	eastern	동양의, 동쪽의	D20
9	illustrate	설명하다, 보여주다, 삽화를 넣다	D11
10	instant	즉각적인, 즉시의; 순간	D14
11	native	모국의, 출생지의, 타고난; 토착민	D20
12	appoint	임명하다, 지명하다	D11
13	interior	내부의; 내부	D07
14	external	외부의, 밖의	D38
15	total	전체의; 합계	D16
16	souvenir	기념품	D15
17	witness	증인, 목격자; 목격하다	D34
18	separate	분리하다; 분리된	D35
19	wisdom	지혜, 현명함	D36
20	accuse	고발하다, 기소하다, 비난하다	D34

정답

39일차

정답 바로 듣기

1	include	포함하다, 포괄하다	D24	11	peer	또래, 친구, 동료	D10
2	besides	~외에; 게다가	D29	12	express	표현하다, 나타내다; 급행의, 신속한	D21
3	robbery	강도 사건, 강탈	D34	13	accident	사고, 우연	D14
4	quality	품질, 고급, 양질; 고급의	D16	14	mercy	(신의) 은총, 자비, 연민	D36
5	function	기능, 역할; 기능하다	D28	15	figure	형상, 모습, 수치, 숫자	D03
6	get used to	~에 익숙해지다	D08	16	degree	학위, 정도, (온도·각도계의) 도	D39
7	progress	진보, 진척; 진행되다	D28	17	careful	조심하는, 조심성 있는	D02
8	flexible	유연한, 잘 구부러지는	D23	18	highway	고속도로	D15
9	at last	마침내, 드디어	D19	19	identical	똑같은, 동일한	D27
10	analyze	분석하다	D29	20	inner	내부의, 내면의	D37

정답

40일차

정답 바로 듣기

1	focus	집중하다, 집중시키다; 초점, 중점	D06	11	peak	정상, 산꼭대기, 절정	D26
2	gap	격차, 차이, 틈	D30	12	nation	국가, 국민, 민족	D37
3	clue	단서, 실마리	D34	13	at last	마침내, 드디어	D19
4	outstanding	우수한, 눈에 띄는	D17	14	economic	경제의, 경제학의	D31
5	pressure	압박, 압력	D13	15	empire	제국	D35
6	careless	부주의한, 조심성 없는	D02	16	be used to	~에 익숙하다	D18
7	confirm	확인하다, 확정하다, 승인하다	D11	17	work out	찾아내다, 해결하다, 운동하다	D40
8	desire	원하다, 바라다; 욕구	D18	18	profession	직업, 전문직	D11
9	severe	심각한, 극심한	D14	19	ignore	무시하다	D06
10	smooth	매끈한, 부드러운, 잔잔한, 평온한	D23	20	budget	예산, 경비	D31

MEMO

MEMO

해커스 보카 중학 고난도

누적 테스트북

추가 자료

해커스북(HackersBook.com)에서
본 교재에 대한 다양한
추가 학습 자료를 이용하세요!